Hallier en roue libre

À Julian Alaphilippe, champion du monde de cyclisme sur route 2020 et 2021.

Et aux préposé(e)s de la Poste qui, en deux, trois ou quatre roues, jour après jour, livrent et délivrent.

« Cette roue sous laquelle nous tournons est pareille à une lanterne magique. Le soleil est la lampe ; le monde l'écran ; nous sommes les images qui passent. »

Omar Khayyâm (1048 ?-1131 ?), *Rubaïyat*

« Rien de grand ne se fait sans l'idée fixe, ce clou à transpercer l'invisible. »

Malcolm de Chazal (1902-1981), *Sens-plastique*

Maquette :
Caroline Verret

Correction et révision :
Paula Gouveia-Pinheiro

Photos de couverture :
dessin de Jean-Edern Hallier, daté de 1995, qui servit à illustrer l'affiche de l'exposition organisée du 26 janvier au 17 février 1996, à la Galerie Salvany, à Clermont-Ferrand, et librement adapté ; photo (DR) du jeune Jean-Edern à vélo, devant l'entrée d'une propriété familiale à Saint-Germain-en-Laye, la ville d'Île-de-France où il est né.

Édité par NEVA Éditions
ISBN : 978-2-35055-305-4

Jean-Pierre Thiollet

Hallier en roue libre

Avec des contributions
de François Roboth

Éditions

Un poète.
— Ah ! non, mon vieux ! Si vous vous arrêtez à chaque fleur !...

Dessin d'Albert Dubout (1905-1976), extrait de *Tour de France*, Éditions du Livre (Monte-Carlo).

« L'homme est la plus noble invention du vélo. »

Jean-Edern Hallier, *Le Refus ou la Leçon des ténèbres*

« Le Tour de France est notre dernier western, la chevauchée fantastique. On enfourche son vélo comme jadis son cheval. Sauf que si la première grande invention humaine a été la roue, il aura fallu attendre la fin du XIXe pour s'apercevoir qu'on pouvait tenir en équilibre sur deux roues : la technique ne transcende pas la nature, elle la seconde acrobatiquement. »

Jean-Edern Hallier, *Le Refus ou la Leçon des ténèbres*

« Le rêve, c'est la roue libre de l'esprit. »

Pierre Reverdy (1889-1960), *Le Livre de mon bord*

Sommaire

32 rayons pour un tour de piste

1

« Théoriciens sclérosés, petits notables ricanants, docteurs en résignation, ce livre n'est pas pour vous. Il est dédié à l'éternelle jeunesse qui, à tous les âges de la vie, croit et espère encore. On aura beau la briser, la réconcilier de force, elle est irréductible. »

Jean-Edern Hallier, *La Cause des peuples*

« L'esprit humain ressemble à un miroir déformant qui exposé aux rayons des choses mêle sa nature propre à la nature des choses qu'il fausse et qu'il brouille. »

Francis Bacon (1561-1626), *Novum organum, Cogitata et visa, Valerius terminus* (NO, I, 41 ; CV, XIV ; VT, 224, 32...)

Poussière d'étoile

Jean-Edern Hallier n'ira plus revoir le Normandy [1]. Là où il a passé sa dernière nuit. Il y a plus vilain endroit... Son fantôme ne cesse sans doute d'y rôder, mais il ne s'empare pas d'une bicyclette pour filer en roue libre avant que ceux et celles qui risquaient de le surprendre n'aient le temps de lui faire signe. Affaire classée. Officiellement du moins. L'auteur de *L'Évangile du fou* n'avait rien d'un cyclopathe, du genre à rentrer dans une boulangerie avec sa bécane ou à dormir avec. C'est pourtant bien lui qui est tombé de vélo au petit matin et est mort à Deauville, seul, sans témoin, le 12 janvier 1997. Ultime preuve qu'il n'aura jamais rien fait comme tout le monde.

Nul ne le verra donc plus ni en Normandie, ni à Paris, à la Closerie des Lilas où il avait ses habitudes, ou en un autre endroit. Peu importe à dire vrai. Que cela plaise ou non, que de nombreux Français en soient conscients ou pas, il est appelé à s'imposer comme une icône, une incarnation de la Littérature qui a ses défenseurs et même ses adorateurs. Avec les hallierophiles, prompts à décrire de mémoire des « choses vues », les hallieromanes, capables de situer parfaitement dans telle œuvre l'unique mention d'un personnage ou d'une marque, et les hallierolâtres, qui, dans l'avenir, feront peut-être le circuit Edern-Deauville chaque année… Avec aussi les hallierographes. Non ceux qui écrivent comme Hallier – ça n'existe pas – mais ceux qui passent une partie de leur temps à écrire sur lui… À ce petit jeu, sûr, Jean-Edern a beau être poussière, comme le croient ses détracteurs ou ses ennemis encore en vie ou morts-vivants, il redeviendra poussière d'étoile.

(1) Hôtel de prestige du groupe Lucien Barrière, situé à Deauville, en Normandie.

2

« La guerre, un massacre de gens qui ne se connaissent pas, au profit de gens qui se connaissent mais ne se massacrent pas. »

Paul Valéry (Ambroise Valéry, dit, 1871-1945), *Cahiers*

« En temps de guerre, la vérité est la première victime. »

Philip Snowden (1864-1937), dans la préface du livre *La Vérité et la Guerre*, d'Edmund Dene Morel, publié en 1916

L'edernel retour de la guerre

La guerre, cette horreur absolue, aura eu au moins cette vertu de rendre presque familiers aux Français des pans entiers de territoires situés à l'est du continent européen dont ils ignoraient en général l'étendue, la localisation, et même l'existence… Elle n'a tué ni l'histoire ni la géographie. Bien au contraire. Elle est venue renforcer leur importance. Sans pour autant fournir la moindre indication probante quant à l'évolution du conflit et à l'échéance de son aboutissement…

« À la guerre, en art, écrivait Joseph Delteil en 1926 dans *Les Poilus*, le principal effet du moderne, c'est la surprise. » Or la guerre russo-ukrainienne n'a rien – mis à part peut-être dans l'utilisation de quelques nouvelles technologies – de « moderne » à proprement parler et n'a pas lieu d'étonner.

Pas seulement bien sûr par résignation, à force de reprendre les paroles de la magnifique chanson de Nino Ferrer :

« Un jour ou l'autre il faudra qu'il y ait la guerre
On le sait bien
On n'aime pas ça, mais on ne sait pas quoi faire
On dit, "c'est le destin"
Tant pis pour le Sud
C'était pourtant bien
On aurait pu vivre
Plus d'un million d'années
Et toujours en été. »

Dès 1999, l'homme politique américain Patrick Buchanan avait parfaitement analysé la situation et prévenu qu'en amenant l'Otan aux portes de la Russie, les Occidentaux avaient jeté les bases d'une confrontation au XXIe siècle. De fait, il ne paraît guère douteux que les dirigeants russes n'ont pas attendu 2022 pour définir leurs orientations stratégiques concernant la « gestion » des anciennes républiques de l'Union soviétique. Au début des années 2010, l'auteur de cet ouvrage fut d'ailleurs prévenu par des personnes rétrospectivement très informées de ce qui allait se produire en Ukraine et en d'autres territoires... Mais il paraissait alors difficile de croire à l'imminence d'une troisième guerre mondiale.

Comme il était loin le temps où Eugène Hallier, le grand-père de Jean-Edern, alors lieutenant-colonel et attaché militaire français à Vienne, adressait le 2 juillet 1914 au ministre de la Guerre un rapport au sujet de « L'horrible attentat de Sarajevo »... Loin aussi le temps où le père de Jean-Edern s'était trouvé « dans la même chambre que Charles de Gaulle à l'École de guerre » et avait raconté à son fils « qu'il (le futur chef d'État) puait des pieds d'une manière absolument abominable et qu'il n'arrêtait pas de se chamailler [1]. » Loin encore le temps où figurait sur des cartes postales de propagande, durant la Seconde Guerre mondiale, cette phrase du Maréchal Pétain, avec sa photo et sa signature : « La patience est peut-être aujourd'hui la forme la plus nécessaire du courage. » Si révolue enfin, curieusement, l'époque où Jean-Edern, avec son journal hebdomadaire *L'Idiot,* fustigeait, avec une totale liberté de ton, M. Bush père qui déclarait la guerre à Saddam Hussein... Dommage aujourd'hui qu'il ne soit pas parmi nous pour plaider à sa manière la cause des peuples, dénoncer l'invasion de la propagande, foudroyer les mensonges, et peut-être régler son compte au passage à M. Christian Quesnot, invité sur la chaîne LCI le 24 février 2022 pour évoquer la guerre en Ukraine... alors qu'il fait partie des principaux militaires français accusés d'être impliqués dans le génocide au Rwanda.

(1) Confidence rapportée dans *Le Dandy de grand chemin...*

Dessin de Kak paru dans le quotidien *L'Opinion* daté du 20 juin 2022.

3

« Il est certain que la scène politique offre un vaste panel d'acteurs parfois excellents. C'est la principale chose qui m'intéresse chez Emmanuel Macron, par exemple. L'essentiel de son action passe par des procédés théâtraux très fins. Le plus évident, c'est le lien entre la monarchie et la République, lien qu'il tisse depuis le jour de son élection, avec ce fameux rassemblement devant la pyramide du Louvre. Il a l'art des discours complètement vides de sens mais profondément intelligents dans leur destination médiatique. »

Philippe Tesson, propos recueillis par Judith Sibony,
Revue des Deux Mondes, avril 2022

Macron II

Emmanuel Macron est redevenu en 2022 le président de tous les Français, comme le fut en son temps Jacques Chirac, dont Hallier soutint l'élection en 1995. Un devoir immense, mais aussi une gloire, après une réélection indiscutable, en l'absence d'alternative suffisamment crédible et par-delà la jalousie, l'envie, et même la haine que suscite volontiers en France tout ce qui peut être perçu comme jeune, intelligent et brillant...

Jusqu'en 2027, le chef de l'État n'en a pas moins une tâche ingrate. Maintenir des traditions – que parfois personne ne connaît plus –, tout en étant un novateur condamné à se faire agonir parce qu'il dérange les conformismes de la pensée... Difficile d'agir dans une France arthritique et une République gérontocratique, où les bastions sont légion, où des baronnies s'assurent des emplois subventionnés à vie sur plusieurs générations, où des castes réactionnaires et parasitaires s'arc-boutent sur leurs privilèges et se refusent à toute évolution... Cette France et cette République si riches en blocages, inégalités, injustices.

« La politique, c'est comme la littérature, confiait Emmanuel Macron en 2017, c'est un style. C'est une magie. Il faut définir le cœur de ce que l'on porte. »

Avant 2027, parviendra-t-il, par enchantement ou presque, à mettre en œuvre des réformes de fond, tant de fois annoncées et ajournées par la droite (UMP, LR, UDI, Nouveau Centre...) comme par la gauche en mode PS, dans les institutions, fissurées de toutes parts et discréditées, dans les grands corps de l'État, souvent déconsidérés, dans le fonctionnement d'un système dit « démocratique » plus qu'imparfait qui engendre une défiance généralisée ?

« Macron, aime à juste titre à rappeler Philippe Tesson, n'est pas Louis XIV... (1) » Il a affaire à une population composée de millions de procureurs cyniques et ingrats, ainsi que de nombreux irresponsables... Il va lui falloir faire preuve d'autorité, « trancher dans le vif » à l'occasion, et assumer le risque d'impopularité. Toute inertie de sa part n'aurait pas la moindre excuse. N'ayant aucune échéance électorale à affronter, il est en roue libre...

Quels que soient les reproches qui lui seront faits, par Marine Le Pen et ses autres adversaires les plus irréductibles, atteindra-t-il pour autant le niveau d'ignominie de M. Mitterrand au terme de son second mandat ? Il paraît légitimement permis d'en douter. D'autant qu'après 2027, en l'absence d'une modification de la Constitution et à défaut de pouvoir se représenter à l'élection présidentielle française, Emmanuel Macron, devenu jeune quinquagénaire, aspirera sans doute à persévérer dans le progressisme et à jouer un rôle de premier plan au niveau international.

(1) *Le Figaro*, 28 mai 2021.

4

« L'utilité publique se fait souvent du dommage des particuliers. »

Jean-Louis Guez de Balzac (1597-1654), *Le Prince*

Mot-valise

Intérêt général ? « Mon œil ! » rétorquerait peut-être Hallier, en bon Cyclope breton… En France, dès qu'il est question d'intérêt général, il y a toujours lieu de sortir son point d'interrogation. L'expression fait en effet partie, avec « utilité publique », de ces sortes de mots-valises mis en avant pour justifier des initiatives très contestables et dissimuler des intérêts particuliers de prédateurs, qu'ils soient députés, maires ou hommes d'affaires. Ici, c'est le premier magistrat d'une commune rurale nouvelle qui, soucieux du stationnement aux abords d'une salle des fêtes, cherche une possibilité d'extension de parking sur une parcelle appartenant à un habitant et estime qu'elle relève de l'intérêt général et d'un aménagement qui sont une « priorité ». En omettant de préciser que la salle en question est utilisée trois ou quatre fois l'an pour des « repas d'anciens », que le coût de son projet d'extension à base de macadam serait très élevé pour les contribuables, et que tous les citoyens ne sont pas forcément disposés à se laisser berner sans réaction par de vraies-fausses « réalisations » destinées à utiliser les lignes comptables de subventions venues d'ailleurs… ou à favoriser le développement des activités d'un ami traiteur !

Là, c'est un maire de ville moyenne qui « lorgne » lui aussi sur les propriétés privées de certains de ses concitoyens pour accroître le périmètre déjà fort impressionnant des locaux municipaux et qui semble un peu trop se spécialiser dans les grands travaux d'intérêt général pour ne pas y trouver son compte... Là encore, c'est un vieil apparatchik du PS qui, engoncé dans sa suffisante médiocrité et avant d'être sèchement remercié par les électeurs, est parvenu au nom d'une « utilité publique » improbable à faire démolir une salle municipale de spectacles conçue par un architecte de renom (1) afin d'aménager quelques logements, un espace culturel des plus quelconques et une agence immobilière !

Sur le territoire français, la corruption n'a pas nécessairement un caractère systématique. Mais quand elle est... en chantier, elle va souvent de pair avec dissimulation et hypocrisie, commissions inavouées et rétrocommissions sous des formes insoupçonnées et inavouables. L'intérêt général devient alors la somme de quelques intérêts privés.

Quant au jour où, dans les villes, les décideurs d'opérations de rénovation immobilière dites « d'utilité publique » iront loger eux-mêmes dans les immeubles réhabilités (sans s'être posés la question de savoir pourquoi ils étaient délabrés), il ne semble pas pour demain !

---

(1) Il s'agit d'Édouard Lardillier (1908-1964). Ayant œuvré des années 1930 aux années 1960, il peut être considéré comme l'un des grands noms français du XXe siècle dans le domaine de la salle de spectacles. Sa salle de l'ancien théâtre municipal de Poitiers où s'étaient produits de grands artistes, de Mstislav Rostropovitch à Georges Cziffra en passant par Barbara, Georges Moustaki, les Compagnons de la Chanson ou le Golden Gate Quartet, était l'une des très rares œuvres à subsister sur le territoire français et à témoigner de l'art de cet architecte. Sa destruction est intervenue en 2020.

5

« Un cèdre du Liban ne s'appauvrit point, il s'embellit en secouant une feuille morte. »

Joseph de Maistre (1753-1821), *Les Soirées de Saint-Pétersbourg*

Byblos blues

Hallier ne se moquait pas des Libanais et du Liban. Il savait pertinemment que ce qui leur arrivait ne faisait peut-être que préfigurer ce qui pouvait arriver aux Français et à la France.

Depuis longtemps, le pays du Cèdre, de Byblos, Sidon, Tyr et Tripoli, est rongé par la dette, la corruption, l'inflation, la mafia, les castes, le népotisme, le clientélisme… Mais depuis 2021, avec l'explosion d'une large partie de Beyrouth, sa capitale, il paraît devenu, pour reprendre le titre d'une tribune de l'essayiste Dominique Eddé, « la figure caricaturale d'un monde où les mots sont blessés à mort[1] ». Grâce à Emmanuel Macron qui a su – il faut lui reconnaître ce mérite – très promptement lui redonner un minimum d'espoir et à l'armée française dont le « génie militaire » s'est montré, à en croire les témoignages recueillis à ce sujet, d'une efficacité remarquable, il n'est plus KO debout. Mais simplement à genoux. Ou plus exactement en roue libre, face à l'incurie notoire d'un gouvernement indigne. 70 % de sa population vivent sous le seuil de pauvreté. La crise s'enlise et paraît donc totale. Politique, sociale, sanitaire, monétaire, sécuritaire… existentielle. Elle frappe chaque habitant, du plus nécessiteux au bourgeois auparavant aisé. La fameuse résilience libanaise qui depuis des lustres force l'admiration et le respect est mise à rude épreuve... Byblos blues donc. Heureusement, il subsiste l'humour libanais. Comme dans cette saynète bien connue où un riche homme d'affaires s'adresse à son ami ministre (les riches au Liban ont toujours au moins un ami ministre) :

– Mon fils me désespère, il n'a pas terminé ses études, ne cherche même pas de travail, passe tout son temps à boire et à rigoler avec ses copains. Ne pourrais-tu pas lui trouver un petit boulot dans ton ministère ?

– Aucun problème, lui répond le ministre. Je le nommerai adjoint de mon chef de cabinet, avec un salaire de 6 500 dollars par mois.

– Non, non. Ce n'est pas cela que je veux. Il faut qu'il comprenne qu'il faut travailler dans la vie et lui inculquer la valeur de l'argent.

– Ah ? Bon. Je le ferai cadre 2e échelon, à 4 500 dollars par mois.

– Non, c'est encore trop. Il doit se rendre compte qu'il faut mériter son salaire.

– Euh... chef de service alors ? 3 500 dollars par mois ?

– Toujours trop. Ce qu'il lui faudrait, c'est une place de petit fonctionnaire, tout en bas de la hiérarchie.

– Alors là, hélas, je ne peux rien faire pour toi, répond l'ami ministre.

– Mais pourquoi pas ? demande le père.

– Désolé, mais pour ce genre de poste, il faut réussir un concours et avoir un diplôme…

(1) *Le Monde,* 7 août 2021.

6

« Les sénateurs, quand ils ne parlent pas de leur prostate,
se racontent des histoires de cul. Cela leur laisse peu de temps
pour s'occuper des affaires de l'État. »

Yvan Audouard (1914-2004), *Les Pensées*

Le Sénat au rapport

Le Sénat français a échoué. Il n'est pas parvenu à empêcher la réélection en 2022 d'Emmanuel Macron à la présidence de la République. Pourtant, il aura tout tenté, ou presque, pour atteindre cet objectif. Sans doute dépité par l'amateurisme flagrant de la candidate qu'il soutenait, son président louis-philippard, deuxième personnage de l'État, est même allé jusqu'à remettre en cause à l'avance la légitimité de celui qui allait être élu par les Français... Sans présenter sa démission ni ses excuses. Il s'agissait pourtant d'une faute lourde, une sorte d'appel à l'insurrection en cas de réélection, qui était de nature à fissurer, et donc à fragiliser, l'une des rares institutions encore respectées et à peu près intactes... Mais il y eut plus grave quand le Sénat prit l'initiative, à trois semaines d'un premier tour de scrutin, de publier un rapport au sujet des cabinets de conseil dont McKinsey... afin de discréditer la candidature d'Emmanuel Macron et de favoriser celle de Marine Le Pen. Une manœuvre d'emblée singulière, alors que le recours aux cabinets de conseil est fort loin de remonter aux gouvernements d'Édouard Philippe ou de Jean Castex, qu'il fut dans le passé d'une ampleur beaucoup plus significative sous d'autres gouvernements, et que McKinsey exerce son activité en France depuis le milieu des années 1960… En fait, le rapport en question, incomplet et à charge, a dû faire se retourner dans leurs tombes certaines figures du Palais du Luxembourg que l'auteur de cet ouvrage a connues à l'époque où Hallier était de ce monde et qui, soucieuses de rigueur intellectuelle, n'auraient jamais accepté que le mot « Sénat » figure sur la couverture d'un document aussi grossièrement partiel et partial… Comme eut le mérite de le relever Dominique Seux dans *Les Échos*, le « pavé » à vocation explosive réussissait, en 384 pages, le drôle de « tour de force » de mentionner McKinsey 472 fois, alors que ce cabinet représentait 1 % des marchés, et de ne jamais citer des concurrents, parfois beaucoup plus importants en termes de chiffre d'affaires ! Pire encore, en dépit de son caractère volumineux, le document passait complètement sous silence les dépenses effectuées par les collectivités territoriales, grandes consommatrices de prestations de cabinets de conseil…

Nul doute que, jusqu'en 2027, le Sénat va vouloir poursuivre son travail de sape et de nuisance. Mais peut-être ferait-il bien de prendre garde : la République française, suffisamment sotte pour s'offrir le luxe inouï d'entretenir trois fois plus de sénateurs qu'il n'en faudrait pour le travail qu'ils effectuent, pourrait un jour avoir un brutal sursaut de lucidité… La démocratie – comme d'ailleurs le Sénat français dans sa forme actuelle – n'est pas forcément éternelle.

7

« Votez basque, alsacien, occitan, flamand, corse ! »

Jean-Edern Hallier, propos tenus et diffusés le 6 juin 1979 dans le cadre de la campagne officielle des élections européennes pour la liste Régions-Europe

En toute autonomie

La Corse, qu'Hallier adorait, n'est pas la France. Et à certains égards, il faut bien le reconnaître, c'est sans doute heureux pour elle...

À plusieurs reprises dans les années 2000, elle avait assisté dans l'impuissance à l'épouvantable mépris, ouvertement et publiquement affiché, par la bouche de Nicolas Sarkozy, de la présomption d'innocence d'Yvan Colonna, désigné comme l'homme qui a abattu le préfet Érignac en 1998.

En mars 2022, son drapeau mis en berne après la mort tragique de ce militant politique a témoigné de la compassion de sa population, face à l'inconséquence et à l'indécence de l'État français qui, au mépris absolu de ses propres lois, a laissé un détenu relégué loin des siens et de sa terre natale, l'a livré aux mains d'un islamiste signalé comme tel et a donc contribué objectivement au parfait déroulement de son assassinat. Quiconque a pris la peine d'écouter l'audition du directeur de la maison centrale d'Arles devant la commission des lois à l'Assemblée nationale le 30 mars 2022 ne peut qu'éprouver un sentiment de honte, de malaise et d'indignation.

Entre autres déplorables constats, il est en effet apparu sans la moindre équivoque que, en France, un établissement pénitentiaire pouvait très communément, à l'occasion d'un changement de direction, être laissé pendant plus de dix jours en roue libre, sans chef ni « faisant fonction » !

Officiellement en charge de l'administration des prisons, le ministère français de la Justice a de toute évidence failli dans l'une de ses missions essentielles. En raison de la proximité de l'élection présidentielle, son premier représentant n'a pas estimé opportun de présenter sa démission ni de reporter le lancement, en compagnie de la ministre de la Culture, d'un « Goncourt des détenus », type d'initiative qui, au passage, aurait sans doute fait bondir Jean-Edern Hallier et l'aurait incité à créer de son côté un « anti-Goncourt des détenus » pour faire bonne mesure… Il a même été reconduit dans ses très improbables fonctions. Qu'importe ! Sa cause est entendue. Les Corses, qui sont des hommes et des femmes debout, en ont pris acte. Mais l'autonomie de leur territoire sera désormais le coût politique minimal à assumer pour le désastreux épilogue Colonna. En attendant peut-être le réveil de l'Alsace, de la Savoie, du Pays basque et de la Bretagne…

8

« Il faut être un homme vivant et un artiste posthume. »

Jean Cocteau (1889-1963), *Le Rappel à l'ordre*

Avenue Jean-Edern Hallier

Comme disait le regretté Jean Dutourd, il y a des degrés dans la gloire posthume... Mais avoir une rue à son nom n'est pas si mal, et Jean-Edern Hallier le mériterait bien. À ceci près que baptiser une artère, c'est parfois vouloir s'assurer que le cœur a définitivement cessé de battre... et qu'en France, ce type d'hommage est de toute façon affreusement galvaudé. À peu près n'importe qui a son allée, sa promenade, son esplanade... Et bien souvent, le n'importe qui fait partie au mieux des inconnus, au pire des individus les moins glorieux voire les plus honteux.

M. Bert, Paul de son prénom, figure au fronton de près de 200 établissements français d'enseignement public des premier et second degrés. Il a ses places, ses rues, sa ligne de tramway, sa statue... Alors que le contenu racialiste et raciste de ses textes – non publiable à notre époque – est tout bonnement monstrueux.

Les personnalités au passé vichyste évocateur ne sont pas rares à bénéficier également d'honneurs posthumes parfois démesurés.

À l'exemple, parmi d'autres, de M. Abelin, Pierre de son prénom, cet homme politique et homme d'affaires qui fut ministre de la Coopération sous la présidence de Valéry Giscard d'Estaing et dont une très longue et large avenue porte le nom à Châtellerault, la ville dont il fut maire.

Pendant la Seconde Guerre mondiale, durant la période 1940-1944 où, en matière de chocolaterie et de confiserie, tout le monde n'était pas soumis au même régime, il anima notamment le très officiel Comité d'organisation des cacaos, chocolaterie et confiserie créé par le gouvernement de Vichy.

Décoré de l'ordre de la Francisque par le maréchal Pétain, M. Mitterrand, François de son prénom, l'ancien chef d'État, a droit, lui, à des témoignages de reconnaissance en France autrement démultipliés et beaucoup moins anecdotiques... Son nom figure en effet à la première place dans la liste de dirigeants politiques et d'officiers français que la CNLG (1) accuse d'être les auteurs et complices du génocide de 1994 au Rwanda et des atrocités qui l'ont précédé entre 1990 et 1994. M. Mitterrand était alors président de la République française, chef suprême des Armées. En raison de son accablante responsabilité – en toute connaissance de cause comme des archives contribuent à le révéler – dans un crime contre l'humanité qui fit environ 1 million de morts, il peut être considéré comme le plus grand massacreur d'Africains du XXe siècle et constitue à coup sûr la tache ineffaçable la plus ignominieuse pour la Ve République.

(1) Commission nationale de lutte contre le génocide au Rwanda. La liste des 33 personnalités françaises les plus impliquées dans le génocide au Rwanda figure en pages 279 et suivantes dans le livre *Hallier, Edernellement vôtre*, paru en 2019 chez Neva éditions.

9

« Dans un pays de reptiles et de caméléons, les colonnes vertébrales sont rares. »

Roger Peyrefitte (1907-2000), *Propos secrets*

D'un Gérard à l'autre

« Ce n'est pas Gérard Majax ce soir. » C'est la formule que lança Emmanuel Macron à Marine Le Pen devant plusieurs dizaines de millions de téléspectateurs, lors du débat qui précéda le second tour de l'élection présidentielle française, et qui fit sursauter le prestidigitateur star des années 1970-1980 à l'évocation de son nom... Il y avait de quoi. Cette soudaine réapparition, sous la forme d'un rafraîchissement express de la mémoire collective, destinée à ramener la candidate du Rassemblement national à moins d'illusions sur les chiffres du chômage, relevait, au sujet d'un artiste disparu des écrans depuis plus de trente ans, d'un véritable tour de magie. Mais d'un Gérard l'autre, Emmanuel Macron aurait pu également lancer l'idée d'un grand prix Gérard Séty (1) destiné à saluer les champions de l'opportunisme en politique et de l'art de « retourner sa veste »...

À la Libération et dans les années qui suivirent, la France avait vu avec quelle énergique maestria les tenues de vichystes grand teint furent troquées contre de fort présentables accoutrements de résistants en peau de lapin de garenne.

À l'issue du premier quinquennat d'Emmanuel Macron, elle put également assister au spectacle offert par une ribambelle de politiciens invertébrés et élus locaux plus ou moins obscurs qui, après n'avoir jamais caché pendant les cinq années écoulées leur hostilité résolue à l'encontre du chef de l'État et à s'être systématiquement défaussés de leur insignifiance ou de leur propre incurie sur le gouvernement en place, devenaient soudain de vibrants soutiens. Très soucieux de la préservation de leurs rentes de situation, les voilà qui s'empressaient de voler au-devant plutôt qu'au secours de la victoire annoncée du candidat sortant ! Dans la grande tradition, universelle mais aussi, hélas, bien française, de l'appel de la gamelle, de la vulgaire assiette au beurre…

---

(1) Acteur et artiste de music-hall, Gérard Séty (1922-1998) est le créateur d'un célèbre numéro – de transformisme et de déguisement – qui lui valut de se produire, pendant un demi-siècle, sur tous les continents. Reconnu comme exceptionnel dans le milieu des professionnels du spectacle et très apprécié du public, ce numéro consistait à pratiquer l'art de « retourner sa veste ». Gérard Séty fut la « vedette américaine » des récitals d'artistes comme Marlene Dietrich, Joséphine Baker, Juliette Gréco, Johnny Hallyday, Jacques Brel, Jean Ferrat ou Mireille Mathieu. Comédien réputé au théâtre, il joua également dans une vingtaine de films dont *Le Rouge et le Noir,* de Claude Autant-Lara, *La guerre est finie*, d'Alain Resnais, *Van Gogh,* de Maurice Pialat et *Les Visiteurs,* de Jean-Marie Poiré.

10

« L'insécurité est une invention des serruriers. »

Jean-Edern Hallier, *Le Mauvais esprit*

Police privée

L'insécurité n'est pas une invention des publicitaires. Mais en France et en ces années 2020, elle apparaît à coup sûr comme l'une de leurs principales mines d'or… Qui veut avoir une idée du très faible degré de confiance qu'inspire le mot « police » sur le territoire français, il suffit de se référer aux innombrables spots publicitaires que diffusent à haute fréquence chaînes de télévision, stations de radio et sites Internet. Avec des contenus s'appuyant sur des données vérifiables qui ont de quoi faire dresser les cheveux en forme de points d'exclamation.

Outre que « le nombre de cambriolages ou de tentatives de cambriolage augmente de plus de 20 % par an », messieurs les cambrioleurs n'ont plus que jamais peur de rien (et évidemment pas de la police), au point que « près d'un cambriolage sur trois se fait en présence de l'habitant ».

Dès qu'il entend le mot « police », le Français a parfaitement compris les messages : il sort sa police d'assurance, son contrat avec une société privée, spécialisée dans la sécurité des personnes et des biens… Il sait qu'il n'a pas grand-chose de positif à espérer de services de police devenus singuliers à force d'être pluriels, généralement mal rétribués et peu considérés, au recrutement souvent préoccupant et à la formation plus ou moins aléatoire.

Alors, il ne les dérange plus : il s'organise, s'équipe, s'adapte. Dans son mode de vie, ses réflexes, ses comportements. Il devient client-roi d'une prestation de services... ou policier *pro domo*. Plus que jamais, « la forteresse d'un individu, comme se plaisait à le souligner le doyen Carbonnier, c'est sa maison [1] ».

(1) Jean Carbonnier, *Droit civil*.

11

« Il en va de l'homme comme du vélo. Il faut avancer pour garder l'équilibre. »

Albert Einstein (1879-1955), dans une lettre à son fils cadet Eduard datée du 5 février 1930

Allô, maman, vélo...

Jean-Edern Hallier a démontré bien avant l'heure que l'on peut se déplacer à vélo sans être imbibé de partis pris anti-tout et de croyances délirantes. Mais il serait peut-être étonné de constater combien la création d'aménagements pour cyclistes, accélérée par la crise sanitaire du coronavirus, se poursuit crescendo en zone urbaine. Alors que les personnes handicapées, à mobilité réduite, ne parviennent pas – ou si difficilement – à faire appliquer les dispositions européennes concernant la mise aux normes des accotements et le passage de leurs fauteuils, le clientélisme électoral a des effets magiques bien sélectifs...

L'ennui, c'est que les rues sont souvent loin d'avoir une largeur suffisante et que les trottoirs, généralement étroits dans la province française, sont mis à contribution pour servir de pistes cyclables.

Résultat : les piétons peuvent être les victimes toutes désignées d'une coexistence plutôt dangereuse et donc nullement pacifique.

S'ils sortent sur le pas de leur porte d'entrée d'immeuble ou de maison sans gyrophare ni avertisseur sonore, ils s'exposent à se voir brutalement heurter par une bicyclette ou une trottinette électrique qui, sans bruit, file à toute vitesse. Avec parfois des dommages physiques graves et irréversibles.

Il y a près de trente ans, à la fin de sa vie, Hallier se montrait avant-gardiste à Deauville, adepte à sa manière de la *bike life*. D'une façon de vivre à pleins poumons, toujours à vélo, un peu comme dans son enfance ou adolescence à Edern, dans le Finistère, où il était entouré de nature et d'animaux. Aujourd'hui, il ne serait sans doute pas le dernier à avoir conscience que des deux-roues qui se multiplient, et techniquement évoluent, modifient l'appréhension de l'espace et peuvent venir troubler l'ordonnancement équilibré et paisible des flux humains au quotidien.

12

« Les lois et les institutions sont comme les horloges ;
de temps en temps, il faut savoir les arrêter, les nettoyer,
les huiler et les mettre à l'heure juste. »

Attribué à Lord Byron (George Gordon Byron, dit, 1788-1824)

Fossile constitutionnel

Le Conseil constitutionnel n'a pas été une question prioritaire pour Hallier. Et c'est bien dommage, tant cette institution, à force de ne connaître ni le changement de vitesse ni le changement tout court, et encore moins le frein, est sans doute la roue libre par excellence dans le système politique français. Comme l'a rappelé l'universitaire Elina Lemaire en février 2022 dans *Le Monde* [1], non seulement « les membres du Conseil constitutionnel sont – à la faveur de leur propre jurisprudence – exemptés d'obligations déclaratives (de situation patrimoniale et/ou d'intérêt), contrairement à la plupart des responsables publics, dont les membres des organes constitués (président de la République, membres du gouvernement, députés et sénateurs) ou les juges (des ordres administratif et judiciaire) », mais encore « leur régime indemnitaire est partiellement non conforme au droit depuis... 1960 ». Ainsi, plus de la moitié de l'indemnité mensuelle versée à chacun de ses membres – soit environ 7 000 euros sur un total de plus de 16 000 euros bruts (environ 18 000 euros pour Laurent Fabius, son président) – n'a pas de fondement légal. Un comble pour ces gardiens supposés de l'État de droit !

Déposée le 10 février 2022 par la députée Cécile Untermaier, une proposition de loi organique, qui visait à mettre fin à cette anomalie inouïe, n'a abouti... à rien. Si bien que nul ne semble envisager la perspective d'une révision à la baisse des rémunérations versées qui, en l'espace de deux décennies, ont grimpé et atteignent des sommets supérieurs à la rémunération du président de la République. Quant à la refonte complète de la justice constitutionnelle française, reconnue comme urgente par bon nombre d'éminents juristes, elle relève, elle aussi, d'une vue de l'esprit... Cependant, qui aura encore l'outrecuidance de se moquer des régimes africains, au regard de la gravité et de la pérennité d'une situation qui devrait couvrir de honte l'ensemble des dirigeants politiques français ?

---

(1) Elina Lemaire, « Pour un contrôle véritable des candidatures au Conseil constitutionnel », *Le Monde,* 19 février 2022. Maître de conférences en droit public à l'université de Bourgogne-Franche-Comté, titulaire de l'habilitation à diriger les recherches, Elina Lemaire est vice-présidente de l'Observatoire de l'éthique publique et membre du Credespo (Centre de recherche et d'étude en droit et science politique).

13

> « Il faut passer par le désert et y séjourner pour recevoir la grâce de Dieu ; c'est là qu'on se vide, qu'on chasse de soi tout ce qui n'est pas Dieu et qu'on vide complètement cette petite maison de notre âme pour laisser toute la place à Dieu seul. »
>
> Charles de Foucauld (1858-1916), dans une lettre au Père Jérôme, datée du 19 mai 1898

L'Évangile selon saint Foucauld

La canonisation de Charles de Foucauld, c'est un peu le triomphe posthume d'Hallier. Plus de trente-cinq ans après la parution de *L'Évangile du fou – Charles de Foucauld, le manuscrit de ma mère morte*, ce magnifique livre biographique romancé et baroque, elle marque une forme d'aboutissement et de reconnaissance de la quête mystique de Jean-Edern dans les pas du célèbre prêtre et ermite. Justice a enfin été rendue en faveur de l'écrivain que certains catholiques avaient beaucoup critiqué, considérant que son œuvre non seulement ternissait l'image de Foucauld, mais encore que sa publication ne pouvait que ralentir le processus de canonisation…

La vérité, c'est que le procès en béatification n'a commencé qu'en 1927, soit une dizaine d'années seulement après la mort du moine trappiste et que l'Église catholique mettra beaucoup de temps – presque un siècle – pour reconnaître le personnage dans son extraordinaire et fascinante complexité. Il faudra attendre 2001 pour que le Père de Foucauld devienne vénérable, grâce à l'approbation par le pape Jean-Paul II du décret d'héroïcité de ses vertus, 2005 pour qu'il soit béatifié par le pape Benoît XVI, et enfin le 15 mai 2022 pour qu'il soit canonisé par le pape François.

In nomine Patris et Filii et Spiritus Sancti. Amen [1]...

(1) Au nom du Père, du Fils et du Saint-Esprit. Ainsi soit-il.

14

« Les médias audiovisuels qui devraient être les éducateurs du public et qui n'en sont que les courtisans, quand ils n'en sont pas les courtisanes. »

Librement adapté de Jules Barbey d'Aurevilly,
« Préface », *Théâtre contemporain*

Poids des mots, choc des réseaux

Il est de bon ton d'en dire beaucoup de mal et il y a, à coup sûr, souvent matière... Que cela plaise ou non, les réseaux sociaux n'en font pas moins partie des nouveaux médias, qui peuvent contenir de véritables informations, éventuellement reprises par les chaînes de télévision.

S'ils avaient existé dans les années 1980, tout le monde aurait fini par savoir que M. Mitterrand, alors président de la République, menait une double vie, faisait supporter par l'État le coût de sa bigamie et avait une fille adultérine élevée, logée et protégée grâce aux deniers des contribuables... En dépit du silence de la presse et des plus puissants médias audiovisuels traditionnels, ces révélations auraient fini par sortir au grand jour. Et au bout du compte, Twitter ou autre, un « lanceur d'alerte » comme Jean-Edern Hallier ne serait peut-être pas mort, la santé minée par de longues années de persécution, en faisant du vélo.

Le grand regret, c'est donc qu'il ait disparu à une époque charnière, juste avant le développement de l'Internet, des smartphones et des réseaux sociaux, et qu'il n'ait pu montrer l'usage qu'il en aurait fait... Sans doute aurait-il trouvé le moyen très personnel et atypique de surprendre, d'interpeller et de provoquer le réveil de la population. Au point de s'imposer comme un as du cyberespace.

En 1994, il eut l'art et la manière de s'en prendre aux réseaux... marchands. Il avait proposé une paire d'images imprimées, aux couleurs du distributeur Tati, concepteur des établissements éponymes alors très connus. Afin de dénoncer les scandales du moment sur le prix des œuvres artistiques imposés par les réseaux marchands, il les vendait à prix dérisoire dans les rayons de ces magasins populaires, au milieu des sous-vêtements, des pochettes de bas ou de collants, et de produits de maquillage... Œuvrettes anecdotiques qui n'ont aujourd'hui qu'une valeur de témoignage d'un personnage hors du commun et d'une époque.

15

« À quoi reconnaît-on un vrai macroniste d'un faux ? C'est très simple.
Un vrai macroniste dort toujours la tête tournée en direction du Touquet.
Aussi, si vous surprenez un soi-disant macroniste en train de dormir
le visage tourné vers Biarritz, c'est un faux. De même, un vrai
macroniste ne répond jamais du tac au tac, mais en même temps…
Sachez enfin : quand un macroniste entend le mot Europe,
aussitôt il sort son drapeau. »

Librement adapté de Jacques Mailhot, *La Politique d'en rire*

Le macroniste

Le macroniste est bon enfant. Il a lu avec beaucoup d'attention *Révolution,* le livre d'Emmanuel Macron paru en 2016 dont il a salué la pertinence du contenu mais n'est pas un révolutionnaire en herbe. Seulement un réformiste. Affiché et convaincu, parfois fatigué mais pas au point d'aspirer à être recyclé dans le pantouflage sociodémocrate. Il a parfaitement compris que son pays croule sous un nombre excessif de strates de politiciens élus, eux-mêmes en beaucoup trop grand nombre, qui souvent coûtent fort cher, dont on ne sait plus quoi faire… et parasitent le « système ». Mais il ne marche plus dans le clivage droite-gauche, si *old age*. Il n'aime pas la France qui freine, qui refuse de changer de plateau et qui déraille… Il n'aime pas non plus la France des profiteurs. Il se méfie du centrisme en général, et plus encore du centriste mou en particulier, ce vieil animal politique assez commun sur le territoire français et à peu près aussi franc du collier qu'un âne qui recule. Dans le Poitou, au pays des baudets, on est particulièrement bien placé pour savoir de quoi il retourne et à quel point cette défiance est justifiée. Qu'on se le dise. Le macroniste n'est en aucune façon un centriste attrape-tout. Il y a là plus qu'une nuance. Officiellement du moins, il refuse l'immobilisme et le conservatisme de mauvais aloi. Il est macroniste, voilà tout. Lui, il pratique la marche avec ses deux jambes, et c'est ce qui le fait avancer... Même s'il lui arrive parfois de se demander si, au bout du chemin, Renaissance il y aura bien.

16

« La France méprise la jeunesse, sauf quand elle s'immole pour sauvegarder la vieillesse. »

Jean Cocteau, « Carte blanche », *Le Rappel à l'ordre*

Le crépuscule des vieux

Qu'est-ce que la France sinon une gigantesque bureaucratie dont les emplois – parfois « bidon » – dépendent de la pérennité d'un « système » dont l'inertie est, à proprement parler, phénoménale ? Des bataillons de médiocres politiciens, de troisième ordre et souvent vieux, s'y sont constitué des clientèles électorales solides, d'obligés, d'assistés, de dépendants... Ces fausses élites, souvent labellisées Sciences Pipo, qui coupent des rubans, déposent des chrysanthèmes, répartissent des enveloppes d'argent public et font mine d'être en activité, ne brassent en vérité que du vent. Ces « boomeuses » – dont François de Closets leur rappelle qu'elles ne sont qu'une « parenthèse » – se cramponnent comme des malades aux bras de leurs fauteuils... En fait, leur maladie, comme l'explique si bien Hallier dans ses *Carnets impudiques*, « vient de loin » et « est à la racine du déclin européen, et par conséquent français ».

« En termes de psychanalyse, c'est notre grand refoulé, précise-t-il. Il date de 1945. Depuis, nous sommes un peuple d'hommes vaincus : ce sont les pères revenus des stalags qui ont fait en majorité les enfants du baby-boom. S'écrasant devant les femmes et les enfants, ils n'ont plus assuré leur devoir d'homme. C'est le tissu conjonctif de la nation, la transmission du savoir par l'intermédiaire de l'éducation et de l'université, cette gardienne de la mémoire nationale, qui s'est lentement détérioré. Le corps social s'est laissé envahir par des maladies culturellement mortelles, le culte de l'argent, nouveau veau d'or ; le showbiz, fer de lance de l'argent ; et le pourrissement des sous-cultures, parmi lesquelles la télévision occupe la première place. »

Une vieille classe dirigeante française, née aussitôt après la Seconde Guerre mondiale, est à son crépuscule… Justifiera-t-elle des regrets ? Rien n'est moins sûr.

17

> « La France est toute pleine de contradictions et de disproportions, lesquelles cependant forment une discorde concordante, qui la perpétue. Des coutumes bizarres, des fureurs terribles, des mutations continuelles, des extrêmes sans demi-mesure, des tumultes, des querelles, des désaccords et des confusions : tout cela, en somme, devrait la détruire et, par miracle, la tient debout. »
>
> Cavalier Marin (Giambattista Marino, dit, 1569-1625), dans un compte rendu en 1615 à sa hiérarchie, comme représentant diplomatique de Venise à Paris

Les maux français

La France est peut-être un paradis pour un avocat en vue qui peut faire le saut à Monaco pour s'acheter un cabriolet à 100 000 euros avec de l'argent provenant, pour l'essentiel, d'une société immatriculée aux Seychelles pour laquelle il n'a jamais travaillé...

Mais pour de nombreux autres citoyens, soumis aux contraintes de tous ordres et harcèlements administratifs d'une bureaucratie de type gogolien, souvent infiniment plus soucieuse d'autojustification de son existence et de maintien de fonctions stériles que de pragmatisme et de « valeur ajoutée »... la zone F de l'Euroland n'est, certains jours, qu'une antichambre de l'enfer.

Le coût de la « sur-réglementation française » – plus de 400 000 décrets et normes – a pu être évalué par des experts à plus de 80 milliards d'euros par an. En l'espace de deux décennies, cette surcharge s'est donc chiffrée à des milliers de milliards d'euros... Voilà qui aurait permis de baisser les charges et impôts qui plombent les entreprises et de redonner du pouvoir d'achat aux citoyens.

L'un des problèmes structurels de la France réside sans doute aussi dans la perpétuation de corporatismes et statuts hérités d'un autre temps... « Ces micro-sociétés hiérarchisées, qui s'emboîtent les unes dans les autres comme des poupées gigognes vont-elles pouvoir subsister longtemps ? s'interrogeait en son temps Alain Peyrefitte dans *Le Mal français,* avant de souligner qu'elles ne faisaient qu'aggraver "la dégradation de la société globale". » À force de provoquer l'institution de barrières réglementaires, la peur de la concurrence crée ou maintient des rentes de situation qui favorisent la corruption et la défiance.

De même, la fameuse « décentralisation » à la française, trop rituellement invoquée dans un territoire métropolitain de taille aussi limitée pour ne pas se révéler suspecte, paraît riche en travers. Elle n'est le plus souvent que le paravent démagogique d'un parasitisme politicien, dans sa forme la plus médiocre et la plus coûteuse.

Alors franchement, comment ne pas s'étonner que plus d'un quart de siècle après la mort de Jean-Edern Hallier, la France, minée par autant de maux, et de tous ordres, soit encore de ce monde ?

18

« De nos jours, plus rien ni personne n'échappe au recyclage.
Des eaux usées à l'inspecteur des ventes, en passant
par le déchet atomique. »

Jacques Mailhot, *La Politique d'en rire*

Le grand recyclage

En matière de recyclage, Jean-Edern Hallier en connaissait un rayon... Il se montrait précurseur. Un récupérateur de première, et il le démontrait volontiers dans ses publications. *Chaque matin qui se lève est une leçon de courage,* son livre paru à la fin des années 1970, en fournit une belle preuve. Ce bric-à-brac de textes multiforme est une œuvre où morceaux choisis et commentaires font bon et parfois drôle de ménage avec critiques et entretiens.

Désormais, le recyclage est devenu plus que tendance... Comme s'en amuse le fantaisiste Jacques Mailhot, plus rien ni personne ne saurait y échapper. Triomphe de l'économie circulaire oblige, on recycle à tout va. Aujourd'hui plus qu'hier et bien moins que demain... À l'heure où le numérique et l'intelligence artificielle étaient censés l'éliminer, le papier n'a peut-être jamais été aussi présent. Non seulement il ne disparaît pas, mais peut-être parce qu'il a un côté rassurant, il se démultiplie... Il emballe, cartonne, et comme le cadre usagé, se recycle à la folie. L'un en centre de retraitement, l'autre en séminaire ou en module de reconversion.

Dans un avenir de plus en plus rapproché, une forme de paroxysme délirant sera probablement atteinte dans le domaine de l'automobile, avec les millions de véhicules à moteur thermique qui vont devoir être mis au rebut ou mieux en pièces détachées, à déconditionner et à revaloriser. Avec aussi les amoncellements de batteries usagées. Peut-être « Ça en vaut la benne ! » sera-t-il le slogan sur toutes les lèvres et le recyclage deviendra-t-il alors un nouvel art et une nouvelle manière de se mettre à la page...

19

« L'enfance est innocence et oubli, renouveau et jeu, une roue libre, un premier mouvement, une sainte affirmation. »

Friedrich Nietzsche (1844-1900), *Ainsi parlait Zarathoustra*

Des enfants et des livres

Il se dit parfois que tant qu'il y aura des enfants – petits et grands – pour faire et refaire des châteaux de sable que la mer, inexorablement, réduira à néant, l'avenir restera présent… Pas sûr du tout qu'Hallier ait eu cette idée en tête quand il est devenu père. Ce qui est certain en revanche, c'est que des pages restent à écrire au sujet de ses relations avec ses trois descendants, Ariane, Frédéric-Charles, et Béatrice qu'il a reconnue tardivement, et qu'il a peu – et pas aussi bien qu'il l'aurait voulu – joué son rôle paternel.

À la formule du philosophe en chef, Friedrich Nietzsche, *aut liberi, aut libri* (1), empruntée à Socrate, il avait répondu : *liberi et libri*, mon général ! Mais les trépidations de son existence d'homme public, renforcées par les attaques de M. Mitterrand et de ses hommes de main qu'il endurait, étaient, à l'évidence, peu compatibles avec les exigences et la disponibilité qu'implique l'éducation d'un garçon ou d'une fille.

Qu'était-ce d'ailleurs Hallier lui-même, sinon un enfant-poète qui ne parvint jamais à grandir ? Dans ses démesures et ses délires, il n'a cessé de réinventer le roman d'une existence, la sienne. Mais qu'importent le bluff et l'esbroufe ! La littérature ne préfère-t-elle pas les grands mythomanes aux petits comptables ?

Le secret familial de l'auteur de *Je rends heureux*, finalement, c'est peut-être d'avoir toujours cherché quelqu'un non pour vieillir ensemble mais avec qui rester enfant... Durant les dernières années de sa vie, ne croyant plus à grand-chose et en dépit de son handicap visuel, il lui arrivait de donner l'impression de rajeunir. Il était un tel fédérateur d'énergies, original, avec ses foucades et ses haines. Avec également une bonne part de naïveté presque puérile dans ses ambitions. Ce qui le rendait d'autant plus attachant.

Comme l'a confié Geneviève Dormann aussitôt après sa disparition, Jean-Edern « est mort comme un enfant au bord de la mer, ce qui est la plus belle fin qui soit pour un Breton ».

(1) « Ou des enfants, ou des livres », Friedrich Nietzsche, *Le Crépuscule des idoles ou Comment on philosophe avec un marteau* (1888).

20

« Et voilà quelqu'un qui veut conduire une petite liste !
Vous voyez ce qu'on en fait ? C'est ça la démocratie,
dans les studios de télévision ?...
Il (Jean-Edern Hallier) n'a pas dit un mot. Et on vient de l'évacuer
par la force des gorilles. Enfin, c'est tout de même extraordinaire...
c'est tout de même extraordinaire ! »

Jacques Chirac (1932-2019), au cours d'un débat radio-télévisé,
diffusé le 17 mai 1979 par TF1-RTL, entre les leaders des listes des
quatre principaux partis pour l'élection européenne du 10 juin 1979
(S. Veil, J. Chirac, G. Marchais, F. Mitterrand)

Démocratie d'opinion

Pour savoir si un esprit aussi pamphlétaire que Jean-Edern Hallier était démocrate, il suffit de se référer à George Orwell qui, dans sa préface à l'anthologie *British Pamphleteers*, fait valoir que « si l'on n'avait pas foi dans la démocratie, d'une manière ou d'une autre, on n'écrirait pas de pamphlet ». Cependant, il est plausible sinon probable que l'auteur de la fameuse *Lettre ouverte au colin froid* goûterait plus que modérément la démocratie telle qu'elle est pratiquée de nos jours en France et qu'il estimerait, comme Philippe Tesson, qu'elle « a perdu beaucoup en devenant, presque exclusivement, une démocratie d'opinion [(1)] ». Peut-être n'irait-il pas jusqu'à proclamer comme Barbey d'Aurevilly que cette « règle du monde moderne n'en est que la punition » et que dans le mot même « il y a crasse ! », ou à s'en prendre comme Paul Léautaud au plus grand nombre qui est « bête, vénal, haineux [(2)] », mais il dénoncerait les imperfections, parfois trop criantes pour ne pas être repoussantes, d'un système et appellerait à une complète réorganisation de la carte politique et territoriale. Afin de redonner du sens aux rituels républicains et avec cette double conviction : l'une, qui veut que lorsque la démocratie apparaît comme périmée, « soit on modifie le système de représentation, soit le fascisme l'emporte [3] », et l'autre, chère à Pierre Mendès-France, qui consiste à ne jamais oublier que « la démocratie, c'est beaucoup plus que la pratique des élections et le gouvernement de la majorité : c'est un type de mœurs, de vertu, de scrupule, de sens civique, de respect de l'adversaire ; c'est un code moral. Elle reconnaît à l'opposition comme aux minorités le droit de remettre les options passées en question, pour qu'à tout moment le pays puisse juger, jusqu'à se déjuger. Les partis et les équipes au pouvoir acceptent ainsi d'être désavoués un jour [4]. »

---

(1) Philippe Tesson, *Revue des Deux Mondes,* avril 2022.

(2) « Le plus grand nombre est bête, il est vénal, il est haineux. C'est le plus grand nombre qui est tout. Voilà la démocratie », Paul Léautaud, *Passe-Temps.*

(3) Jean Viard, *L'Opinion,* 23 juin 2021.

(4) Pierre Mendès-France, *La vérité guidait leurs pas.*

21

« Je préfère la France conquérante à la France fossilisée
qui ne bouge pas. »

Bruno Le Maire, dans l'émission de télévision « Les 4 vérités »,
diffusée le 14 septembre 2020 sur France 2

Immobilisation générale

« De la stabilité à l'immobilisme, il n'y a qu'un pas. » Cette belle phrase du chansonnier Jacques Mailhot ne devrait pas faire sourire : elle s'applique parfaitement à un territoire où ce pas est très vite franchi pour aboutir à une situation d'immobilisation générale.

Ce n'est pas pour rien si la ligne Maginot est, à en croire de nouveau Jacques Mailhot, « le symbole idoine de la France en Marche [(1)] », et ce n'est pas pour rien non plus si Jean-Jacques Servan-Schreiber, alias « JJSS », fut le ministre français des Réformes, du 28 mai au… 9 juin 1974.

La France s'est tellement figée depuis des lustres dans ses structures dépassées que cette championne toutes catégories ès pesanteurs apparaît aujourd'hui fossilisée. Toute nouvelle « action » politique ne semble plus y servir qu'à donner l'illusion du changement pour assurer une permanence du système social. Comme disait Alphonse Karr, « on peut même ne jamais y changer les choses pourvu qu'on change les noms… » !

Sa population a, il faut bien le reconnaître, une part de responsabilité. « N'ayez d'autre préoccupation que le bien du pays et surtout n'ayez pas peur du peuple ; il est plus conservateur que vous ! » prévenait déjà Louis-Napoléon Bonaparte, le premier président de la Deuxième République française, futur Napoléon III [(2)].

Certes, il arrive que des personnalités soient à l'affût des nouvelles idées et des combats avant-gardistes, qu'elles veuillent jouer les éveilleurs afin de sortir la France de l'enlisement et de la médiocrité. Mais elles ont beau prendre l'initiative d'établir le diagnostic, dresser le bilan des incidences et chercher à « secouer le cocotier » : elles sont loin d'être portées aux nues. Généralement, elles sont au contraire ou bien à peine prises en considération, juste écoutées ou lues avec un brin de condescendance et d'ironie, ou bien mal perçues, franchement vilipendées et le plus vite possible écartées.

Autrefois, il y eut notamment Louis Armand et Jacques Rueff qui cosignèrent un rapport visionnaire. Puis Alain Peyrefitte, l'auteur du fameux *Mal français.* Aujourd'hui, François de Closets, avec sa *Parenthèse boomers,* s'efforce de maintenir le flambeau allumé. Bruno Le Maire montre également dans *L'Ange et la Bête* ou *Un éternel soleil* qu'il fait preuve de lucidité sur la situation de la France et qu'il a pleine conscience des dangers de l'immobilisme. Enfin, qui est l'auteur du livre intitulé *Révolution,* au contenu dense et souvent mésestimé, sinon Emmanuel Macron, mais peut-être les pages de ce livre, écrites en 2016, sont-elles déjà frappées d'obsolescence...

---

(1) Jacques Mailhot, *La Politique d'en rire.*

(2) « Du système électoral », *Mélanges* (De l'idée napoléonienne. Idées napoléoniennes. Fragment historique...).

22

« C'est la concurrence qui met un prix juste aux marchandises et qui établit les vrais rapports entre elles. »

Montesquieu (Charles-Louis de Secondat, baron de La Brède et de Montesquieu, dit, 1689-1755), *De l'esprit des lois*

Que la concurrence fasse autorité !

De longue date, le pouvoir d'achat fait partie, pour reprendre le titre d'un des livres d'Hallier, de la « cause des peuples ». Mais depuis le début des années 2020, il est devenu la première préoccupation des Français. Pas besoin d'enquêtes d'opinion pour en avoir la confirmation... Il suffit d'observer que l'inflation, longtemps portée disparue, a fait sa réapparition et qu'elle a un peu tendance à s'emballer. Face à cette situation, les pouvoirs publics déploient des mesures : du bouclier tarifaire énergétique à la suppression de la redevance audiovisuelle en passant par la distribution d'un chèque alimentaire ou la perspective d'un gel de l'indice de référence des loyers... L'ennui, c'est que ces initiatives d'urgence, dépourvues de toute trace d'intelligence, sont généralement très coûteuses pour les finances publiques et dangereuses car riches en effets « boomerang ». L'ennui aussi, c'est que les responsables politiques ont, en règle générale, très peu recours à ce qui pourrait être, comme le rappelle l'économiste Emmanuel Combe, « un levier utile pour le pouvoir d'achat[1] », à savoir les réformes structurelles et sectorielles en faveur de la concurrence. Emmanuel Macron a eu un courage à proprement parler historique en se lançant sur ce terrain, avec en particulier l'ouverture du marché des bus longue distance – les fameux cars Macron – en 2015, le déverrouillage effectif depuis 2017 de l'accès à l'exercice de certaines professions juridiques réglementées ou l'ouverture du marché des pièces détachées automobiles en 2021. Toutefois, il s'agit là d'actions ciblées, à portée limitée en dépit de leur caractère positif. Bien d'autres dispositions pourraient être prises pour remettre en cause un *statu quo* nuisible au pouvoir d'achat. Emmanuel Combe évoque, entre autres intéressants exemples, la mesure, d'ores et déjà mise en œuvre en Nouvelle-Calédonie et en Israël, qui consiste à imposer aux distributeurs d'afficher sur Internet et en temps réel les prix en vigueur dans chacun de leur magasin physique. L'expérience a démontré une meilleure transparence de l'information, « ce qui a fait baisser les prix des produits de grande consommation de 4 % à 5 % en moyenne ».

Dès lors qu'elle est loyale et que son fonctionnement est supervisé par un organisme public [2], la concurrence a des vertus immenses que les dirigeants politiques devraient considérer avec davantage d'attention. Sans avoir réponse à tout ni prétendre nécessairement constituer l'alpha et l'omega d'un programme de parti pour un meilleur pouvoir d'achat, elle est à coup sûr l'arme la plus efficace d'un libéralisme bien ordonné et d'une dynamique profitable à tout citoyen-client.

---

(1) Emmanuel Combe, « La concurrence, plus que jamais un levier utile pour le pouvoir d'achat », *L'Opinion,* 9 juin 2022.

(2) Depuis 2009, l'Autorité de la concurrence est l'organisme administratif indépendant français chargé de lutter contre les pratiques anticoncurrentielles, de contrôler les opérations de concentrations et de réguler les professions réglementées du droit. Dotée de pouvoirs de sanction significatifs, elle a pour objectif de veiller au bon fonctionnement concurrentiel du marché. Benoît Cœuré est son président depuis 2022.

23

« … la justice et la vérité, aux yeux des hommes, comptent moins que les apparences dont elles se revêtent. »

Baltasar Gracián (Baltasar Gracián y Morales, dit, 1601-1658), *L'Homme de cour*

Cette justice qui n'inspire rien qui vaille…

En matière de justice en France, même les apparences ne sont plus sauves… Déjà, du vivant d'Hallier, l'institution judiciaire – qui infligea à l'écrivain des condamnations d'une lourdeur démesurée et inédite dans des affaires de presse écrite – n'avait pas une bonne image. Mais sa situation s'est fortement dégradée. Officiellement reconnue, la défiance qu'elle suscite est générale. Et il faut bien l'admettre, à bon droit et pour toutes sortes de pertinentes raisons. De plus en plus contournée, déconnectée du tempo de la vie des affaires comme de la vie tout court, déconsidérée, elle en est réduite à invoquer pour sa défense, outre l'insuffisance des moyens qui lui sont octroyés, le fait que ses décisions – quand elles sont appliquées et applicables – s'appuient sur des textes dont elle n'est ni l'initiatrice ni la rédactrice. Au quotidien, elle assiste aussi, impuissante, à l'interminable naufrage sociologique et culturel d'une population. Un exemple entre dix mille, de ces Français qui accumulent les condamnations dans des dossiers de misère…

Au tribunal correctionnel, Hugo [1], un jeune homme de 22 ans, est jugé pour un minable cambriolage dans une maison de Châtellerault, fin octobre 2019, commis avec sa compagne, présente ce jour-là et ayant participé… En direct de la prison de Châteauroux, voici le dialogue à distance entre la présidente du tribunal et le prévenu [2] :

Hugo : « C'était tard le soir, on était alcoolisé. On s'est dit : "on va faire une maison". »

La présidente : « Vous aviez fait d'autres cambriolages ?

– Oui, vite fait.

– Beaucoup ?

– Pas trop… »

Explications du prévenu : « Je cassais trop de télés chez moi. Alors, j'allais prendre des télés chez les autres… »

Le casier judiciaire d'Hugo est déjà, selon la formule en usage au bistrot du coin, long comme le bras… Les sursis ont fini par tomber. Détenu à Châteauroux depuis un an, le loustic est en principe libérable le 30 juillet 2023. Et encore, s'il arrête d'accumuler les incidents en détention. Le dialogue se poursuit :

« Ça vous inspire quoi, ce casier ?

– C'est pas la joie…

– Vous faites quoi en prison ?

– Ils m'ont donné du travail mais ils m'ont viré.

– Pourquoi vous ont-ils viré ?

– La dame m'avait mal parlé.

– Et une formation ? Vous suivez une formation ?

– Oui, mais ils m'ont viré aussi.

– Pourquoi ?

– C'était un "pointu [3]", je lui ai mis des tartes.

– On voit que vous évoluez favorablement. Ça promet un bel avenir… »

Interrogé sur ce qu'il fera le jour, pas si lointain, où il sortira de prison, Hugo explique qu'il veut revenir dans la Vienne, à Montmorillon où réside désormais sa compagne. « Celle avec qui vous avez commis des vols ?

– Oui. »

Hugo n'a pas d'avocat : personne ne va prendre la parole pour tenter d'atténuer l'image déplorable qu'il vient d'envoyer à ses juges. La présidente se contente de lui demander s'il a quelque chose à ajouter pour sa défense. Et il se limite à un « non » à peine chuchoté.

Au bout de dix minutes, le tribunal a rendu sa décision : six mois de prison ferme de plus… Misère, misère, comme disait Coluche.

---

(1) Prénom modifié.

(2) « Tribunal correctionnel : lassé de casser ses télés, il se sert chez les autres », Vincent Buche, *Centre-Presse,* 18 février 2022.

(3) Pointu ou pointeur : détenu condamné pour agression sexuelle, notamment sur des mineurs.

24

« Majorité : la plupart des morts n'étaient pas d'accord pour mourir.
Preuve que la majorité ne gouverne pas. »

Michel Monnereau

Le premier parti de France

Les élections législatives de 2017 et de 2022 l'ont signifié et de manière exemplaire : les abstentionnistes sont désormais majoritaires. Que cela plaise ou non, ils sont désormais le premier parti de France. Les vieux tout endimanchés peuvent bien continuer à se souvenir du chemin pour se rendre aux urnes, les jeunes et moins jeunes préfèrent faire du vélo... ou du rodéo, à moins qu'ils ne soient trop actifs pour ne pas prendre délibérément leurs distances, et voilà une vérité qui s'impose avec une force motrice irréfutable quoique fort déplaisante aux oreilles de nombreux politiciens en place : une majorité de Français considère que les institutions républicaines et le système politique, en leur état actuel, ne sont plus du tout le « lieu des solutions ». Au point qu'« entre abstention et révolution, point de salut ! [1] »

Contrairement à ce que dénonce et veut faire croire un microcosme politico-médiatique, il ne s'agit pas d'antiparlementarisme mais de lucidité d'un peuple très réaliste et politique au sens le plus estimable du terme. Les citoyens refusent de cautionner une imposture voire une forme plus ou moins policée d'escroquerie en bande organisée. Ils ont massivement compris que le Pouvoir ne se situe plus du tout aujourd'hui à l'Assemblée nationale ou au Sénat, mais à Bruxelles, à l'Élysée, et que dans l'environnement contemporain, il se décompose en réalité en trois pouvoirs fondamentaux, exécutif, au sommet de l'État ou des États, financier, au niveau des décisions des grands investisseurs, et économique, au travers des comportements des citoyens-consommateurs. En d'autres termes, ils expriment à peu près ceci : Mesdames, Messieurs les 925 députés et sénateurs, la pièce que vous jouez devant nous à nos corps et esprits défendants puisque nous ne gouvernons pas est plus que mauvaise, truffée d'invraisemblances grotesques, la mise en scène et le décor sont aussi trompeurs que surannés, et le tout est hors de prix. Même à Hollywood, on n'a jamais payé aussi cher pour des figurants dits « de luxe » et un décorum de péplum...

Au moins deux livres sont venus en 2022 pleinement justifier ce sentiment d'une démocratie malade au plus haut point : *Ce que l'on ne veut pas que je vous dise*, de Frédérique Dumas, et *Parlement en toc*, d'Annie Chapelier, parus l'un chez Massot Éditions et l'autre chez Nombre7 Éditions.

Pour les explorateurs des arcanes parlementaires à l'échelon de l'Union européenne, il existe également un excellent *Album secret du Parlement européen*, que l'on doit à Jean-Claude Martinez et Norma Caballero. Édité en 2009 et diffusé de manière confidentielle, comme souvent les meilleurs ouvrages...

(1) « Le choc démocratique aura bien lieu », Rémi Godeau, *L'Opinion*, 21 mars 2022.

25

« Montjoie ! Saint-Denis ! Que trépasse si je faiblis ![1] »

Réplique de Godefroy de Montmirail alias Jean Reno (Juan Moreno y Herrera-Jiménez, dit) dans le film *Les Visiteurs*, de Jean-Marie Poiré (dialogues et scénario de Christian Clavier et Jean-Marie Poiré), lorsqu'il fait face à des CRS (policiers des Compagnies républicaines de sécurité)

9-3 : carton rouge pour les huissiers[2]

Que la Seine-Saint-Denis, autrement dit le 9-3, soit une enclave territoriale dans la zone F de l'Euroland, c'est une affaire entendue… depuis plus de quarante ans. L'hypocrisie politicienne a beau s'illustrer dans le déni, le 9-3 est l'endroit où tous les coups ou presque semblent permis. Et pas seulement au Stade de France, situé dans le quartier de La Plaine-Saint-Denis, à Saint-Denis… Ainsi, la Société civile de moyens des études et groupement des huissiers de justice[3] de Seine-Saint-Denis et l'ensemble de ses 26 membres, tous titulaires d'offices d'huissiers dans ce département avaient cru tout à fait naturel, en parfaite conformité avec les mœurs locales, de mettre en œuvre des dispositions discriminatoires à l'encontre des huissiers nouvellement installés en application de la loi Macron, et de tenter de les racketter chacun d'un montant compris entre 100 000 et 300 000 euros. Vite fait, bien fait, et tout le monde se doit de rester poli en ne pipant mot, autrement dit, en fermant sa gueule devant le fait accompli.

Las ! Les huissiers-farceurs, très habitués à faire pluie et beau temps dans le 9-3 et à fixer les règles sur leur terrain de jeu favori ont dû soudain découvrir, non seulement qu'ils n'étaient pas seuls au monde, mais encore qu'il existait toujours une France hexagonale et surtout une Autorité de la concurrence à compétence nationale... qui, le 13 janvier 2022, a rendu une décision à leur encontre. Ils se sont donc vu infliger des sanctions pécuniaires d'un montant cumulé d'environ un demi-million d'euros. Peccadille bien sûr. Mais le Trésor public apprécie... et il arrive que ce type d'échec d'une tentative de racket rende les ententes moins cordiales et que la fête soit gâchée. Même dans le 9-3.

---

(1) Cri de guerre utilisé par les chevaliers des armées des rois de France, en particulier celles des Capétiens. Il figurait sur les armoiries des rois de France et de Navarre.

(2) La Loi pour la croissance, l'activité et l'égalité des chances économiques du 6 août 2015, dite « loi Macron », a autorisé le gouvernement à prendre par ordonnance les mesures pour réformer certaines activités dites « réglementées » et créer le métier de commissaire de justice regroupant les métiers d'huissier de justice et de commissaire-priseur judiciaire. Depuis le 1er juillet 2022, l'appellation « commissaire de justice » est officiellement en vigueur et met fin à celle d'« huissier de justice ».

(3) Ancienne appellation de cette activité professionnelle, désormais remplacée par « commissaire de justice ».

26

« Partout en Europe, le sport a tué une grande partie de la culture. »

Aldo Ciccolini (1925-2015), dans un entretien publié par *Le Figaro,* le 8 février 2013

On se shoote au foot

La confusion règne. Les repères prennent la tangente ou se font la malle. Rien de bien nouveau sous le soleil en vérité… Depuis qu'au zénith de son succès et de sa popularité, le chanteur Chamfort, Alain de son prénom, a relégué dans les oubliettes l'autre Chamfort, ce soldat désormais inconnu de la littérature française, on sait à quoi s'en tenir. Nul ne saurait être surpris si demain Mauboussin finissait par s'imposer comme l'artiste-joaillier du *Nocturne nº 20*, autrefois attribué à un certain Chopin… Comment ne pas se réjouir qu'une œuvre posthume, simple exercice technique à l'origine, ait soudain l'éclat du diamant. Il est de beaucoup moins brillante postérité !

Le plus grave se situe ailleurs. En particulier sur et autour des terrains où par dizaines de millions de personnes, toute une population se shoote au foot, cet opium de l'Occident, ce monstrueux « foot business » qui fait des ravages en termes de nivellement culturel vers le bas du plus large public. Des générations ne se souviennent d'ores et déjà plus que des footballeurs et n'ont d'yeux et d'oreilles que pour eux… Elles ne savent même pas qu'un Léo Ferré a pu exister. Alors un Jack Kerouac, un

Julien Gracq ou un Jean-René Huguenin, n'y songeons plus. Mais elles sont en mesure de dire à combien de centaines de millions d'euros sont assurés Karim Benzema, Kylian Mbappé ou tel autre joueur-vedette du moment, d'énumérer leurs meilleurs tirs au but et de citer les noms des podologues-magiciens qui leur massent les orteils…

27

« Une fois qu'on a passé les bornes, il n'y a plus de limites. »

Alphonse Allais (1854-1905), *Les Aphorismes*

« Miss Oradour »

Jean-Edern s'en serait moqué et en aurait pouffé de rire… Désignée par son parti Les Républicains après une « primaire » qui entraîna l'élimination de quatre autres prétendants à l'investiture, MM. Ciotti, Barnier, Bertrand et Juvin, Mme Valérie Pécresse fut à coup sûr l'une des candidatures les plus prévisibles et les plus impayables de l'élection présidentielle française de 2022. Dès son premier grand discours de campagne, devant les cadres LR réunis le 11 décembre 2021 dans la salle de la Mutualité à Paris, elle fit cette vibrante déclaration d'anthologie : « J'ai traversé le silence d'Oradour-sur-Glane, village martyr, de ma Corrèze de cœur, celle des maquis vainqueurs (1). » La veille, en préambule d'un meeting organisé dans la salle du Moulin, à La Madeleine, dans le Nord, elle avait émis un signal avant-coureur : « Je partage votre peine, je sais votre chagrin… avait-elle déclaré. Je voulais vous présenter, avant tout, mes condoléances après le décès de Madame la sénatrice Brigitte Lherbier. » Selon *Le Canard enchaîné,* il y eut alors « un silence dans l'assemblée ». « Assise à côté de l'ancien ministre Marc-Philippe Daubresse », rapporta le journal, une dame en robe noire et en veste fit un petit geste de la main et s'écria :

« Ben non, c'est moi, je suis encore là ! » Précision : Brigitte Lherbier faisait partie du groupe politique LR au Parlement... Par la suite, la candidate à la présidentielle de 2022 eut manifestement à cœur de justifier ses surnoms de « Miss Oradour » et de « Miss Bourde ». Un florilège inouï d'erreurs et de bévues. Du jamais vu et entendu à un tel rythme et avec une telle obstination en un demi-siècle d'observation de campagnes d'élections présidentielles françaises... Le 5 janvier 2022, elle proclamait : « Je suis pour le pass vaccinal. » Le 17 janvier 2022, elle découvrait qu'il ne servait à rien... « Le pass vaccinal, remarquait-elle, il va entrer en vigueur, il ne sera même plus utile. » Le même jour, dans une allocution, elle se lançait dans une tirade quelque peu bouffonne : « Vous savez que le Général de Gaulle disait : "Comment voulez-vous gouverner un pays où il existe 246 (2) variétés de fromages. Hé bien, moi, je vais vous dire que j'imagine pas plus grand honneur et plus grand bonheur que de présider un pays dans lequel il y a plus de fromages que de jours dans l'année." »

Il y eut bien pire. En particulier quand elle crut attaquer l'attitude du gouvernement de Jean Castex devant la situation au Mali en lançant avec un aplomb surréaliste : « Qu'est-ce que l'ambassadeur du Mali fait encore en France ? » et en ne faisant ainsi que montrer qu'elle ignorait que le diplomate en question était depuis plus de deux ans reparti à Bamako et qu'il n'y avait plus d'ambassadeur du Mali à Paris ! Rien de bien surprenant en réalité de la part d'une candidate qui, au sortir du Salon de l'agriculture, lançait, sur un ton très primesautier : « Je file m'occuper de l'Ukraine. » Se rêvant en cheffe de guerre... du Ploukistan, elle mit dare-dare sur pied un Conseil stratégique de défense ! Initiative qui, dans le cadre d'un Festival des animations d'Ehpad aurait peut-être pu lui valoir un César de la mise en scène, mais qui, au niveau d'une campagne présidentielle, démontra un amateurisme coupable, avec des participants retraités ou en phase de décongélation et un décor à peine digne d'une fête de village des anciens, où drap en guise de nappe et petites pancartes formaient une drôle de farfouille avec drapeaux en carafe, fleurs séchées et bibelots divers sur une étagère... Au théâtre ce jour, en quelque sorte, et le talent de Roger Harth et celui de Donald Cardwell portés définitivement disparus.

Peu auparavant, le 15 février 2022, c'était le cinéma qui figurait au programme. Lors d'une interview accordée à France Info, sur la plateforme Twitch, elle déplora ne pas s'y consacrer suffisamment. « Moi je suis une cinévore absolue..., confiait-elle. Bah en ce moment, c'est un peu plus dur, je ne vous le cache pas. Mais dans deux mois, je me rattraperai... » « Ou pas, hein », lui rétorqua la journaliste Alix Bouilhaguet, étonnée par cette « sortie » qui tendait à prouver que son interlocutrice ne se faisait guère d'illusions sur l'éventualité de son succès électoral et avait déjà tourné la page... « Bah non, renchérit aussitôt l'invitée prompte à partir à l'assaut d'un sommet du ridicule, je me rattraperai quand même parce qu'à un moment donné, j'aurai quand même des soirées libres. Là, aujourd'hui... Même si je suis présidente de la République, on a des soirées libres. »

Dans le florilège de bourdes, parfois monumentales à ce niveau de compétition électorale, impossible d'oublier qu'en ce même mois de février 2022, au micro de RTL, au cours d'un « petit déjeuner présidentiel » avec Yves Calvi, Valérie Pécresse se montra « déçue par le quinquennat de Mitterrand », alors que l'ancien président de la République avait effectué deux septennats ! Le mois suivant, face à Anne-Sophie Lapix qui lui demandait « Quelles niches fiscales voulez-vous supprimer ? », elle eut également cette réponse sidérante qui fit s'interroger plus d'un observateur sur les effets secondaires méconnus du coronavirus : « Je ne dirai pas dans le détail. Je sais lesquelles mais derrière chaque niche il y a un chien ! »... Plus sérieusement, impossible aussi de ne pas se souvenir qu'elle évoqua durant un meeting les « Français de papier », cette expression plus que déplorable, si lourde de références et parfaitement irrecevable. À ceci près qu'elle en dit long sur la mentalité de celui ou celle qui l'énonce.

Piètre comédienne, à l'élocution catastrophique qui donnait souvent le sentiment qu'elle ne croyait pas un mot de ce qu'elle disait ou lisait, Mme Pécresse, actuelle présidente de la région Île-de-France, aurait-elle pu se voir recruter – et surtout perdurer – dans une agence de communication ? Le doute est permis. « Mon ambition, c'est battre Macron ! » répétait-elle à l'envi, comme si « ôte-toi de là que je m'y mette » constituait un programme.

À son sujet, l'ancien président de la République, Nicolas Sarkozy, avait un avis d'expert. Devant l'un de ses amis politiques, il aurait confié : « Elle a pris un melon, Valérie, elle ne passe plus sous l'Arc de Triomphe ! Mais il faut que tu lui dises : ça n'a pas de pouvoir, un président de région. Elle s'occupe des bus ! » À ses yeux, elle n'était en réalité qu'une « pimbêche insignifiante »... Des propos durs mais ô combien justes.

Après avoir recueilli 4,7 % des voix avec l'investiture LR – dite Les Radoteurs à force de faire de l'anti-Macron à toute heure – et mendié des millions d'euros auprès de militants pour apurer ses dettes de campagne, Mme Pécresse devrait avoir la décence de tirer sa révérence. Sa place paraît désormais davantage du côté de La Baule [3] que de la région parisienne, comme conseillère municipale – sans délégation –... et accompagnatrice de ses petits-enfants à la plage, assurément l'une des plus longues et des plus prisées d'Europe.

(1) Oradour-sur-Glane, dont 643 habitants furent massacrés le 10 juin 1944 par un détachement de panzergrenadier « Der Führer » de la division blindée SS « Das Reich », se situe près de Limoges, en Haute-Vienne. L'ensemble de ce village martyr et de son mémorial constitue le site le plus visité en Limousin, avec des centaines de milliers de visiteurs par an.

(2) Le chiffre exact est 258.

(3) La baie de La Baule apparaît désormais déclassée, depuis l'implantation d'un important parc éolien, réalisé après des appels d'offres signés par Mme Valérie Pécresse, alors ministre, par une filiale du conglomérat américain General Electric, présidée par son mari M. Jérôme Pécresse, qui a quitté ses fonctions en septembre 2022, au moment de la mise sous presse de cet ouvrage…

28

« En prison pour médiocrité ! »

Henry de Montherlant, *La Reine morte*

« Fluctuat et mergitur »

Au championnat des bourdes durant la campagne de l'élection présidentielle de 2022, Valérie Pécresse ne fut pas la seule candidate à prétendre à une victoire haut la main. Mme Hidalgo fut une concurrente des plus redoutables. Des vidéos – dont celle où elle faisait cette auguste déclaration : « Moins il y aura de voitures particulières, plus les gens prendront le taxi » – sont là pour en témoigner. Soigneusement archivées, elles serviront sans doute de « pièces à conviction » pour le cursus de formation des étudiants en communication. Jean-Edern Hallier n'aurait pas manqué, là encore, de s'en amuser.

Avant la présidentielle de 2022, seuls certains habitants du XVe arrondissement de Paris savaient depuis longtemps que Mme Hidalgo était née sotte. Mais à l'occasion de ce scrutin phare, c'est l'ensemble de la population française qui a pu découvrir que la dame en question, inspectrice du travail retraitée, avait fait une très sévère rechute…

La sanction a naturellement été à la mesure de l'événement, avec un « score » historique de 1,7 % des voix au premier tour, complété par un autre « score » particulièrement famélique de

2,1 % à Paris, soit moins de 23 000 voix recueillies dans une capitale dont elle est maire depuis 2014 !

Durant toute la campagne, elle porta un chapeau de candidate à la démesure sans doute de son ambition, mais à l'évidence beaucoup trop grand pour elle et tout à fait ridicule au regard de son dogmatisme imbécile, de son charisme médiocre et de son outrecuidance à peu près aussi insondable que sa bêtise.

Roulant carrosse mais s'affichant comme une reine de la bicyclette, elle saluait volontiers des publics inexistants. Investie par le PS, un parti spécialisé dans le déni de réalité, incapable de se remettre en question et encore moins d'effectuer le plus modeste *aggiornamento* concernant M. Mitterrand et le génocide au Rwanda, comme le lui avait publiquement suggéré le député européen et essayiste Raphaël Glucksmann, elle n'avait guère le soutien de Bertrand Delanoë, son prédécesseur à la mairie de Paris, qui lui préféra la candidature d'Emmanuel Macron. Elle bénéficia en revanche du soutien sans faille de François Hollande, l'ancien président de la République, dit « Le Nullissime (1) », prompt à appeler par tweet « au rassemblement des électeurs autour d'une force motrice » et à proclamer sans la moindre intention de faire rire qu'en 2022, c'était le sérieux qui ferait la différence... Effectivement, les électeurs ne s'y trompèrent pas, le sérieux fit la différence. Et elle fut abyssale !

Désormais, les innombrables détracteurs de l'ex-candidate socialiste, que la honte ne saurait effleurer et encore moins étouffer ou pousser à la démission, l'appellent « Fluctuat et mergitur ». Un surnom qui sonne comme un titre d'ouvrage hallierien, l'honneur perdu de Mme Hidalgo...

(1) Surnom dû au moins autant au fait d'avoir dû renoncer à se représenter pour un second mandat qu'à ses commentaires particulièrement grotesques d'outrecuidance à l'encontre de la politique conduite par son successeur.

29

« Chaque fois que j'entends "Vive la France", "Vive la République", "Vive ceci", "Vive cela", en surimpression, j'entends toujours "Vive moi!" »

Jean Yanne (Jean Roger Gouyé, 1933-2003), *Je suis un être exquis*

Z comme… Zeppelin

L'élection présidentielle de 2022 aurait-elle pu faire l'économie de la candidature Zemmour ? La réponse est non, dans la mesure où une campagne de ce type a besoin d'animateurs et où le polémiste en fut, de bout en bout ou presque, l'un des plus remarquables. Pas sûr du tout en revanche qu'Hallier aurait goûté sa tentative obsessionnelle de normalisation de Vichy visant à, pour reprendre les mots de l'historien Laurent Joly, « rendre acceptable le détricotage de l'État de droit »… Pas sûr non plus qu'il aurait approuvé le caractère réactionnaire, xénophobe, homophobe de certaines des idées distillées dans ses écrits ou des phrases prononcées dans ses discours.

À l'évidence, le Zemmour des années 2020 n'est pas le Zemmour que l'auteur de cet ouvrage a connu, de 1985 à 1994, au *Quotidien de Paris*(1). Il était alors un jeune journaliste, au profil intéressant et au dynamisme prometteur, que Philippe Tesson recruta et fut amené à décrire ainsi par la suite : « Éric Zemmour ? Pathologique, touchant et ridicule à la fois. Avec une ambition sans limites. »

Curieusement, l'ancien directeur du *Quotidien de Paris* ne lui a jamais confié la moindre responsabilité. Interrogé fin 2021 à ce sujet, il assurait qu'il ne fallait pas y voir une marque de défiance de sa part et qu'il n'avait pas perçu chez ce collaborateur de véritable désir d'évolution professionnelle au sein de l'entreprise, pas d'envie de devenir chef de service ou rédacteur en chef.

À l'évidence aussi, Éric Zemmour est une baudruche longtemps gonflée à l'hélium des télés Bolloré en général et de Cnews en particulier… Un bonimenteur habile qui, au lieu de chercher à vendre du détachant miracle ou du parfum de luxe en jerrycan de 5 litres sur le trottoir devant l'entrée d'un grand magasin, diffuse avec talent du blabla. Ni juriste, ni historien, ni philosophe, il n'a, hélas, pas les bases du savoir académique, et le brillant vernis « made in Sciences-Po » auquel il a souvent recours ne peut abuser que les gogos. Il applique au domaine de l'édition les techniques en usage dans la presse, qu'il a apprises ou constatées durant les années passées au *Quotidien de Paris*. Erreur funeste.

Sans vergogne et à toute allure, entre deux plateaux télé, il exploite, il compile, il plagie… Il singe l'intellectuel, le vrai, qu'il n'est pas. Dans un premier temps, comme il se montre très bon vendeur et a un culot d'enfer, la tromperie lui réussit. Jusqu'au jour où, pris dans l'engrenage du succès, dopé aux amphétamines cathodiques, il se met sur les rails d'une candidature au fauteuil élyséen et, forcément, s'expose…

Immature à l'ego surdimensionné et à l'inconscience non moins démesurée, il a alors le tort rédhibitoire de jouer à la Pythie de Delphes et de se livrer à deux prédictions. La première, la Russie n'attaquera pas l'Ukraine [2]. La seconde, « je serai au second tour » de la présidentielle… C'était plus que ballot, ce fut désastreux. Plus encore, bien sûr, que son malencontreux « Elabe, Odoxa, connais pas... », émis à Bordeaux le 12 novembre 2021, qui trahissait soit une ignorance plus que coupable de la part d'un chroniqueur politique présenté – et payé – comme tel depuis des années sur des chaînes de télévision, soit une mauvaise foi grotesque, parfaitement ridicule.

Le malheur d'Éric Zemmour, au fond, comme peuvent le confirmer ceux et celles qui ont été amenés à le côtoyer, ce ne sont pas les autres ni ses adversaires politiques, c'est lui-même. Son mal-être, ses complexes, ses frustrations, ses rancœurs voire ses rancunes, sa soif inextinguible de reconnaissance... qui lui ont fait courir le risque de se transformer en Z comme Zeppelin amphigourique et de finir par exploser (3).

À son sujet, c'est peut-être Philippe Tesson, son ancien patron, qui, dans un numéro de la *Revue des Deux Mondes* paru en avril 2022, exprime, avec bienveillance, le point de vue le plus pénétrant : « Il (Éric Zemmour) n'apporte pas grand-chose, analyse-t-il, mais il représente une réalité qu'il faut comprendre et qui lui échappe : il représente (si seulement il pouvait en prendre conscience !) l'immigration tout entière. Il porte en lui la haine, l'exil, le désir avide d'intégration. Il est l'orphelin, l'enfant perdu, l'étranger porté par l'amour de la France, dont il fait sa mère patrie à défaut d'avoir été aimé par sa propre mère. »

---

(1) *Le Quotidien de Paris*, journal aujourd'hui disparu, faisait partie, du Groupe Quotidien, également disparu. À partir de la fin des années 1970 et jusqu'au milieu des années 1990, ce groupe de presse quotidienne français, présidé par Philippe Tesson, employa jusqu'à environ 550 personnes et publia trois titres principaux, *Le Quotidien de Paris, Le Quotidien du Médecin* et *Le Quotidien du pharmacien*, ainsi que plusieurs autres titres dont *Le Quotidien du Maire* et *L'Action économique*.

(2) France 2, 9 décembre 2021, Éric Zemmour : « La Russie, je prends le pari, n'envahira pas l'Ukraine. »

(3) En 2022, après avoir obtenu, au terme d'une médiatisation démesurée, 7,07 % des voix au premier tour de l'élection présidentielle, il n'est pas parvenu à se qualifier dans le Var, à Saint-Tropez, pour le second tour des élections législatives. Aucun des autres candidats se revendiquant de son nom n'a accédé à ce second tour.

30

« La reconnaissance est une maladie du chien non transmissible à l'homme. »

Attribué à Antoine Bernheim (1924-2012)

Requiem pour Jean-Michel Blanquer

Ministre de l'Éducation nationale dans les gouvernements Édouard Philippe puis Jean Castex, hier encore perçu comme une figure majeure de la « société civile » chère à Emmanuel Macron (1), Jean-Michel Blanquer n'a plus désormais aucune fonction politique. Les électeurs de la circonscription de Montargis, dans le Loiret, ne l'ont pas qualifié pour le second tour des législatives de 2022. Cette première fois où il se présentait au suffrage universel ne lui a guère porté chance… Exit donc Jean-Michel Blanquer, redevenu soudain citoyen lambda, déjà oublié de la plupart de ses amis politiques et *has been* promis à la plus grande obscurité.

Il n'empêche. Par-delà les critiques, parfois virulentes, qui ont pu être émises à son sujet, et les erreurs d'appréciation ou de communication qu'il a pu commettre, en particulier après ses trois premières années passées rue de Grenelle et à l'occasion de son mariage avec la journaliste Anna Cabana, il y a au moins un fait, objectif et irréfutable, qui peut être mis à son crédit : il est le ministre de l'Éducation nationale resté le plus longtemps en poste sous la Ve République. Pour qui connaît ne serait-ce qu'un tout petit peu l'énormité et la complexité de la « machinerie » que représente le ministère en question, cette performance donne la mesure de la stature du personnage et justifie un minimum de reconnaissance.

D'autant que le bilan de son long passage est impressionnant. *A fortiori* au regard de celui de bon nombre de ses prédécesseurs. Il y a bien sûr le dédoublement des classes de CP (cours préparatoire) puis de CE1 (cours élémentaire 1), et de grande section de maternelle situées en zone d'éducation prioritaire. Il y a en outre la réforme du baccalauréat, quasi inespérée car attendue depuis si longtemps, la nouvelle organisation structurelle des lycées généraux et technologiques, qui marque la fin du système des filières institué… en 1965 ! Exceptionnelle fut également l'habileté dont ce ministre a su faire preuve dans le dialogue social. De 2017 à 2022, des problèmes ont sans aucun doute existé, mais leur perception est restée le plus souvent circonscrite à l'institution. Face à un degré de compétence très inhabituel et bien réel, les responsables syndicaux des différentes catégories de personnel ont été tenus en respect.

Là encore, le tour de force mérite d'être salué, quand on a conscience, d'une part, du poids des organisations syndicales dans l'Éducation nationale, et, d'autre part, des « pierres d'achoppement » que peuvent représenter les traitements des enseignants, faibles dans les dix premières années de carrière, et de toute façon inférieurs de plus de 20 % à la moyenne des chiffres constatés au sein de l'Union européenne… Pas certain en tout cas qu'en dépit de leurs efforts et de leur bonne volonté, les successeurs de Jean-Michel Blanquer parviennent à une même pérennité quinquennale dans le fauteuil !

(1) Au début de son premier quinquennat.

31

« La politique, fille de la diplomatie et de l'escroquerie courtoise. »

Jacques Sternberg (1923-2006), *La sortie est au fond de l'espace*

Chambre à fragmentation

S'appuyant sur un électorat minoritaire, l'Assemblée nationale française issue des législatives de juin 2022 n'est évidemment pas de nature à susciter un quelconque emballement populaire. Pourtant, elle a de quoi justifier la satisfaction d'à peu près tout le monde… En tout cas celle des principaux intéressés, tous bords confondus. Ensemble !, sous la bannière d'Emmanuel Macron, a obtenu pas moins de 245 sièges, la Nupes (Nouvelle union populaire écologique et sociale), constituée autour de Jean-Luc Mélenchon, 131, le Rassemblement national, incarné par Marine Le Pen et présidé par Jordan Bardella, 89, LR (Les Républicains), 61, divers autres partis, une cinquantaine…

Des résultats qui *a priori* témoignent d'un minimum d'équilibrage démocratique des forces en présence, mais qui méritent un minimum de rappels et de clarifications… Le label Ensemble ! est une coalition de sept partis : Renaissance (ex-La République en marche), Modem (Mouvement démocrate), Horizons, Agir, Territoires de progrès, Parti radical, En commun. De son côté, la Nupes est un alliage de députés La France insoumise, EELV (Europe Écologie-Les Verts), PC (Parti communiste) et PS (Parti socialiste), dont les positions sont parfois diamétralement opposées et les intérêts distincts... Enfin, si le parti LR se retrouve affaibli tout en parvenant à « sauver les meubles », le Rassemblement national a réalisé, lui, une performance notable, qui lui ouvre des perspectives et vaut institutionnalisation à l'issue, on l'oublie un peu trop souvent, d'un demi-siècle de « labourage » électoral effectué avec opiniâtreté par des lignées de militants et des milliers de candidats malheureux... Pour l'exécutif, cette Assemblée est devenue plus que jamais une chambre à fragmentation, qu'il peut être habile soit de faire assumer publiquement toutes les conséquences de ses votes ou de ses non-votes, soit de contourner, de façon d'autant plus judicieuse que son importance est bien moindre que ce qu'elle fut dans les années Hallier...

32 (1)

« On a beau dire, plus ça ira, et moins on rencontrera de gens ayant connu Hallier. »

Librement adapté d'Alphonse Allais

Pour lui, la vie posthume a commencé…

Jean-Edern Hallier était pour le droit de mourir dans la dignité à vélo… Son handicap visuel et son état de santé auraient dû lui interdire de faire du sport tôt le matin en appuyant pour de bon sur les pédales de son vélo hollandais en Normandie. Mais il y allait de son libre arbitre. Il est resté digne. Les mains sur le guidon, faisant face, la tête haute, à la mort qui soudain a fondu sur lui. Une fin à la hauteur du personnage si volontiers dalirant, une fin nécessaire pour que le mythe de l'Edernel jeune homme se perpétue. Car, c'est bien connu, c'est toujours au moment où meurt l'homme que commence la légende… Alors n'hésitons pas une seule seconde : fendons l'armure, reprenons en chœur et en son honneur la chanson de Jean-Jacques Debout en la parodiant et fredonnons : pour lui la vie posthume a commencé. En revenant dans ce pays breton… Là où le soleil et le vent, là où ses amis, ses parents, ont gardé son cœur d'enfant. Oui, pour lui la vie posthume a commencé. Et son passé sort de l'oubli. Foulant le sol de la prairie de La Boissière, la demeure familiale à Edern, chevauchant avec ses amis, il peut voir descendre la nuit sans avoir peur d'être surpris, tandis qu'au loin comme un troupeau passent les ombres des chevaux. Sous le ciel du pays breton, sans jamais connaître l'ennui, les années passent sans bruit, entre le ciel et ses amis, pour lui la vie posthume a commencé…

« Les fous, c'est fait pour faire fondre les armures. »

« Si t'étais là », chanson (paroles de Marie Bastide et musique de Gioacchino Maurici) interprétée par Louane

---

(1) Une roue de bicyclette a le plus souvent 32 rayons.

DIRECTEUR JEAN-EDERN HALLIER

L'IDIOT INTERNATIONAL

NUMÉRO SPÉCIAL

« LIVRE-JOURNAL »

LES VERSETS SATANIQUES

SALMAN RUSHDIE

(The Satanic Verses)

(Traduction du texte intégral)

La une du « numéro spécial » de *L'Idiot international* du 26 avril 1989, qui contenait une traduction du livre *Les Versets sataniques* de Salman Rushdie, alors qu'aucune société d'édition n'entendait prendre l'initiative de la publication.

Hallier se servait de son titre de presse donquichottesque comme d'un bouclier pour mener campagne en roue très libre, comme ce fut le cas en cette année 1989 devant l'ambassade d'Iran à Paris, où il distribua en personne sous forme de livre-journal ces *Versets sataniques* qu'aucun éditeur ne voulait courir le risque de publier.

Coup de pompe ou l'heure des thés

« Les Anglais ont des rites pour le thé et des habitudes pour l'amour. Les Français prennent pour l'amour les soins que nous réservons au thé. »

Pierre Daninos (1913-2005), *Les Carnets du major Thompson*

« Si tu veux aller vite, pars seul. Si tu veux aller loin, pars accompagné. »

Proverbe africain

« Un monsieur avise un magasin sur la façade duquel est inscrit "Pompes Funèbres"... Il pousse la porte, entre et dit :
– Bonjour monsieur Funèbre, je voudrais une pompe, la roue de mon vélo est dégonflée !
– Je regrette, monsieur, nous ne faisons pas de pompes, mais de la mise en bière...
– Ah ! Excusez-moi... alors, ce sera une canette ! »

Jean Yanne, « Pensées quotidiennes »,
Pensées, répliques, textes et anecdotes
(Le Cherche-Midi éditeur)

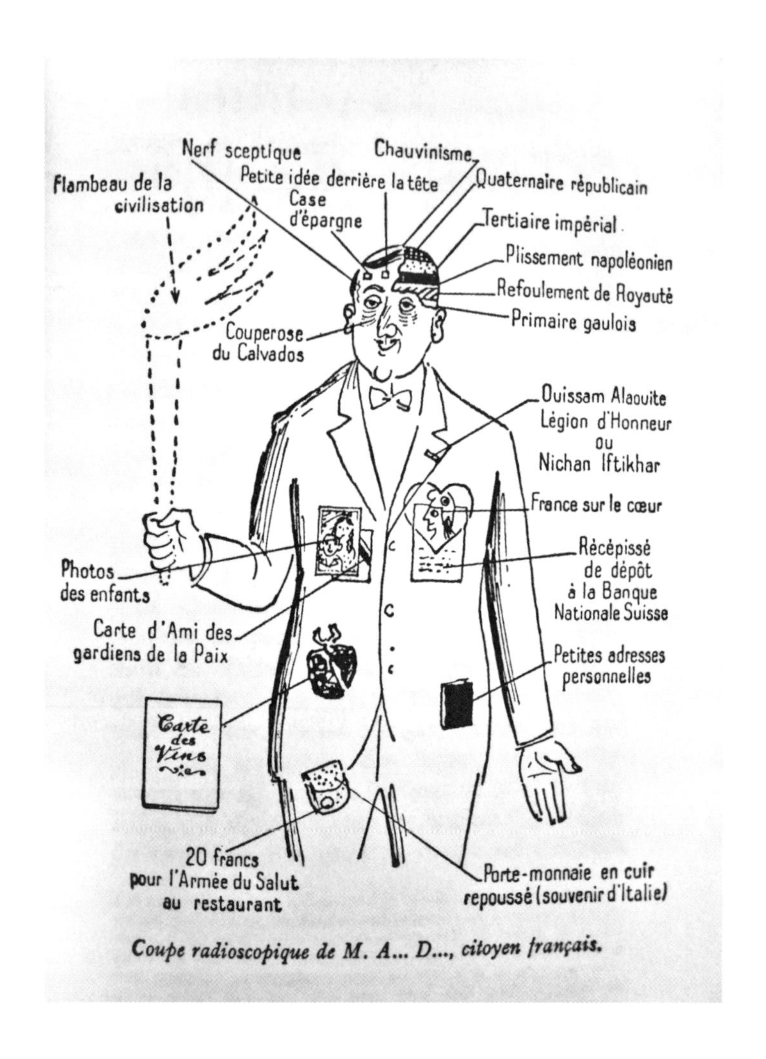

Coupe radioscopique de M. A... D..., citoyen français.

La caractérisation du Français, par Pierre Daninos. Dessin de Walter Goetz (1911-1995).

Dessin de Jacques Faizant (1918-2006), extrait de l'album *Des ortolans à l'ortoli,* paru en 1968 aux Éditions Denoël.

— *La tension internationale le préoccupe beaucoup !*

Dessin de Jacques Faizant, extrait de l'album *Les vieilles dames et les hommes,* paru en 1972 aux Éditions Denoël.

— Vous n'auriez pas une tisane qui énerve un peu ?

Dessin de Jacques Faizant, extrait de l'album *Les vieilles dames et les hommes,* paru en 1972 aux Éditions Denoël.

« Si tu vois tout en gris, déplace l'éléphant. »

Proverbe indien

« Musulman cherche roue voilée pour le vélo de sa femme. »

Pierre Dac (André Isaac, dit, 1893-1975), *L'Os à moelle*

« Jean-Edern Hallier ne fut-il pas la preuve qu'on peut être aveugle et m'as-tu-vu en même temps ? »

Jean-Claude Dreyfus et Pascal Petiot, *Les Questions à la con* (volume 2)

— Paris... Ses palais aux voûtes superbes !

Dessin de Jean Effel (1908-1982), extrait de son premier album intitulé *Au temps où les bêtes parlaient.*

Paris, Ville Edernelle

« Dans Paris, il y a un Père blanc,
Patatin, patatan, tarabin, taraban…
Dans Paris, il y a un Père blanc
qui fait danser des moinettes,
trin, trin, trin dans un jardin,
qui fait danser des… »

Alphonse Daudet (1840-1897), « L'élixir du "révérend Père Gaucher" », *Lettres de mon moulin*

« Paris t'éveille et Manhattan ferme mes yeux
Je sais par cœur ton café crème au coin de la rue et son odeur
danse avec moi le bal des pas perdus[1]. »

« Paris je t'aime », paroles de Véronique Soufflet, musique de Jean-Luc Kandyoti

« Question idiote ! »

Philip Mountbatten (prince Philippe de Grèce et de Danemark, 1921-2021), duc d'Édimbourg et mari d'Élisabeth II (1926-2022), reine du Royaume-Uni et des autres royaumes du Commonwealth, surnommé « le gardien des perles de la Couronne » ou « le prince de la bourde », à une journaliste de la BBC qui, lors d'un banquet à l'Élysée, lui demandait si la reine appréciait son séjour à Paris

Son nom a beau être associé à des lieux très parisiens, comme la Closerie des Lilas, la place des Vosges ou l'avenue de la Grande-Armée où il vécut les dernières années de sa vie, Jean-Edern Hallier n'a jamais été un « gosse de Paris ». D'abord, il n'y est pas né : il a poussé son premier cri, non dans le faubourg Saint-Denis, comme dans la chanson de Mistinguett, mais à

Saint-Germain-en-Laye, dans le département des Yvelines, à une vingtaine de kilomètres de Notre-Dame. Ensuite, il n'y est pas mort, puisqu'il a rendu son ultime souffle à Deauville, après quelques tours de roue à bicyclette. Enfin, il n'a pas fait partie de ces vrais Parisiens qui n'aiment pas Paris... mais ne peuvent vivre ailleurs et ont l'impression, s'ils s'en éloignent, d'être en exil. Lui adorait Paris, sans pour autant que sa passion soit absolue, et encore moins exclusive. La Bretagne, la Corse, le Maroc, ou encore l'Italie, l'enchantaient volontiers. La Normandie, en version palace ou en mode terrasse, au Ciro's de Deauville comme aux Vapeurs de Trouville, aussi. Breton revendiqué, normand attitré... Sans jamais cesser, gentleman for ever, d'avoir sa Grande-Bretagne dans la tête, en mode God save the Queen ou the King... En réalité, comme il le confesse dans *Je rends heureux*, il ne peut « se lier profondément à rien », il « reste l'exilé, l'étranger, l'apatride, la bête blessée, errant qui s'acharne à perdre son chemin sans jamais parvenir à se perdre lui-même, à s'oublier au moins ». « J'ai l'impatience, reconnaît-il, l'instabilité fébrile des obsédés – et Jean-René (2) m'a rarement vu rester plus d'une demi-heure au même endroit. Nulle part je ne trouve ma place, parce qu'au fond, je n'ai pas de place... » Un aveu complété par un rappel des étapes de son enfance... Avant qu'il ne devienne élève au lycée Claude-Bernard, boulevard Murat, juste à côté du parc des Princes qu'il pouvait voir « derrière les grandes baies vitrées des salles de cours », il y eut en effet « la Tunisie en 40, la Hongrie de 42 à 45. La Turquie et la Russie jusqu'en 47. Les États-Unis, de 48 à 50. » « Brinquebalé par mes parents, pour être resté si longtemps un petit Français à l'étranger, note-t-il, j'étais devenu un petit étranger en France – et je contemplais avec émerveillement tous ces petits Français de la petite France, avec leur petite éducation bien française. »

Cependant, les milliers de lecteurs d'exemplaires de ses livres et les millions de téléspectateurs d'émissions de télévision et de radio ont fait de lui, de son vivant, une figure éminemment parisienne, et, soit dit et écrit en passant, Paris devrait bien rendre gloire à ce « vrai-faux Breton » prénommé Jean-Edern qui a tant travaillé au rayonnement de « la plus belle ville du monde », pour reprendre les mots célèbres de Marlene Dietrich...

Au milieu des années 1950 et jusqu'au début des années 1980 – les archives photographiques de *Paris Match* ou de *France-Soir* sont peut-être encore là pour en témoigner –, c'est en ce lieu magique que le Tout-Paris, le Tout-France et le Tout-Monde vivait, luttait, triomphait... ou échouait. Qu'importe. C'était toute l'histoire des gens célèbres qui s'y animait et Hallier entendait même y écrire l'Histoire comme il aspirait à la vivre... Sans avoir eu besoin d'attendre la parution du *Neveu de Wittgenstein,* de Thomas Bernhard, il avait très tôt parfaitement compris qu'« à la campagne l'esprit ne peut jamais s'épanouir » et que les gens qui fuient Paris pour la campagne ne font que montrer qu'ils tiennent « trop à leurs aises pour faire usage de leur tête qui est, naturellement, radicalement mise à l'épreuve à la ville »... Que cela plaise ou non, « Paris rime avec esprit[3] » et il suffit, c'est bien connu depuis le bon mot de Jules Renard, de lui ajouter deux lettres pour qu'elle soit le paradis...

« Dieu a choisi »

Il en va des chemins comme du reste. Certains peuvent passer par New York ou Londres, d'autres par Shanghai ou Dubai, d'autres encore par Saint-Pétersbourg ou Kaboul. Mais tous les chemins mènent, tôt ou tard, non à Rome, mais à Paris. C'est ainsi. Tout simplement, peut-être, parce que, pour reprendre le titre d'un trésor de la cinéphilie, le film de Gilbert Prouteau et Philippe Arthuys, avec Jean-Paul Belmondo, *Dieu a choisi Paris*[4].

Bien sûr, certaines artères le jour s'apparentent souvent à des « cours des miracles », à des « terrains de jeu » à ciel ouvert pour rançonneurs-détrousseurs, voire à des coupe-gorge, et le « Paris by night » n'existe plus. Le Lido, le plus célèbre cabaret du monde, est aux oubliettes et ses BlueBell Girls sont passées à la trappe. À force de ressembler à Limoges sur le coup de 22 heures, la capitale française a grandement perdu de sa superbe et un peu de ses attraits. Bien sûr, après avoir été gouvernée pendant plus d'un siècle par l'État puis représentée par trois maires dignes de ce nom – Jacques Chirac, Jean Tibéri et Bertrand Delanoë –, elle traverse depuis le milieu des années 2010 une « séquence » plutôt sombre. Sa gestion municipale, via une alliance socialiste-communiste-écologiste, a été confiée en des mains fort peu éclairées et à l'incompétence manifeste, réélues en 2020 dans un contexte de très forte abstention et de pandémie de Covid-19. Mais sa richesse patrimoniale et sa beauté sont telles qu'elles devraient encore parvenir à faire illusion. « Fluctuat nec mergitur » n'est-elle pas sa devise ? Hallier, lui, se souvenait qui l'avait faite. Il ne faisait pas partie de ces Parisiens qui sont comme ces princes de légende, dont les richesses sont si fabuleuses qu'ils n'en soupçonnent plus l'étendue… Il savait qu'un banc ou un kiosque conçu par Gabriel Davioud, ce génie de l'architecture, contribue à l'identité de Paris et à sa magie. Comme les fameuses colonnes de Richard-Gabriel Morris, les entrées de métro signées Hector Guimard, les fontaines Wallace de Charles-Auguste Lebourg. Il ne s'attaquait pas bêtement à tous les symboles de l'époque haussmannienne. Le petit jeu de l'outrage, du déclassement, de l'humiliation, très peu pour lui. Par son éducation et sa sensibilité, il avait l'aptitude à reconnaître le patrimoine, le respect intelligent de l'histoire urbaine. Il était de Paris comme s'il avait fait partie d'un cercle. Il était – avec humilité, à la différence de certaines lamentables baudruches d'un « suffrage universel » réduit parfois à fort peu de voix – élu parisien. Élu à vie. C'était une dignité, comme disait si bien Sacha Guitry. Une charge aussi. Donc, comme cette Ville Lumière, de beauté, de fête et de culture, lui avait fait l'honneur de l'admettre, il s'efforçait d'être sinon à sa dévotion, du moins à ses ordres... S'il aimait les voyages, il pouvait avoir l'impression en s'éloignant d'elle d'être en exil. Comme si sa santé était entretenue par la langue des rues, la vision des silhouettes attablées aux terrasses des cafés ou l'audition de tant de magnifiques chansons qui, piano, violon, violoncelle, s'amoncellent et font chanceler le cœur de la jouvencelle (5). Paris, la ville la plus chantée au monde, à toutes les heures du jour et de la nuit ! Si longue liste de noms. Aristide Bruant, Maurice Chevalier, Charles Trenet, Joséphine Baker, Léo Ferré, Charles Aznavour, Édith Piaf, Juliette Gréco, Francis Lemarque, Mouloudji, Barbara, Jean Ferrat, Joe Dassin, Enrico Macias, Jacques et Thomas Dutronc, Vincent Delerm, Oxmo Puccino, Gims, Orelsan, Louane... « Il n'y a que deux sujets de chanson : l'amour et Paris » aimait à dire George Gershwin, et, à dire vrai, que seraient l'un et l'autre sans toutes ces paroles et tous ces airs, promesses d'éternité ?

« Paris est un véritable océan. Jetez-y une sonde, vous n'en connaîtrez jamais la profondeur. Parcourez-le, décrivez-le : quelque soin que vous mettiez à le parcourir, à le décrire ; quelques nombreux et intéressés que soient les explorateurs de cette mer, il s'y rencontrera toujours un lieu vierge, un antre inconnu, des fleurs, des perles, des monstres, quelque chose d'inouï, oublié par les plongeurs littéraires. »

Honoré de Balzac, *Le Père Goriot*

« Paris, Paris, Paris
C'est sur la Terre un coin de paradis
Paris, Paris, Paris,
De mes amours c'est lui le favori
Mais oui, mais oui, pardi
Ce que j'en dis on vous l'a déjà dit
Et c'est Paris, qui fait la Parisienne
Qu'importe, qu'elle vienne du nord ou bien du midi
Et c'est aussi le charme et l'élégance
Et l'âme de la France
Tout cela, oui c'est Paris. »

« Paris Paris Paris », paroles françaises de Georges Tabet (1905-1984) et musique d'Agustín Lara (surnommé « El Flaco de Oro » ou « El Músico Poeta », 1897-1970), chanson interprétée par Joséphine Baker accompagnée par Jo Bouillon et son orchestre. Adaptation française de « Madrid Madrid », paroles espagnoles et musique de Agustín Lara, composée pour María Félix (1914-2002)

« Merci à vous, gens de ma ville,
Vous qui l'avez faite à mon goût,
Si je m'y sens le cœur tranquille
C'est toujours un peu grâce à vous.
Merci pour tout ce que je trouve
Aux quatre coins de mon Paris
(...)
Paris qui valut une messe
Peut bien valoir une chanson. »

« Merci à vous », paroles de Bernard Dimey (1931-1981), musique d'Armand Seggian, chanson interprétée notamment par Jean Sablon (1906-1994)

---

(1) Chanson écrite à New York et interprétée par Véronique Soufflet.

(2) Jean-René Huguenin (1936-1962).

(3) « Ma petite rime », chanson de Jean Constantin (1923-1997).

(4) Visible sur la chaîne Youtube.

(5) « Paris violon », paroles d'Eddy Marnay, musique de Michel Legrand.

« La Ballade des rues de Paris (1) »

Rendez-vous demain rue du Pont-aux-Biches
Ou rue du Trésor si tu veux être riche
Dans la rue Gracieuse, tu feras des sourires
On s'embrassera Passage des Soupirs

On fera notre nid rue de l'Hirondelle
Traversant joyeux la rue Pastourelle
Notre amour brillera d'un feu sans pareil
Rue du Roi-Doré ou rue du Soleil

Après la rue des Évangiles
Nous irons nous marier
Soit tout près de Saint-Louis en l'Île
Ou bien rue des Terres-au-Curé

Et Paris, poète aux joies un peu folles
Lancera ses rues dans la farandole !
Du bal où tous deux, à cœur contre cœur
Nous irons danser sur l'air du bonheur

Écoutez, chéri,
La jolie ballade
Des rues de Paris
Qui font la parade
Et qui nous convient
À des escapades
À des escapades
Loin des pavés gris
Des rues de Paris

Et Paris, poète aux joies un peu folles
Lancera ses rues dans la farandole !
Du bal où tous deux, à cœur contre cœur
Nous irons danser sur l'air du bonheur…

« Je suis comme Indurain, je gagne des Tours de France et puis je vois que personne n'est vraiment meilleur écrivain que moi[2]. »

(1) Chanson interprétée par Joséphine Baker (Freda Josephine McDonald, dite, 1906-1975), paroles de Henri Lemarchand (1911-1991) et Jean-Marc Mauret, musique de Jo Bouillon (1908-1984) et Théo Trianda (Théophraste Triandafyllides, dit, 1923-2008). Née aux États-Unis, Joséphine Baker confiait volontiers qu'elle avait un jour pris conscience qu'elle habitait dans un pays où elle avait peur d'être noire. « Je me suis sentie libérée à Paris, assurait-elle, avant de préciser : Quand je suis arrivée à Paris, personne ne me disait "négresse", mot qui me blessait terriblement. Je suis devenue une femme avec confiance dans la vie, élevée par la France à laquelle je donne ma gratitude. J'ai été portée aux nues. » Cette immense artiste, dont l'engagement au sein de la Résistance durant la Seconde Guerre mondiale fut remarquable, est entrée le 30 novembre 2021 au Panthéon, à Paris, sur décision du président de la République française Emmanuel Macron. Elle est ainsi devenue la première femme noire à rejoindre le « temple » républicain… dont rêvait Hallier. C'est d'ailleurs sur les marches du Panthéon que l'écrivain présenta à la presse le 7 février 1996 son livre, *L'Honneur perdu de François Mitterrand.*

(2) Propos recueillis trois jours avant la mort d'Hallier par David Alexandre et parus dans le mensuel *La Une*, en février 1997.

Bréviaire pour une jeunesse déracinée : l'essai visionnaire

« Liriez-vous encore votre bréviaire, lui demanda Mme de Staël.
– J'ai de la mémoire, dit-il.
– Travaillez à la perdre ; car un temps viendra où les souvenirs vous importuneront.
– Rassurez-vous, dit-il avec un sourire malicieux, je ne conserve que la mémoire des mots. »

Conversation de Talleyrand (Charles-Maurice de Talleyrand-Périgord, dit, 1754-1838) avec Madame de Staël (Germaine de Staël, dite, 1766-1817), in *La Confession de Talleyrand* par Charles Joliet (L. Sauvaitre éditeur, 1891)

« Maintenant qu'il n'était plus, l'œuvre devenait plus précieuse pour le souvenir qui espérait, au tournant d'une page, au bonheur d'un mot, retrouver l'absent. Il y trouvait aussi le désespoir comme si l'auteur, l'ami, avait trompé en sous-entendant qu'il vivrait toujours. »

Jean Blot (Alexandre Blokh, dit, 1923-2019), *En amitié*

« Ne jetez pas mon livre, torchez-vous-en l'âme, délicatement, feuille par feuille. »

Jean-Edern Hallier, *Bréviaire pour une jeunesse déracinée*

Le *Bréviaire* de Jean-Edern Hallier n'est pas un livre à lire mais plutôt à relire. Tant est grande sa puissance. Y compris à plusieurs décennies de distance… Il ne saurait d'ailleurs être considéré comme une œuvre plus ou moins importante : il est, à proprement parler, un classique. Il a été écrit hier, et même avant-hier, pour hier comme pour aujourd'hui et demain. Bien sûr, certains aspects du contenu, certaines « fulgurances », seraient peut-être énoncés ou assénés différemment dans le contexte de notre époque. Mais le texte parle. Il est à la fois nécessaire et juste. Les générations peuvent bien passer et l'Histoire changer ou faire mine de changer, la réflexion hallierienne est encore et toujours prodigieusement avant-gardiste et révolutionnaire, et le discours interpelle... Pour reprendre la formule chère à Jean Cocteau, l'ouvrage hérisse de points d'interrogation. Loin d'inviter au renoncement et encore moins au désespoir, il peut redonner à toute nouvelle génération le pouvoir de croire en elle-même et en son avenir, et donc d'agir. Quitte à ce qu'il lui faille un demi-siècle pour supprimer les privilèges les moins défendables, instaurer des règles nouvelles équitables, alléger la bureaucratie, obtenir de vraies réformes institutionnelles, rétablir l'ordre naturel partout, et enfin, oui enfin, se sentir des racines à défaut de toujours en avoir... « Le seul vrai changement, avertit Jean-Edern, ce serait de renouer les fils de l'ancien et du nouveau. Or il ne se trouve plus personne pour faire la référence entre la valeur éternelle des choses, et la valeur vivante de ce qu'on change. Notre désordre établi réintroduit la confusion partout où cela lui est possible, poursuivant son dessein : empêcher la filiation du passé, faisant passer la terrible vieillesse d'un monde sans mémoire charnelle dans la vitesse de l'électricité. Notre télé-mort, c'est une crucifixion aux tubes cathodiques... » De même, l'auteur met en garde contre le « melting-pot gauche-droite » de la politique, cher aux politiciens imposteurs... « Et si ces gens-là n'ont aucune république, souligne-t-il, ils ne trahissent pas la droite non plus ; ils n'ont aucune droite. Ni la gauche ; ils n'ont aucune gauche. Sinon un mythe sans contenu, qui se déverse tous les jours un peu plus dans la fondrière où les valeurs de la droite et de la gauche se sont engouffrées. » « De cette soupe, insiste-t-il, nous assistons à la montée de cette immense classe dessaisie, la classe moyenne qui agit comme en physique, tous les corps se concentrent vers le gros corps : *c'est le gros œil du bouillon.* Le melting-pot gauche-droite où la petite timorée vindicative sera venue grossir, en France, et presque partout en Europe, ce flot des proléteux, bourgeâtres de gauche, col de nylon jauni, aura enfin conquis sa représentativité politique : la majorité électorale. Faute de mieux, je l'appelle : *la droiche.* Point de machiavélisme élémentaire de suffrage universel, qui ne se fonde sur son accroissement numérique : la *droiche* aura enfin pris d'assaut le pouvoir capitalo-socialiste. Collez-lui les étiquettes que vous voudrez, social-démocratie, démocratie chrétienne, socialisme, libéralisme, je laisse aux journaleux le soin de gloser, ou de ratiociner sur ses combinaisons politiciennes sans envergure. Elle est partout la même : un magma de petits yeux autour du gros. Elle n'est pas éternelle ; elle n'est qu'un moment de la cuisson infiniment lente durant les opérations, de la soupe du corps social. » Et de conclure, visionnaire sans illusion : « Même si elle est condamnée, à terme, par les nouvelles aristocraties militaires et techniciennes, et les invisibles oligarchies des nouveaux maîtres du monde, elle a encore de beaux jours devant elle. »

Modèle du genre

Hallier n'entend surtout pas, on l'a compris, se contenter de relater l'histoire d'une génération dont il serait le père... Précisément, il n'en est pas le père, et encore moins le grand-père. Bien qu'il ait été très conscient que « jamais la jeunesse n'a été plus méprisée par les maîtres en résignation qui nous gouvernent » et qui ont pour « pacte des temps de peste : y penser le moins possible et n'en parler jamais (1) », il n'appartient à aucune génération. Il est de toutes les générations. Pour autant, il s'est montré prudent : en élaborant son bréviaire, il a pris soin d'éviter la tentation d'en faire un évangile… Conscient qu'il est, de son propre aveu, « bien incapable d'édifier un traité de savoir-vivre clés en main, une religion, une théorie, une doctrine ou un système philosophique ».

Mais il sait aussi – et il le proclame – que « jamais à ce point, à l'aube du troisième millénaire, nous n'aurons eu le besoin d'une pensée à la mesure de notre âge électronique. Une pensée de poète, secouée de métaphores électriques ! Une pensée irréductible à l'ordinateur ! Une foudre mentale ! Pas de mise à plat possible avec Héraclite, Dante, Pound, Claudel ou Péguy ! Aujourd'hui, n'importe quelle machine perfectionnée peut produire du Taine, de l'Auguste Comte, et du Deleuze ! Ne parlons même pas de ce qui se situe en dessous… »

En artiste, il ne s'est pas attelé à du gros œuvre, qui l'aurait contraint de se plier aux exigences d'un sujet absorbant qu'il se serait imposé : il prend le temps de s'étonner et écrit sur une multitude de thèmes qui paraissent surgir à l'improviste, comme s'il émiettait sa pensée. Poursuivi par des récurrences, il semble boire à une source qui est à la fois sa tonalité et sa cadence. Ainsi, rien ne semble forcé et l'ensemble de son essai, ce véritable entrepôt de maximes et de fulgurances, a ce « charme du non voulu, du naturel [2] »… Si la lettre y paraît aussi forte que l'esprit, les mots y sont vivants au point d'appeler les événements. Ils aident le lecteur à mieux comprendre, à tolérer parfois, ce qui lui semblerait sans eux insupportable, et à faire son bréviaire personnel de ce foisonnement de réflexions qui pourront lui revenir en mémoire à certaines heures et dans bien des circonstances. Parfois empreints d'un peu de nostalgie d'une époque où la culture venait du sol et du peuple, ils témoignent d'une vie intérieure riche, tout en exprimant une redoutable lucidité sur la déliquescence du monde contemporain, les « pourritures terrestres » et les « valeurs » de demain.

Hallier n'a pas attendu le surgissement en février 2021 d'une publicité de l'enseigne de distribution Intermarché pour proclamer qu'« il faut que jeunesse se passe. Pas qu'elle se passe de tout ». Et surtout pas d'un tel bréviaire… qui lui signifie que « la seule cause qui vaille qu'on meure pour elle, c'est la cause de soi », et que « de cette cause découlent toutes les autres : la cause de la passion, et même la cause européenne ». Oui, même cette cause-là… alors qu'« aux portes invisibles du désert, par le trou de ses serrures, agrandisseur, au bord de l'œil », Jean-Edern contemple son Europe endormie et ses vieux habitants plus ou moins rabougris… « Peuples de la nuit ! s'émeut-il. De la pointe escarpée du Finistère aux vastes champs de blé d'Ukraine, ils vivent, en des nations disparates dont les frontières sont comme les cicatrices d'une trop longue histoire, au gré des mythes de l'Occident. Ils sombrent dans le silence ou se livrent à de vaines et mesquines agitations. Leur vocation historique de toujours, elle émerge encore parfois, caricaturalement. Personne ne prend plus au sérieux le destin de ces peuples. » « Europe des ombres ! insiste-t-il. Il se fait bien tard sur ces terres. Tous les jours leurs enfants se couchent un peu plus tôt. Bientôt aucune ne se relèvera plus. » Mais une lueur d'espérance se doit de subsister… « Jeunes gens, lance-t-il, vous vous devez tous d'être les princes charmants de cette Belle au Bois dormant. Elle n'est pas morte, elle dort… » Peut-être sera-t-il possible ainsi d'assister un jour à « la seconde naissance de la vérité, *à une renaissance* », cette vérité qui est « le plus formidable imaginaire que l'homme ait inventé pour débusquer l'imposture ».

Aux jeunes de tous temps et de tous pays, prévenus qu'ils n'ont « plus rien à attendre de personne », l'auteur du roman *Le Premier qui dort réveille l'autre* a donc légué, non un pamphlet à dévorer puis à oublier ou à balancer par-dessus l'épaule, mais une œuvre humaine edernelle, bouleversante, qui relève du chef-d'œuvre, du « modèle » dans ce genre bien particulier et beaucoup plus difficile qu'il y paraît de l'essai.

« Le propos de la littérature n'est pas de résoudre les problèmes, mais de les poser. »

Witold Gombrowicz, *Testament*

« Le signe incontestable du grand poète, c'est l'inconscience prophétique, la troublante faculté de proférer par-dessus les hommes et le temps, des paroles inouïes dont il ignore lui-même la portée. »

Léon Bloy, *Belluaires et Porchers*

« La jeunesse ne se laissera pas étouffer. Si nous essayions de le faire, si nous restions dans nos vieilles méthodes, dans nos vieilles idées, nos vieilles maisons, les jeunes feraient éclater tout le système, selon une loi biologique ; voyez cette plante qui pousse dans une maison abandonnée. Enserrée par les murs dans lesquels elle essaie de se glisser, elle semble condamnée à l'étouffement. Revenez quelques années après, vous constaterez qu'elle a fini par faire éclater la pierre dure, parce que la matière vivante l'emporte sur la matière morte. »

Alfred Sauvy (1898-1990), *La Montée des jeunes*, éditions Calmann-Lévy, Paris, 1959, p. 250-251

---

(1) *Je rends heureux.*

(2) Pour reprendre les mots de Jules Renard dans son *Journal inédit*, 13 septembre 1887.

Parfum hallierien en 10 extraits [1]

1 – L'avenir derrière soi

« Bref, je ne laisserai à personne le soin de ressasser que vingt ans est le plus bel âge de la vie. On a l'avenir derrière soi. Le plafond est bouché, grisâtre. Infâme purée de pois, que celle de nos incertitudes tâtonnantes. Au loin, de lugubres cornes de brume. Et puis ce malaise de vivre dure, s'attarde, jamais l'on ne peut vomir que soi-même. On a le roulis moral, le teint fleuri, boutonneux. Bref, on est empêché, bridé, on est en rodage du métier d'homme… »

2 – L'espérance de vie

« À la banqueroute du temps vécu, plus notre vie s'allonge, plus elle raccourcit. Plus le soleil se couche tard, plus les petits matins tardent à se lever. Et plus souvent, ce qui nous est donné d'une main nous est repris de l'autre. Notre temps vécu, nos paresses, nos méditations… Plus la mort aura été repoussée, vaincue quantitativement par le progrès médical, plus elle se sera introduite qualitativement dans notre survie de tous les jours – cette sous-vie imposée aux paramètres d'automates pressés. Pour les bookmakers de l'impossible, le bonheur n'est plus qu'un tuyau crevé ! »

3 – D'un rendez-vous à l'autre

« Plus j'avance en âge, plus l'oubli me fait aller vite. Plus ce qui est proche m'est déjà infiniment lointain. Mes heures, mes secondes, je ne parviens même plus à les déchiffrer sur mon compte-tours. On laisse tous les autres sur place. Voudrait-on s'attarder, s'agripper au passage, pour ralentir à chaque borne, à une fleur, ou à la chevelure d'une femme aimée, qu'on aurait les bras arrachés. Les choses passent à jamais. En leur ironie de fuite, elles ne reviennent pas : elles se répètent mais différentes, affadies, désagrégées, à mesure que le désir que nous avions d'elles s'estompe. D'un train, d'un avion à l'autre, d'un rendez-vous au suivant, une urgence sans but nous aiguillonne dans le dos, nous happe en avant. »

4 – Le IIIe millénaire

« À l'aube du troisième millénaire, la vitesse est devenue la vieillesse du monde. Tous soldats inconnus de la guerre du temps, les jeunes gens ne sont pas encore partis qu'ils sont déjà arrivés. Je veux dire : revenus de tout. Car la terre s'est rapetissée… Au point que le voyage autour de sa propre chambre recèle une part d'infini vers quoi les autres pérégrinations ne débouchent plus. On ne part plus, on s'évacue de soi-même. La terre, c'est cette petite pomme rabougrie… piétinée, écrasée, dans l'herbe drue des instants. Ô nuits aux odeurs de pommes pourries ! On vous condamne à la grève de l'incommensurable. De cette faim d'infini, on en meurt. »

5 – Le télé-temps

« Partir, c'est mourir un peu. Rester c'est mesurer le rétrécissement de son propre territoire, arpenter les courbes d'une peau de chagrin toute ronde. Plus les images lointaines se rapprochent, plus nous restons plaqués au fond de nos fauteuils, bras et jambes sous neuroleptiques du télé-temps, l'hypnose suprême, le trompe-la-mort par le manque, le trompe-l'œil qui change les parois capitonnées de notre espace intérieur, en vidéoscope géant. »

6 – La voix discordante

« Avec mes dérisoires mots d'homme libre, à plein gosier, va comme je te pousse, je mêle ma voix discordante à ce concert qui dérange. Concert de la peur ! Car chacun a peur de ne pas hurler assez fort avec les loups ! Peur de ne pas être la copie conforme de l'autre ! Peur de l'audace et des trouble-fête de l'intelligence... Un concert ? Non, l'assourdissant borborygme collectif d'un consensus mou, incertain, la symphonie glouglou-tante de notre enlisement dans la vase communicante. »

7 – L'orientation professionnelle

« Parce que cet empire télématique, l'orientation profession-nelle dépend des nouveaux besoins industriels qui sécrètent un nombre croissant d'imbéciles qualifiés – ou d'imbéciles supérieurs, les surdoués. Plus de vocations en attente, de deve-nir incertain, ou de destins exaltants ! Des cases à remplir ! Des fiches à transcoder ! Des recyclages accélérés ! »

8 – La grande maladie

« La grande maladie moderne, c'est l'âme. Nos contemporains adoptent à son égard la même attitude qu'envers le cancer : une peur irraisonnée. Que craindraient-ils si fort ? Que l'Occi-dent retrouve ses assises ? Ou qu'il soit frappé d'une maladie mortelle ? Or, toute la culture occidentale est fondée sur la maladie. Et l'on a voulu absurdement guérir ! *Mens sana in cor-pore sano*, quel précepte abject ! L'un des drames de la jeunesse, je vous le dis, c'est sa santé. Se porte-t-elle bien ? C'est qu'elle ne porte plus rien en elle – ni l'inquiétude métaphysique, ni l'insondable détresse, ni la joie, ni la douleur extrême, ni l'esprit d'insatisfaction, d'insécurité et de conquête... »

9 – L'homme moderne

« Nous, nous tombons dans les choses, comme dans les hauts fourneaux. Nous nous jetons, du haut de nous-mêmes, dans les objets. Dans chaque objet, il y a un être qui est tombé. L'homme moderne, c'est Prométhée fondu, mais pas enchaîné...

De quel métal somme-nous faits ? De quel bronze ? L'histoire ne serait-elle qu'un immense accident du travail, où chaque homme serait indéfiniment voué à se jeter du haut d'une cuve pour se fondre dans l'anonymat des masses en fusion lentement refroidies ? Le vrai feu qui nous dévore, il est intérieur. Alors de quel charbon nous consumons-nous, au-dedans ? »

10 – La nuit spirituelle

« Mais sommes-nous à ce point habitués au malheur, pour le confondre avec notre confort douillet d'assistés électroniques et sociaux ? Les étoiles ont beau griffonner sous nos yeux leurs froides sagas et les chants fulgurants de l'espace invaincu, l'éclat de notre nuit spirituelle paraît être devenue si intense qu'il nous empêche de contempler les choses autour de nous. La confiance de l'homme en soi paraît s'être brisée, tandis qu'un doute infécond mine sa conscience et terrasse sa volonté. Comme de la vie, tout ce qui n'avance pas recule... »

(1) Extraits du livre *Bréviaire pour une jeunesse déracinée,* Éditions Albin Michel, 1982, Éditions Denoël, 1984.

Abécédaire hallierien

« Un poète doit laisser des traces de son passage, non des preuves.
Seules les traces font rêver. »

René Char (1907-1988), *La Parole en archipel*

Les réflexions et aphorismes contenus dans cet abécédaire s'inscrivent dans le prolongement de cinq précédents recueils, publiés dans *Hallier, l'Edernel jeune homme, Hallier ou l'Edernité en marche, Hallier, Edernellement vôtre, Hallier, l'Homme debout* et *Hallier, l'Edernel retour.*

Académie française

« L'Académie a plus besoin de moi que j'ai besoin d'elle. »

(dans l'émission « Paris Dernière » diffusée sur la chaîne de télévision Paris Première, le 3 février 1996)

« De toute façon, l'Académie française, c'est quelque chose dans notre déluge de médiacratie comme l'arche de Noé où les girafes, et les lions, et les tigres, peuvent voisiner, pourquoi pas… »

(dans une interview effectuée par Alain Gillot-Pétré pour le journal télévisé d'Antenne 2 du 7 juin 1978, alors qu'il est candidat à l'Académie française)

Accoutumance

« Il est grand temps de s'injecter le contrepoison de la soumission, l'accoutumance. Jeunes gens, shootez-vous, pas d'autre moyen d'en sortir ! Mon stupéfiant favori c'est l'image. Il ne tient qu'à vous de renoncer une fois pour toutes à une liberté dont nous n'avons que faire. En vous agenouillant, je vous réapprendrai les drogues fortes. Du vieux monde, à la seringue, nous ferons table rase ! À l'héroïne de la foi ! À l'acide de la beauté ! À l'opium de l'amour ! Défoncez-vous ! Comment guérir de la faim ? En se mettant en manque. Devenez les camés de Dieu. »

(Bréviaire pour une jeunesse déracinée)

Amour

« Après sept ans de mariage et les hautes flammes fugaces de cet état-là, viendraient précipitamment les premiers gels d'un hiver rigoureux, définitif. Car seul le printemps d'amour est éternel. »

(Chagrin d'amour)

Angleterre

« L'Angleterre, c'est formidable. On n'y voit rien – ni en soi ni hors de soi… (…) Ça fait mille ans que l'Angleterre est dans le brouillard, personne ne l'a jamais vue : c'est un pays imaginaire. »

(Je rends heureux)

« Ils (les Anglais) ont eu des écrivains prophétiques, Wells, Huxley, Orwell, avec plein d'idées dangereuses dans leurs livres, mais les hommes pour qui elles sont les plus dangereuses sont des hommes qui n'ont pas d'idées – des hommes tournebroches, comme des moutons français. Ils ont produit aussi une littérature d'une incomparable puissance. Tel ce Kipling, qui décrit l'homme tournebroche, c'est-à-dire tel qu'il est. Quand ces hommes-là parlent, on sent que leurs mots sont les pauvres signes d'une grande et terrible chose comme seraient les mouvements d'un baromètre dans un cyclone. »

(Je rends heureux)

Anus

« Un tunnel métaphysique. »

(Carnets impudiques)

Aragon (Louis, 1897-1982)

« N'étant pas un homme de courage, il n'avait pas de génie. Que Staline ait son âme ! »

(dans un numéro du *Quotidien de Paris*, paru le 25 décembre 1982)

Artiste

« Tout artiste produit la même chose, quel que soit son mode d'expression. Qu'il soit musicien, peintre ou poète, il se projette en un seul lieu sentimental de l'esprit, de l'autre côté de la métaphore. »

(Les Français)

Art sacré

« L'art sacré, c'est l'effusion esthétique d'un jardin d'enfants en folie. »

(Carnets impudiques)

Asie

« … depuis que je tourne en Asie, je sais au moins ceci : on ne comprend pas la vie, on devient asiate, et l'on ne se comprend plus soi-même. Mais du dehors, on voit, double, triple, centuple, millionnuple, la même chose. Prisme insensé : Hong Kong, Taïpeh, Penang, Kuala Lumpur, c'est la même diffraction. Villes multi-raciales, où seul le saupoudrage des minorités, Hindous ou Thaïs, ou Blancs, Juifs, Arméniens, ou Chinois Hokkien, Teochiu, Cantonais ou Fukien, varie. Mais partout, c'est la même ville. Un seul personnage l'habite, mais il se multiplie à l'infini : la foule. Elle se constitue de vases aux yeux bridés, se dandinant, tournoyant légèrement sur un socle ovale pour avancer sur les trottoirs, vieillards, femmes, enfants, grouillement inouï de l'homme anonyme, ce ver de terre cuite – il arrive seulement à la femme d'être numérotée, depuis la grande déroute des Américains, ver luisant avec ses bijoux de pacotille, derrière les vitres aveugles, glaces sans tain, des derniers marchés d'esclaves de la chair humaine, les salons de massage. »

(Un barbare en Asie du Sud-Est)

Attente

« L'attente, c'est le temps par excellence – le seul sujet de roman-roman qui ressemble à la vie elle-même. À côté, l'amour, la souffrance, la séparation ou la maladie ne comptent pas, ce sont des anecdotes dans la durée, des épiphénomènes de l'attente. L'attente, c'est l'espérance à blanc, la vie plate. L'attente, c'est notre vie entière, qui passe son temps à attendre. Elle a le temps, pas nous. Alors nous ne cessons pas d'attendre – que ça morde, que ça cuise, que ça refroidisse, que ça passe au vert, son tour, le messie, le tire-fesses sur les pistes de ski, sa table, la suite, les profiteroles au chocolat, la fin du film. Et le pire, l'attente entre deux crêpes… Sans oublier la pluie et le beau temps. Ou que le pouvoir change. Or ça ne change jamais. On passe seulement d'une attente à une autre. L'héritage du vieux, la retraite à soixante ans, n'importe quoi. Trouvez-moi une chose qu'on n'attend pas… »

(Je rends heureux)

Attali (Jacques)

« … je donnai à Attali l'arme de son crime, sur laquelle il s'empala lui-même – le *Traité du sablier*, d'Ernst Jünger, qu'il plagia d'une manière touchante dans son *Histoires du temps*, ce qui me permit de le démasquer. »

(L'Honneur perdu de François Mitterrand)

Aubron (Joëlle, 1959-2006) (1)

« Il faudrait savoir ce que sont devenus les gens d'Action Directe, me dit Sollers intelligemment.

Joëlle Aubron (leur passionaria), c'est tout de même un peu plus intelligent que Christine Villemin (notre Jocaste jurassienne de *France Dimanche*). C'est par hasard que je rencontrai hier soir X…, qui vécut avec elle trois ans.

Il me rappela cet épisode, où elle m'aurait agressé, paraît-il, dans une boîte, me faisant une heure durant des reproches véhéments.

– Mais c'est la marquise de Sévigné ! aurais-je dit à la fin, lui coupant le sifflet.

J'en ai connu, de ces précieuses ridicules des hôtels de Rambouillet du marxisme-léninisme ! Aucune n'a été aussi loin, et n'a payé aussi cher ses errements. Elle est sortie du même milieu social ; et nous aurions tous pu finir comme elle.

(1) Militante du groupe terroriste communiste Action Directe, reconnue coupable du meurtre du général René Audran et de Georges Besse, PDG de Renault.

Parce qu'à côté de tous ces ex-gauchistes devenus les nouveaux bien-pensants, elle paye pour nous, nous lui devons le respect – en tout cas de ne pas l'oublier au fond de son cachot.

Il faut toujours défendre les forts contre les faibles. »

(Carnets impudiques)

Audiovisuel

« Ouvrez la fenêtre et fermez la TV ! »

(injonction attribuée, figurant en quatrième de couverture du livre *Jean-Edern Hallier : l'impossible biographie* de Sarah Vajda)

Avenir

« L'avenir dure longtemps, il dure contre nous en un monde de plus en plus difficile, compétitif, où désormais des armées de jeunes Chinois, de Japonais, ou d'Américains du Sud assurent une concurrence forcenée du savoir : pour toute matière première, ils n'ont que la matière grise. »

(Carnets impudiques)

« L'avenir n'appartient pas aux morts, mais à ceux qui font parler les morts, qui expliquent pourquoi ils sont morts. C'est-à-dire quelles étaient leurs raisons de vivre. »

(Bréviaire pour une jeunesse déracinée)

Balajo [(1)]

« C'était la joie, la java fétide. Le Bal à Jo de l'empire empyreumatique [(2)] ! »

(Carnets impudiques)

Banque

« Au XVIIIe siècle, après la splendeur marchande de Venise, et au XIXe, la banque fut le plus sûr facteur d'écroulement du catholicisme romain : elle confessait tout en promettant des récompenses terrestres. Les guichets de banques se substituèrent aux grillages de la contrition. Aujourd'hui, le banquier est encore un ami qui nous dit : "Montrez-moi votre portefeuille, dites-moi tout." Et si la réforme protestante s'implanta si sûrement en Europe, il y eut à cela une profonde raison : Luther et Calvin avaient supprimé la confession. Les riches, libérés de cette contrainte, purent se repentir solitairement et l'examen de conscience devint conforme à l'adage : les vrais comptes des riches sont secrets. Ainsi le protestantisme eut-il des assises financières de plus en plus fortes pour poursuivre son expansion, contre les caves voleuses du Vatican. Aux parts de paradis en indulgences plénières, on préféra vite les espèces sonnantes. Dans toute la chrétienté, sur la place centrale des villes et villages où se dressait déjà l'église, on bâtit une succursale de banque. Mais désormais, c'est tout le christianisme qui est compromis par la banque. Elle vous ausculte, vous conseille. Vous n'avez rien à lui cacher. Petits bourgeois, confessez-vous. »

(Chagrin d'amour)

---

(1) Ouvert depuis 1935 au 9, rue de Lappe, à Paris, le Balajo est un célèbre bar dansant qui doit son nom à celui de son créateur, Jo France.

(2) Empyreume : saveur particulière et odeur puissante que contracte une matière organique soumise à l'action d'une forte chaleur.

Baudrillard (Jean, 1929-2007)

« Son occultation serait une honte pour notre pays si la caractéristique même de notre sous-culture, intégrant tout jusqu'à sa propre contestation bien tempérée, n'était pas de se lamenter sur la disparition de la grande culture classique tout en rejetant perversement tous ceux qui, au lieu de la pleurer, s'efforcent de *penser sa mort*, comme Baudrillard, prophète du postmodernisme. L'extraordinaire progrès technologique, ou les nouveaux médias, provoquent chez certains intellectuels la crainte qu'inspirerait, par exemple, l'éclairage municipal, sous prétexte qu'il pourrait enlever aux particuliers le droit de s'éclairer à la bougie. (...) Dépoussiérer nos vieux concepts, c'est ce que Baudrillard n'a cessé de faire depuis des années : la civilisation de l'image, la disparition des territoires nationaux – au profit des nouveaux grands espaces urbains ou désertiques, comme l'Amérique dont il a admirablement parlé – la publicité, le système des objets, l'architecture, la vitesse, l'actualité, la consommation, *Les miroirs de la production*, les simulacres, le terrorisme, les femmes, les majorités silencieuses, les démocraties enfin sont les enjeux de sa réflexion. En ce sens, il est réellement le philosophe de notre temps, parce qu'il a pris à bras-le-corps les questions de notre modernité. Ce que ne lui pardonnent pas, en leurs ronrons langoureux, les vieux dépositaires du savoir, dont on découvre à l'occasion qu'ils sont plus jeunes que lui.

Sommes-nous dans une *société du spectacle,* comme la définissaient les situationnistes auxquels chacun se réfère aujourd'hui ? Le spectacle dénonçait l'aliénation individuelle du spectateur. Baudrillard y voit au contraire la transformation des peuples en un *immense public* libéré qui désormais choisit ce qu'il veut. »

(Carnets impudiques)

Beckett (Samuel, 1906-1989)

« Il faut toujours dire les choses comme elles sont : je connais peu d'hommes plus remarquables que lui, mais aussi peu d'œuvres plus emmerdantes que la sienne. Le lire est aussi redoutablement ennuyeux que de voir tomber la pluie en Irlande, ça m'est arrivé jadis, à longueur de journée, pendant un an.

Une seule consolation cependant, celle de pouvoir se ruer au pub le plus proche dès l'ouverture. On y rencontre des dizaines de Beckett agglutinés au comptoir. On ne peut rien comprendre à Beckett si on ne sait pas qu'il y a six millions de Beckett en Irlande, délirants, pochardisés, pitoyables et d'une grinçante drôlerie, celle des personnages de ce quart-monde métaphysique qu'est l'univers romanesque beckettien. »

(Carnets impudiques)

Bêtise

« La bêtise corse a sauvé l'île, en la défendant du béton, et de la promotion immobilière. On ne saurait trop insister sur les avantages de cette bêtise.

Plusieurs formes de bêtise. La bêtise archaïque, ou corse. La bêtise totalitaire, bêtise de plomb, la pire. On ne peut rien contre un homme de plomb. Il y a aussi la bêtise intellectuelle, celle des idéologues. Il y a enfin la grande bêtise, la bêtise puissante, aérienne, enchantée, une sorte d'innocence exaltée, celle du créateur.

Il faut savoir conjuguer en soi cette bêtise, et l'intelligence profonde du monde.

La bêtise peut être aussi une forme de résistance – une résistance passive. Celle des Corses rejoint celle des Bretons : les marées peuvent monter et redescendre, les bancs de moules restent accrochés à leurs rochers. Saluons l'héroïsme des moules. »

(Carnets impudiques)

Bible

« Plus personne ne lit la Bible. C'est bien dommage, on découvrirait que cette priorité absolue de nos sociétés de Dieu-argent vient de loin. Elle s'appelle : le culte du Veau d'or. »

(dans la préface du livre intitulé *Les Icônes de l'instant,* de Patrick Bachellerie)

Blondin (Antoine, 1922-1991)

« Comme un vieux baba héroïnomane reprochait à Antoine Blondin de se cuiter, ce dernier leva solennellement son verre en déclarant :

– On ne trinque pas avec une seringue, monsieur ! »

(Carnets impudiques)

Bonheur

« Le bonheur des jeunes – comme des vieux – est devenu un bonheur d'arthritique, de rhumatisant. Comme pour les drogues dures, il se détermine par le manque, et non par nécessité transcendante dans le temps. Le bonheur moderne, reléguant la politique aux écuries désaffectées de l'histoire, est hypodermique. En attendant la piqûre, c'est le bonheur par l'anesthésie. »

(Bréviaire pour une jeunesse déracinée)

Borges (Jorge Luis, 1899-1986)

« La nuit est tombée. Je raccompagne Borges le long des trottoirs étroits. Il m'a pris le bras. Je le guide. Les immeubles se succèdent, semblables. Les rues se coupent à angle droit. Je ne reconnais plus rien. Nous entrons dans un quartier inconnu de la capitale. Les passants dévisagent gravement ce jeune homme, et ce vieillard. Sa canne d'aveugle frappe le trottoir, avec hésitation. Car la rue est un gouffre et le trottoir ne cesse de s'élever. Nous sommes deux immortels, perdus dans le Buenos Aires interminable qui tient prisonnier certains de ses habitants : ils ne connaissent que ces façades grises, identiques, et ces graffitis de Perón. (…) Ai-je rêvé Borges, ou m'a-t-il rêvé ? Je sens simplement son bras maigre, à la chair sans muscles, détaché d'un corps irréel, le corps glorieux des mystiques du Moyen Âge. Ce bras agrippé contre le mien est celui d'un enfant éternel ; Œdipe après avoir régné, sous la haute surveillance de sa Jocaste, la marâtre patrie. Et je suis le frère d'Œdipe.

Nous arrivâmes, enfin ; et Borges ce puritain, ce Portugais, cet Espagnol et cet Anglais, sortait son trousseau de sa ceinture. “Excusez-moi, j'ai une nouvelle clef… il faut que je l'essaie.” Il tenta de l'enfoncer dans la plaque de verre de la porte d'entrée. Je dus guider le vieux bras. Quand il entra dans le couloir, il n'appuya pas sur le bouton de la minuterie électrique. Il s'enfonça dans la nuit, comme un voyant. »

(Chagrin d'amour)

Brasillach (Robert, 1909-1945)

« Brasillach : ils ont fusillé le moins bon. »

(Carnets impudiques)

Buenos Aires

« Les bas-fonds de la ville recueillaient l'écume du temps, que je léchais, dans la mousse des bocks de bière brune, au bord de ces tables où les émigrés européens échouèrent, n'osant plus poursuivre l'itinéraire des déconvenues. »

(Chagrin d'amour)

Calvi

« La citadelle à l'aube : estampe japonaise à l'usage d'une flotte génoise imaginaire que je m'attends à tout instant à voir surgir derrière le cap. »

(Carnets impudiques)

Castro (Fidel, 1926-2016)

« Fidel est un grand vivant, avec quelque chose de très émouvant, une vraie simplicité, une quête, une remise en question de soi-même. Il supporte la critique, je dirai même qu'il aime l'affronter (...). C'est un chevalier médiéval, un Grand d'Espagne, trop à l'étroit dans sa petite île créole – mais dont on a pu dire aussi justement que c'était la plus petite des grandes puissances. Le fait est qu'elle défie les États-Unis depuis trente-deux ans, faut le faire. C'est un donquichottisme concret contre les moulins à vent, hélas bien réels, du Pentagone. »

(dans un entretien accordé à *L'Humanité,* publié le 23 juillet 1990)

« Castro m'intéresse parce que c'est le passé de mode, je veux dire la perfection de la mode du passé. Fidel, c'est pire que de l'Alexandre Dumas. Après les Trois Mousquetaires, vingt ans, que dis-je trente ans après... les héros vieillissent mal. Athos est retraité, Porthos récupéré. Le d'Artagnan Che Guevara est mort, reste l'Aramis Castro – que dis-je, le Vieil Homme et la mer assis dans sa barque, qui lutte toujours contre le plus gros poisson du monde, le Leviathan des temps modernes. »

(dans un article de *L'Humanité* paru le 13 septembre 1990)

Catholicisme

« Le catholicisme est une religion esthétique, ou n'est pas. »

(Bréviaire pour une jeunesse déracinée)

« Il nous reste cette foi, qui s'appelle le catholicisme. Ceux qui l'ont arraché aux entrailles de nos temps en détresse commencent à s'en mordre les doigts. La réincarnation du catholicisme sauvera l'Europe et le monde… »

(Bréviaire pour une jeunesse déracinée)

Céline (Louis-Ferdinand, 1894-1961)

« Céline, je lui ai téléphoné un matin, quelques mois avant sa mort.

Il était au fond de sa solitude, de son exclusion, de sa colère. À 9 heures je l'appelai, à 9 heures et demie nous parlions encore, à 10 heures et demie il parlait toujours, de sa voix rauque, essoufflée – sa voix avec trois points de suspension – sa voix imprécatoire. C'était Job tonnant sur son fumier. J'étais impressionné par ce spectre qui s'intéressait à ma petite personne, mais s'y intéressait-il vraiment ?

J'étais n'importe quoi, une bouée, il s'accrochait à moi comme les alcooliques dont on croise le regard.

J'avais croisé sa voix qui flottait sur un océan de mots. Il ne m'écoutait pas, je n'aurais même pas pu lui dire : "Merci monsieur, votre réponse est passionnante." Il m'avait crocheté, ça lui suffisait. Ce qu'il disait n'était pas une réponse : c'était un poème d'invectives contre la culture française. C'était un livre, c'était un Chant du Maldoror, sur fond de banlieue triste. À 11 heures, il était toujours là. J'avais l'impression de recevoir ses postillons sur le visage. Je m'étais réfugié dans un cagibi avec toute la rallonge du fil. Ma mère avait besoin du téléphone, elle tapait sans arrêt à la porte. Je la suppliai : *"Ne m'embête pas, maman, je parle avec Céline !"* Elle me répondit : *"Tu n'as qu'à aller dans une cabine téléphonique pour parler à tes petites amies !"* La conversation a duré jusqu'à midi et demi. Soudain il a cessé de me parler, mais je l'entendais toujours dans l'appareil, il ne me répondait pas. Cela ressemblait à des râles ; enfin j'ai compris, il ronflait, il s'était endormi, il cuvait son inspiration. »

(Carnets impudiques)

Chine

« Pour devenir le premier capitaliste aux premiers yeux bridés du nouveau monde, il (le Chinois) ne reniera jamais la technique la plus ancienne. De ses doigts agiles, ce Rubinstein de la boule creuse, M. Chou, compte à l'abaque le cours, le tonnage, les droits et le chargement de la prochaine cargaison de riz qu'il négocie avec un troisième protagoniste, mon ami juif Jean Stein. L'abaque, c'est un jeu d'enfant, un simple boulier. Mais personne ici qui ne sache s'en servir. Il peut tout, et même vérifier les erreurs de l'ordinateur le plus perfectionné. Plus rapide aussi, tous les ans à Hong Kong un concours oppose l'homme à la machine. Pas une seule fois l'ordinateur n'a gagné. Le boulier, c'est le roi incontesté de la virtuosité calculatrice. Dure leçon de morale jaune à l'Occidental qui se met à genoux devant le progrès technique. Le Chinois lui réapprend la primauté de l'intelligence humaine. »

(Un barbare en Asie du Sud-Est)

Christianisme

« J'ai été élevé par un père très catholique et je suis resté très chrétien jusqu'à l'âge de 17 ans avant d'être entraîné comme toute cette jeunesse, toute cette génération dans le marxisme. Mais j'ai redécouvert le christianisme non seulement comme force mystique, comme force esthétique, mais comme force politique de résistance. Car il y a deux résignations. Dans un monde où l'on est condamné à être résigné, il y a une mauvaise résignation. Si l'on n'était pas résigné d'ailleurs, cela ferait longtemps que l'Homme aurait cassé sa tête contre les grottes de sa caverne. Et il y a une résignation indomptable. Chez les catholiques polonais, chez les catholiques irlandais, et la semaine dernière, j'étais en Pologne et j'ai vu les prêtres maronites, les nouveaux Templiers, j'ai assisté à une messe dans un cloître où il y avait des automitrailleuses et j'ai vu tous ces soldats agenouillés chanter la messe en araméen. C'était absolument sublime. Et quel était ce fumet métaphysique étonnant d'encens et de poudre mélangés ! »

(au cours de l'émission de télévision « Apostrophes », diffusée le 23 avril 1982 sur Antenne 2)

Cioran (Emil, 1911-1995)

« Au ring des mots, nul ne lui résiste : il est le vieux Rambo latino-slave de nos décadences. »

(Carnets impudiques)

Classes (sociales)

« ... les séparations de classes sont à elles-mêmes des siècles qui laissent loin les uns des autres ceux qui croient vivre en une même époque. »

(La Cause des peuples)

Clown

« ... le clown dont Starobinski dit aussi : *il est celui qui vient d'ailleurs.* Il est l'envers rationalisé d'une exigence autrement plus impérieuse, surgissant en contradicteur de tous les systèmes d'affirmation préexistants. Son entrée doit figurer un franchissement des limites du réel, c'est un *revenant.* »

(Carnets impudiques)

« La liberté du clown est, je crois, la dernière liberté de l'artiste dans un monde complètement bourgeois. »

(au cours de l'émission de radio « Les Guetteurs du siècle », diffusée le 8 janvier 1995 sur France Inter)

Cocteau (Jean)

« Le Paganini des touche-à-tout... »

(Le Mauvais esprit)

Cohn-Bendit (Daniel)

« Un vieux notable rad-soc-écolo-mac, tirant sur ses pétards dans les banquets de la IIIe République à Toulouse-sur-le-Main ou Francfort-sur-Garonne. »

(Carnets impudiques)

Coluche (Michel Colucci, dit, 1944-1986)

« Si Coluche s'en était sorti sur une chaise roulante, il serait le symbole absolu de notre intérêt pour les handicapés. »

(Carnets impudiques)

Communication

« Quant au passage de la galaxie Gutenberg à la galaxie Marconi, il ne fait qu'accélérer la grande esbroufe des camelots de la communication : quand on vend du vent, parce qu'il ne se passe plus rien dans les entreprises, il faut apprendre à devenir un escroc médiatique – la désignation en termes juridiques de l'escroc étant, comme par hasard, malfaiteur des apparences. »

(dans la préface du livre intitulé *Les Icônes de l'instant*, de Patrick Bachellerie)

« Les communicants sont les termites qui rongent les dernières poutres de l'Occident pour accélérer sa décadence. Sauf que, vaincu par sa propre victoire, l'Occident étant désormais partout – même au Japon, et même demain, quand il s'agira de la victoire définitive de "l'homme pacifique" – c'est le monde entier qui court à sa propre perte. C'est-à-dire à un perfectionnement toujours plus remarquable de l'abrutissement collectif. Ô perspective réjouissante pour les charlatans, et les marchands d'attrape-nigauds ! »

(dans la préface du livre intitulé *Les Icônes de l'instant,* de Patrick Bachellerie)

Concorde (avion)

« Modèle le plus accompli de l'aile delta. L'aile delta, âme du vol plané, sans moteur, Dédale n'y avait jamais pensé. Il suffisait de se laisser porter par une aile au lieu de la mouvoir. »

(Carnets impudiques)

Confession

« La vie est un long regret et une lente espérance… bien sûr. Toutes mes fautes, je les connais. Et tous mes péchés, je les connais. Et d'une certaine manière je les aime. Parce que je me repens. Et le plaisir du repentir est quelque chose d'absolument sublime. C'est une jouissance supplémentaire. C'est la jouissance même de la confession. »

(au cours de l'émission « Double Jeu », diffusée sur Antenne 2 le 12 octobre 1991)

Conservateur / Réactionnaire

« L'adolescent est réactionnaire, à mesure qu'il vieillit, il devient conservateur. Les forces réactionnaires ne sont ni de droite ni de gauche, elles reconstituent du bruit et de la sueur des nouvelles classes d'âge. Il ne s'agit pas d'un clivage politique, mais d'une ligne de partage psychique entre les uns et les autres. Pour une écrasante majorité des jeunes conservateurs – de droite, ou de gauche –, quelques individus sont violemment réactifs à la disparition de l'ordre immédiat intérieur, où ils se croyaient plus heureux. Le conservateur s'adapte ; le réactionnaire casse. Quand il marche, c'est d'une rupture à l'autre, à l'arrache-cœur ! Quand il court, ses formidables bonds en avant s'expliquent par sa volonté éperdue de sauter par-dessus le présent, pour retomber dans le passé.

Le conservateur considère que toute soumission est nécessaire, ou naturelle ; il est réaliste. Pour le réactionnaire, la vie est une accoutumance douloureuse, souvent intolérable, au monde adulte où les circonstances l'auront précipité. De la dolente et incurable mélancolie, qui se lit sur le visage de Raphaël, au front ravagé de scrupules et d'éblouissements de Pascal, au rockeur rimbaldien d'aujourd'hui, le génie, à vingt ans, est d'essence réactionnaire : adolescent sursitaire incapable d'atteindre l'âge mûr, sa précocité même l'attarde, le rend inapte à faire le saut dans le monde des adultes. »

(Bréviaire pour une jeunesse déracinée)

Corneille (Pierre, 1606-1684) **et Racine** (Jean, 1639-1699)

« Aujourd'hui, Racine aurait une Porsche – ou plutôt une Bentley. Il n'irait pas à Saint-Tropez, mais il aurait une maison en Italie, à Porto Santo Stefano. La Champmeslé serait actrice de cinéma, elle tournerait avec Vittorio Gassman à la Cinecitta...

Quant à Corneille, beaucoup plus show-off baroque, il aurait une Lamborghini cuirassée d'or, et serait mon voisin dans le plus bel hôtel de la place des Vosges. »

(Carnets impudiques)

Création

« Hélas, pour se répéter, le passé doit être la condition sans cesse grossie du futur, son éternelle proposition créatrice. Or, il n'est pas de création qui ne soit d'abord une résurrection des corps. »

(Je rends heureux)

Cuba

« Cuba est un pays pauvre, mais digne. Or ce qui distingue la pauvreté de la misère, selon Léon Bloy, c'est que la pauvreté se caractérise par le manque de superflu, et la misère, par le manque du nécessaire. (...) Cuba est un enjeu symbolique qui dépasse largement sa place sur la carte. D'abord pour le tiers-monde, dont elle est un peu le porte-parole. Vous rendez-vous compte : trois cent soixante-dix personnes ont actuellement un milliard de dollars de revenus par an, alors qu'un milliard d'hommes n'ont même pas trois cent soixante-dix dollars pour vivre annuellement. (...) Cuba, c'est autre chose, un sublime rousseauisme, et au fond Fidel Castro ne s'est jamais consolé de découvrir que l'homme n'était pas bon. Il est l'un des derniers descendants des idées de 1789. (...) Ce qui m'a le plus frappé là-bas, c'est que la sous-culture n'ait pas fait retomber sa chape de plomb sur l'identité nationale cubaine. La France n'est plus dans la France, mais Cuba est toujours dans Cuba. Les traditions populaires, la musique, la poésie, la littérature y résistent toujours à la barbarie uniformisatrice. Le niveau culturel est largement supérieur à la France. On se parle entre gens civilisés. Les codes classiques, le jugement critique ne sont pas altérés par la publicité. Bref, il subsiste tout ce qui relève du véritable luxe intellectuel, pas du confort, qui signifie conformisme. Cuba au fond, c'est une surprenante enclave, quasiment intacte, du naufrage de l'Europe des lumières. »

(dans un entretien accordé à *L'Humanité,* publié le 23 juillet 1990)

Deauville

« Deauville, je t'aime, ville morte où je roule lentement à bicyclette sur un vélo hollandais dont il faudrait peindre les pneus en blanc. Avec la canne blanche, un deux-roues pour aveugle, c'est une grande première. Funambule entre les ombres, je ne suis tombé que trois fois jusqu'à ce jour – et quand je roule sur les planches, je distingue vaguement les formes humaines qui s'écartent avec une sorte de frayeur sacrée. Et puis j'ai fait une grande excursion. Ça roulait tout seul le long de la plage. Quelle était cette délicieuse légèreté ? Que se passait-il ? La mer était en pente. Quand je voulus revenir, je compris que si j'avais cru descendre, c'est tout simplement le vent qui m'avait poussé. Après je le prenais de face, je zigzaguais. Comme en voilier, je tirais des bords pour avancer. »

(Les Puissances du mal)

Debray (Régis)

« Au bout de quatre ans à Camiri dans la chaleur humide des Tropiques, ses amibes, sa moiteur protégée, l'attente d'une probable libération et son ambiance infâme de comédie sud-américaine, il entra en France, libre – de quelle liberté ? La prison, le plus dur est de savoir en sortir. Je veux dire : rester au-dehors comme au-dedans, entre les quatre murs de sa volonté révolutionnaire. Un "élargi", tel est le mot du jargon des geôles françaises pour désigner celui qu'on libère. Mais quoi de pire que cette liberté insidieuse offerte par l'idéologie bourgeoise, qui nous permet d'en prendre soudain à nos aises, d'être arrondi, amolli : élargi. Debray n'était point de ceux-là. Il ne succomberait point aux tentations petites-bourgeoises ni aux illusions du confort. Trop intelligent pour rester prisonnier d'une autre geôle – celle de la mythologie s'attachant désormais à son nom –, ou trop ambitieux pour croire à la chance – celle de surnager parmi l'écume des mouvements sociaux –, il voulait encore forcer le destin. »

(Chagrin d'amour)

« Et Debray, on se le baladait d'un côté à l'autre de l'Atlantique. Les Sud-Américains ne l'aimaient guère. Bustos, son compagnon raté de captivité, médisait dans les bourgs de Buenos Aires. Une internationale de survivants lui crachait au visage. Guevara répétait encore dans sa fosse : le Français qui parle trop. Que leur importait, au reste, que Castro l'ait disculpé ? Sa faute était ailleurs, confuse, chuchotée, et soudain recrachée : Debray est un étranger. Qu'il ne se mêle pas de nos affaires. Quel était ce donneur de leçons, si justes fussent-elles ? »

(Chagrin d'amour)

« À Paris, Debray n'était pas mieux accueilli. "… Vous avez traîné trop longtemps vos guêtres aux Amériques, ne vous mêlez pas des relations diplomatiques de la gauche, lui disait-on. Qu'avons-nous à faire ici de ses sermons sur Guevara et Allende ?

Pour un continent que l'histoire déserte, l'Europe, il est facile d'affirmer qu'il ne se passe plus rien en Amérique du Sud. Quand les exigences de l'actualité l'emportent sur celles de l'Histoire, c'est que l'Histoire n'a plus d'exigence, qu'elle se laisse aller : vieille Europe, vieille maîtresse négligée !" Oui, qu'était venu apprendre à nous autres gauchistes, ce pédant rageur, qui ne fasse précisément le jeu de la bourgeoisie socialisante, ou de la gauche politicienne exaspérée secrètement par l'utopie gauchiste ? Debray n'était que son allié providentiel, l'un de ces combattants mithridatisés que cette gauche renvoie contre ses frères de sang, faute de se risquer à les lancer à l'assaut des remparts de la bourgeoisie. Je le plaignais, ce bretteur courageux. Oui, qui de nous deux était le plus réaliste ? Ce rêveur qui ne croyait pas à la passerelle légale de la gauche traditionnelle dans son pays ? Ou le réaliste qui misait sur la plus vieille rhétorique de la social-démocratie ravie, et espérant, un jour, la déborder ? »

(Chagrin d'amour)

« Debray, il n'y en avait pas un, mais des centaines, tous formés au même moule de l'université française. »

(Chagrin d'amour)

« Cher Régis,

Je viens d'achever la lecture de ton dernier roman, *La Neige brûle ;* décidément tu n'es pas doué pour la littérature, deviens révolutionnaire. »

(courrier publié dans *Chaque matin qui se lève est une leçon de courage*)

Décadence

« Ce qui distingue les peuples décadents des peuples qui ne le sont pas, c'est que les peuples décadents disent "qu'allons-nous devenir ?" et les peuples qui ne sont pas décadents "qu'allons-nous faire ?" »

(au cours de l'émission « L'Homme en question. Jean-Edern Hallier », diffusée sur France 3, le 9 juillet 1978)

De Gaulle (Charles, 1890-1970)

« Il (André Hallier, père de Jean-Edern Hallier) était, malheureusement pour lui, camarade de promotion de De Gaulle, à l'école de guerre, avec Franco. Ils étaient tous les trois dans la même chambre. Papa m'a raconté que De Gaulle puait des pieds d'une manière absolument abominable et qu'il n'arrêtait pas de se chamailler. L'animosité de De Gaulle envers les jeunes gens était telle que, quand il y a eu la déclaration de guerre et que De Gaulle a lancé son appel du 18 juin, papa ne l'a pas rejoint. »

(Le Dandy de grand chemin)

« De Gaulle ne fut même pas trahi par Pompidou. Il avait choisi consciemment des traîtres et aventuriers pour donner à la bourgeoisie nationale française son ultime sursaut historique. »

(La Cause des peuples)

Démocratie

« Ce tabou intouchable dans la bouche des arbitres gazouillants de nos élégances politiciennes. »

(Carnets impudiques)

« La démocratie ne se conquiert pas avec les hommes politiques, mais *contre eux*. »

(Carnets impudiques)

« … je suis un vrai démocrate, donc je ne suis pas toujours d'accord avec moi-même. Il m'arrive de me mettre en minorité, mais il m'arrive aussi de me transformer en troupeau et d'avoir des tas d'opinions collectives, animalières. Vous voyez, j'ai un troupeau de contradictions qui sont là, que je fouette et que j'emmène vers les voies nouvelles de l'inconscient au bord des falaises du sens. Et quand on me voit de loin, quand on va voir Jean-Edern Hallier comme on va à l'île de Noirmoutier, eh bien on me voit sous forme de troupeau, comme un dahu avec de grandes cornes noires qui plongent dans le ciel comme autant de virgules de l'absolu. »

(propos recueillis trois jours avant la mort d'Hallier par David Alexandre et parus dans le mensuel *La Une,* en février 1997)

« Moi quand j'entends le mot démocratie, tel qu'on s'en gargarise aujourd'hui à longueur de journée dans les médias, j'ai envie de sortir mon revolver. Il ne se passe pas une minute, en écoutant les informations, sans qu'on nous resserve l'expression "retour à la démocratie", ou "droits de l'homme". Ce sont des clichés éculés, qui masquent la fabrication policière des nouveaux tabous intellectuels : plus personne n'a le droit d'être contre cette démocratie truquée. Les mots sont les sentinelles de nos pensées, et l'on a mis en place des adjudants abrutis qui tirent sur tout ce qui bouge. La démocratie n'existe plus dans les pays occidentaux. Nous avons une démocratie purement formelle. Nous assistons à la mise en place d'un totalitarisme soft. Aujourd'hui, même le Big Brother du *1984* d'Orwell serait démocrate. »

(dans un entretien accordé à *L'Humanité,* publié le 23 juillet 1990)

« Quel est le meilleur système de gouvernement ?

– La connerie veut que la démocratie soit le régime le plus conforme aux cons. Plus il y a de cons, plus il y a de présidents de la République… C'est la chanson de Brassens, les grenouilles qui demandent un roi. Nous sommes tous des cons et le roi des cons est l'imbattable absolu. »

(dans un entretien avec Thierry Ardisson au cours de l'émission « Double Jeu », diffusée sur Antenne 2, le 12 octobre 1991)

Désert

« Le désert, c'est fait pour déserter. »

(*L'Idiot international*, 1991, quand Hallier, très hostile à la guerre du Golfe, appelait les militaires à la désertion)

Dessin

« L'art sacré, celui des princes ou des mécènes a disparu. Le snobisme a remplacé le goût – en même temps que les grandes règles classiques ne servent plus de référence. C'est pourquoi la dernière qui nous reste est encore le dessin. On peut détester l'art abstrait de Mondrian ou de Kandisky, mais quand on voit la qualité de leurs dessins, on comprend que toute leur œuvre est un choix d'intellectuels d'époque ; on peut considérer Fragonard ou Degas comme des attardés de la peinture figurative, mais là aussi, leurs admirables dessins démontrent qu'ils étaient de grands artistes. En quelque sorte, c'est le miroir technique de l'intimité de la création. C'est l'étalon absolu. C'est la référence fondatrice et originale de l'art... »

(Les Français)

Dieu

« *Mon* Dieu ne peut être que celui de la philosophie – un concept suprême. J'ai mis longtemps à m'y résigner, je ne compte plus mes ébauches métaphysiques, que je jetais toutes au panier. En revanche, c'est un Dieu enfantin, à l'usage des enfants et des vieux enfants de mon espèce. Ce Dieu-là, c'est celui qui me tient le plus chaud au cœur, qui me borde le soir avant de m'endormir, avec qui on peut s'enfermer aux cabinets pour fumer, rigoler et filer littéralement au nez et à la barbe du Dieu des grandes personnes...

J'imagine ce que pourrait être une immense religion d'enfants, avec ce Dieu-là comme chef de bande, et meilleur copain. Religion secrète, à laquelle les adultes n'ont pas accès : le mystère de la foi en ce Dieu-là, c'est qu'elle ne s'ouvre à vous que lorsqu'elle se ferme aux autres...

À Saint-Thomas d'Aquin, Ignace de Loyola, Maître Eckhart, Saint-Augustin, Sainte-Thérèse d'Avila, Urs von Balthasar (bien que je les aie tous lus, relus, et que, même si je suis un mauvais élève, je connaisse mieux mes leçons que la plupart...), je réponds : barbe à papa. »

(Carnets impudiques)

Douleur

« Le temps, c'est la question même de la douleur. Elle n'est nullement un privilège, un signe de noblesse, un souvenir de Dieu. La douleur est féroce et bestiale, banale et gratuite ; naturelle comme l'air. Elle est de même nature que le temps. Elle a sa relativité einsteinienne, le temps-douleur, qui est à la vie ce que la vitesse est à la lumière. Si la douleur a des sursauts et des hurlements, c'est seulement pour laisser sans défense celui qui souffre, pendant les instants qui suivront, pendant les longs instants où l'on savoure de nouveau la torture passée, où l'on attend la suivante. Ces sursauts ne sont pas ceux de la douleur proprement dite, ce sont les instants de vitalité inventés par les nerfs pour faire sentir la durée de la vraie douleur, la durée fastidieuse, exaspérante, infinie du temps-douleur. Celui qui souffre est toujours en état d'attente du nouveau sursaut. Le moment vient où l'on crie sans nécessité, afin de rompre le cours du temps, afin de sentir qu'il arrive quelque chose, que la durée éternelle de la douleur bestiale s'est un instant interrompue – même si c'est pour s'intensifier. (...) Il faut avoir connu la douleur soi-même, avoir été jusqu'aux tréfonds pour apprendre à devenir bon. La compassion des profondeurs, celle d'un Dostoïevski, par exemple, ou d'un Bernanos, fait les plus grands romanciers – la connaissance par la douleur. Depuis que nos sociétés ont découvert l'anesthésie, les hommes sont restés mauvais. »

(Carnets impudiques)

Duras (Marguerite, 1914-1996)

« [au sujet du livre de l'écrivaine, *Les Yeux bleus, cheveux noirs,* qu'il venait de recevoir] C'est de l'*artefact*, un produit fabriqué qui tient de la technique de préparation chimique. En séparant les éléments, il ne reste plus rien. Avec ses répétitions, ses lourdeurs insistantes et ses procédés, façon langue rapportée devant laquelle chaque ignorant s'extasie aujourd'hui, le *traduidu* roman américain des années Dos Passos, Hemingway à blanc, avec un zeste d'italianisme à la Vittorini, ses barbarismes, sa syntaxe ostensiblement fautive, et son côté mauvais scénario-synopsis vaseux, ignorerait-on que ça vient de Duras qu'on ne pourrait la lire sans une profonde commisération. Des manuscrits pareils, les éditeurs en reçoivent à la pelle ; ils en disent long sur la misère culturelle de la nation, écartelée mollement entre la confusion intellectuelle, le stress, les camisoles médicamenteuses, et les clichés les plus éculés, à peine dignes des magazines féminins qui ratissent le plus large.

Les Yeux bleus, cheveux noirs : à tant faire pourquoi pas "Dents blanches, haleine fraîche" ? »

(Carnets impudiques)

Dutourd (Jean, 1920-2011)

« C'est un fait que je n'aime pas vraiment ses livres – ou plutôt je déteste les personnages qu'il choisit… C'est comme s'il voulait s'enlaidir lui-même à plaisir à travers eux. (…) Il travaille ses personnages à gros traits, en appuyant. Il a un côté Dubout – mais aussi Molière – et c'est bien mieux, à la relecture qu'Aymé et Queneau, comme le récit de la période d'Occupation. C'est un classique, il tient le coup en plus, c'est un artisan raffiné, qui cache sous ses airs de jubilation narquoise, ou sa fausse vanité féroce – autant envers lui-même qu'autrui – une sensibilité à fleur de peau, un métier incomparable, une culture immense ; et enfin, qualité que j'apprécie entre toutes chez lui, une merveilleuse humilité au fond de lui. Sauf que la célébrité que l'on a n'est jamais celle que l'on mérite. C'est l'image dans le tapis, d'Henry James – celle du perpétuel malentendu qui vous survit. »

(Carnets impudiques)

Dutronc (Jacques)

« Dîner avec Jacques Dutronc au *Ricantu.* Il s'amuse à faire des lignes de farine pareilles à de la coke, sur la table, puis souffle dessus. Les filles qui se sont approchées ont de véritables crises d'hystérie – *arrêtez, arrêtez,* crient-elles. »

(*Carnets impudiques,* 29 avril 1986)

Écharpe

« L'écharpe symbolisait le risque en toute chose – et c'était aussi un hommage rendu aux *Enfants terribles* de Cocteau, pour nous qui adorions les voitures de course, et qui nous souvenions de la mort de Michaël, étranglé par son écharpe qui s'enroula autour du moyeu de sa décapotable. Il avait été furieusement décapité, pendant que la voiture dérapait, se broyait, se cabrait contre un arbre, et devenait une ruine de silence, *avec une seule roue qui tournait de moins en moins vite en l'air comme une roue de loterie.* »

(Je rends heureux)

Échecs (jeu)

« Je joue aux échecs contre l'ordinateur... Je ne gagne pas. J'étais troisième aux championnats du monde minimes quand j'avais douze ans à Reykjavik. Mais j'ai arrêté de jouer parce que je jouais tout le temps. Jour et nuit. Mes parents m'ont interdit... Je n'ai plus jamais réjoué. Et puis je m'y suis remis, maintenant contre l'ordinateur. Gasparov... le plus fort ! Il est très énervant cet ordinateur, il est épouvantable : il gagne à tous les coups. J'ai gagné deux fois sur cent parties. Et puis en plus il se corrige, c'est ça qui est épouvantable ! On le pousse à bout et il trouve toujours une autre combinaison. Il a dix millions de parties en tête... »

(au cours d'une conversation avec Thierry Ardisson, dans l'émission « Paris Dernière », diffusée sur la chaîne de télévision Paris Première, le 3 février 1996)

École

« Ô égalitarisme abject des écoles ! Pour peu que vous sortiez la tête, on vous la coupe et il ne vous reste plus que le tronc pour pleurer. Car il n'est vraiment pas utile d'abolir la peine de mort, si c'est pour maintenir, conforter, légitimer, au nom du suffrage universel des moutons de Panurge, la peine de mort contre l'intelligence. »

(Carnets impudiques)

Écrivain

« On ne naît pas écrivain. On le devient comme la chenille devient papillon, dans la lenteur profonde d'une métamorphose organique. Avant de s'envoler, il faut avancer comme un mille-pattes au ras des mots, sur l'écorce des grands chênes de la pensée. D'abord, il faut être humble. Les rayonnages des librairies, c'est la foire aux vanités des bourgeois gentilshommes qui font de la prose sans le savoir – et en plus croient savoir la prose qu'ils font. Je me suis toujours demandé comment les gens pouvaient écrire aussi abominablement mal. L'imprécision, le caractère laborieusement approximatif et nébuleux de ce que la plupart mettent sur la page m'a toujours plongé dans une stupeur dégoûtée. J'éprouve pour ces gens une compassion amusée. Plus la littérature leur échappe, plus ils en bavent – et plus on leur demande d'être simples, plus ils deviennent compliqués. C'est à croire que leur cerveau est barbouillé comme un estomac en pleine indigestion. »

(Je rends heureux)

« J'appelle les écrivains à prendre conscience de leur servitude. Je les appelle à se libérer. Je les appelle surtout à s'organiser. Et à reconquérir une dignité dans les relations qu'ils entretiennent avec le capital marchand. »

(dans l'émission « Deux heures pour comprendre : les rapports éditeurs-auteurs », diffusée sur France Culture, le 11 décembre 1975, et rediffusée le 14 juin 2018)

Édition

« Il faut d'abord changer les rapports entre les individus. Si nous travaillons avec les auteurs, les directeurs de collection, les producteurs de livres ensemble dans un réel mécanisme de coopérative, la coopérative est faite. Ce qu'il faut d'abord, c'est casser le rapport paternaliste dans l'édition où les auteurs vont voir leurs papas, leurs mamans, leurs oncles, etc., [qui sont] directeurs de collections et autres. Ce qu'il faut, c'est un rapport plus loyal, plus ouvert, plus franc et aussi plus dynamique. »

(dans l'émission « Deux heures pour comprendre : les rapports éditeurs-auteurs », diffusée sur France Culture, le 11 décembre 1975, et rediffusée le 14 juin 2018)

« Les éditeurs trompent systématiquement leur public en faisant passer un livre de Daniel Gélin pour un livre de Gélin, un livre de Morgan pour un livre de Morgan, ou le livre de Signoret comme d'un grand écrivain. »

(dans un entretien avec Anne Gaillard diffusé, le 10 mai 1977, sur France Inter, qui évoque notamment la parution de *La nostalgie n'est plus ce qu'elle était* de l'actrice Simone Signoret, aux Éditions du Seuil)

Égalité

« Seule l'infortune rend tous les hommes égaux. »

(Un barbare en Asie du Sud-Est)

Emploi

« Il n'y a jamais d'emploi pour un fondateur. En Palestine, il n'y en avait pas pour Jésus. Au Portugal d'Isabelle la Catholique, il n'y en avait pas pour Christophe Colomb. Non seulement Galilée, Giordano Bruno ou Jeanne d'Arc étaient sans emploi, mais on les brûlait. Aujourd'hui, ils seraient chômeurs, ou bouffons. Le génie du christianisme est d'avoir su inventer, et employer les fous de Dieu pour sa plus grande gloire : de saint Bernard prêchant les Croisades, sainte Thérèse d'Avila, Lammenais, au père de Foucauld, tous les fous qui se prenaient pour eux-mêmes n'auront été que des chômeurs de l'esprit reconvertis en travailleurs au noir de l'avenir. »

(Bréviaire pour une jeunesse déracinée)

Endettement

« Une nation qui accepte de s'endetter rend aux usuriers leur raison d'être. »

(Chagrin d'amour)

Enfance / Honneur

« Ce sont les enfants qui viennent sauver l'honneur des adultes – et la part d'enfance en nous, intacte, miraculeusement préservée, qui permet au soulèvement de la vie de faire face, et de renverser l'inéluctable... L'honneur de la vieillesse c'est l'enfance. Et c'est le déshonneur des adultes que d'entendre l'enfance lui renvoyer, à son propre mutisme, le dernier écho du pouvoir féodal dont s'est nourri le pouvoir bourgeois : son sens de l'honneur. L'honneur c'est la noblesse du monde. Cette part du vivant qui nous manque si fort, à nous autres Européens, pour reconstituer le gâteau d'anniversaire de nos siècles d'apogée révolue. L'honneur ne se sacrifie jamais, on lui sacrifie tout, jusqu'à la vie elle-même. Il n'y a pas d'autre alternative : ou bien nous vivrons déshonorés, frileusement repliés, en attendant la mort. Ou bien nous réinventerons la noblesse – qui est l'apanage sacré des enfants. »

(Bréviaire pour une jeunesse déracinée)

« Et, de si loin qu'il m'en souvienne, c'est toujours sur mon cheval de bois à bascule, brandissant mon épée en carton que je caracole. Car c'est la même main d'enfant qui soutient le ciel, la terre et toutes les créatures. Une petite main d'enfant féodale de grand seigneur tenant fermement la bride aux caprices, mise au service de la liberté et de la subjectivité folle qui parviennent à rendre vie aux choses mortes ou qui vont mourir : notre monde à nous, notre monde à défendre, c'est le monde où nous aurons nous-mêmes été des enfants. Il ne faut pas le confondre avec le monde vieilli, où l'on nous condamne à vivre.

En nous y retrempant, on se remet à vouloir l'impossible ! À vouloir la lune ! Monde lunaire, oui, aux couleurs vibrantes du souvenir, d'où l'histoire nous est perçue comme dimension souffrante, inguérissable de la sensibilité... Monde inaccessible aux vieilles lunes du marxisme, ou de l'économie capitaliste ! Monde à part – de l'être entre, et non de l'entre deux. Il est à la fois impuissance, puisqu'il ne peut influer, sauf exceptionnellement, sur le cours tragique des choses, surpuissance et régénération de soi-même. Il est distance infinie et proximité inouïe. Ce qui s'y conjugue, en sa pulsion du proche et du lointain, comme au battement même du cœur conscient, est le privilège de très rares, des artistes, des créateurs, ou de très grands hommes politiques. Pour eux, les événements qui secouent notre géographie universelle se jouent sur quelques tas de sable, aux galeries creusées à la main, et aux remparts précaires, dérisoires, d'un impossible château que le déferlement des vagues de la marée montante écroulera. Ainsi en va-t-il des flots de l'histoire, ou des guerres, qui leur parviennent comme des roulements de tambour au fond des jardins de notre enfance...

Celui qui sait y revenir, aux heures difficiles de sa vie, comme jadis en toute innocence, peut se mêler de toutes les affaires politiques de la terre. Ce droit souverain lui revient d'emblée, puisqu'elles ont lieu sur son propre terrain de jeux, son préau délirant, sa forteresse de sable... Depuis toujours, je combats en ces lieux qui échappent aux grandes personnes. N'ayant pu embrasser la carrière des armes, comme mon père, après une blessure de la petite enfance, je ne me suis pas résigné. J'ai perpétué la tradition familiale : je suis devenu général de l'armée des rêves. Ici, je répète que mes songes sont des légions, immédiatement mobilisées à ma seule volonté. Que de campagnes n'ai-je entreprises ? Que de cartes du monde n'ai-je repeintes furieusement à mes couleurs ? Ô formidables batailles, où la liste de mes victoires l'emporte de loin sur celle de mes désastres intimes… Citerais-je ces soleils d'Austerlitz ? Les Verdun de mes ténacités puériles ? Les Pearl Harbor de mes coups de tête ? Ou ces Diên Biên Phu de mes anxiétés aux mains blanches ? Apocalypse now, et for ever…

Et pour ce qui vous restera à vingt ans d'inguérissables enfantillages, Varsovie, Belfast ou Prague sont à vos pieds, miniaturisés, au microprocesseur fabuleux de l'imagination. Penchez-vous, vous verrez : le monde est là, tout près. Un monde à trois éléments qui sont : l'enfance, le temps vécu, et la mémoire charnelle, plus un quatrième : l'âme. Rien de comparable à cette vision plate, qui nous met au pied du mur de l'actualité, le nez sur l'étrange lucarne : le télé-temps. Alors que faire en notre impuissance ? Il nous reste à opposer deux totalitarismes – celui du vieux monde des enfants à celui du monde vieilli des adultes. Celui du monde profond, et léger, à celui du monde sans relief, horriblement lourd. Celui de l'impuissance enfantine enfin – une impuissance lumineuse et dure, méditerranéenne, de Grec, sous la domination des Perses ou des Romains – à la puissance du totalitarisme mou qui alourdit, leste, plombe et rétrécit notre petite pomme de la terre… »

(Bréviaire pour une jeunesse déracinée)

« Nos ministres figurent tous sur la photo de classe figée, et je suis en mouvement dans les classes profondes de la vérité. »

(Bréviaire pour une jeunesse déracinée)

Eros

« Pour un puritain : Eros n'est pas le péché, le péché, c'est la sublimation de l'Eros. »

(Carnets impudiques)

Europe

« L'Europe a cessé d'être le nombril du monde. Quant à ses colonies, taches de couleur entre les punaises de la carte, elles ont presque toutes disparu. L'Europe a été ruinée du dedans, par deux fois, en deux guerres qu'elle eut le triste privilège d'engendrer, sous le sigle d'idéologies perverties ou périmées. Car si le monde a changé, et l'Europe aussi, les nations comme les familles n'ont pas suivi la même évolution. La régression politique, et celle de la cellule sociale, ont été proportionnelles à l'expansion économique. C'est à ce prix que le capitalisme a pu maintenir son emprise. Et si le communisme a cessé de progresser, c'est qu'il n'a pas su dénoncer cette involution. »

(La Cause des peuples)

« De l'âme européenne, il ne reste plus rien. Sinon celle qui timidement, d'entre les neiges, se réveille au printemps – la fleur fragile d'entre les fleurs, le lilas, le coucou, la première pervenche au pétale si délicat sous mon doigt rugueux – je parle de l'âme... D'où vient qu'elle soit à la fois si précaire et si résistante ? Même les climats les plus rigoureux n'en viennent jamais à bout. D'où vient qu'après le désastre, ou le gel, c'est toujours elle la première à monter, en avant-garde, à l'assaut de l'avenir ? »

(Bréviaire pour une jeunesse déracinée)

« Tandis que mon voyage se poursuit, en ce train de nuit, l'Europe-Express de ma pensée, des deux côtés de la voie ferrée un seul continent s'étend. Jeunes gens, nous l'avons oublié, nous sommes tous les fils de cette Europe, formés par l'éducation européenne.

L'Europe doit nous occuper politiquement et spirituellement, elle est la priorité absolue dans la hiérarchie de nos illusions. (...) Ce qu'il nous faut aujourd'hui : des provinces universelles.

Une Europe à l'échelle humaine. Rêvons avec Dante – qui croyait que les hommes resteraient de simples fragments détachés tant qu'une conscience globale ne les réunirait pas – d'une subconscience à la fois individuelle et communautaire, fondée sur les valeurs éternelles de l'Europe, et non point sur des vieilles valeurs ravaudées. »

(Bréviaire pour une jeunesse déracinée)

Faim

« Nos faims, j'en dresse la carte : en hors-d'œuvre, faim d'histoire, en plat de résistance, faim spirituelle, et au dessert, faim slave, faim importée de Russie. »

(Bréviaire pour une jeunesse déracinée)

« Quand viendra votre tour de souffler la dernière bougie de votre siècle, jeunes gens, je vous souhaite d'être tenaillés par une terrible faim… Pas la faim dans le monde, la faim de l'esprit, la faim de liberté, et la faim de l'amour, dont l'urgence ne saurait être remise aux lendemains de ce que l'on peut faire le jour même. Une sorte de faim polonaise aux langues de feu du Saint-Esprit, pour vos prochaines pentecôtes. Ou une faim irlandaise, au cruel devoir sacrificiel. »

(Bréviaire pour une jeunesse déracinée)

« Seules les causes perdues valent qu'on s'y engage : il arrive parfois qu'elles seules l'emportent, à la condition de se sentir suffisamment désespéré, en bout de course, pour n'avoir plus rien à perdre. »

(Bréviaire pour une jeunesse déracinée)

Faute

« Bientôt je reconnaîtrai ma faute. D'ailleurs, je suis toujours en avance d'une faute sur les autres. »

(Bréviaire pour une jeunesse déracinée)

Femme

« La femme, c'est comme l'Islam, une religion à part entière. »

(Je rends heureux)

France

« … qu'est-ce encore que la France d'aujourd'hui ? Condamnée à terme, ne jouant plus le rôle qui fut le sien, nous sommes d'autant plus endoctrinés, gavés, matraqués qu'elle fait tapisserie autour de la piste de danse internationale. »

(La Cause des peuples)

« La France est un pays *normalisé.* On ne s'en aperçoit pas encore – et quand on s'en apercevra, il sera trop tard… »

(Carnets impudiques)

« Le mal français, c'est la vanité : la vanitite. »

(Carnets impudiques)

« … la France est une nation, où des jacqueries à la prise de la Bastille, des barricades de 1848 à la Commune de 1870, les grands soulèvements populaires, longtemps contenus, éclatent en déconcertant toutes les prévisions. »

(La Cause des peuples)

Genet (Jean, 1910-1986)

« J'ai adoré sa prose, la plus somptueuse, filée, paradoxale, de la langue française de la fin du XXe siècle – *nous écrivons pour nous rassembler,* disait-il, *sinon nous serions épars.*

Il est dans la lignée de Pierre-Jean Jouve en plus sensuel, mais surtout, il descend directement de l'auteur des *Fleurs du Mal :* un bagnard déguisé en Bossuet pour faire la belle, un Baudelaire avec en plus le souffle oratoire.

Ou un Villon, autodidacte, voleur et trouvère des Palestiniens auxquels il consacra son dernier livre, un reportage dans les camps – que chacun s'empressa de traîner dans la boue chez Polac, ce qui prouvait à quel point ce mort tout frais était encore insupportablement vivant. »

(Carnets impudiques)

Génies...

« L'important avec les génies, ce n'est pas qu'ils puissent mourir, c'est qu'ils soient nés. »

(au cours de l'émission « Double Jeu », diffusée sur Antenne 2, le 12 octobre 1991)

... et surdoués

« Le génie est un fou : le surdoué est normal. Chez l'un, c'est une question d'âme, chez l'autre de cerveau. Le surdoué se définit non par son caractère, mais par son aptitude, sa rapidité ou son efficience. Son cerveau n'est qu'un simulacre important de l'ordinateur. Il est simplement performant : c'est la nature de Monsieur Tout le Monde qui va un peu plus vite. Le surdoué c'est un moteur gonflé. Une petite cylindrée qui s'emballe et que notre société, vouant un culte grotesque aux automobiles et à l'informatique, met au pinacle des Dieux de sa nouvelle religion technologique. D'autant que le génie, n'ayant aucun critère approprié pour se mesurer, devient asocial, donc inutilisable. Et la création n'est-elle pas une maladie mentale ? L'utopie, une perversion ? L'imagination, une tare ? Elle se soigne – comme la liberté en URSS – dans les hôpitaux psychiatriques. Une confusion opportune commode s'établit entre la folie médicalement décelable – un déséquilibre psychique ne produisant des génies qu'accidentellement – et la folie qui n'est pas de ce monde, l'insaisissable, l'intraitable folie, le sénevé infime, l'infiniment petit appliqué à la grandeur de toutes choses : l'âme. Elle n'est pas l'expression d'un déséquilibre, mais d'une connaissance par les gouffres. Aussi notre société s'extasie d'autant plus volontiers sur les surdoués, qu'il lui faut déconsidérer l'âme – où le génie se déploie, se meut merveilleusement à l'aise. Les surdoués sont les héros de la normalisation vers quoi tend la socialisation progressive des individus. »

(Bréviaire pour une jeunesse déracinée)

Guevara (Ernesto Guevara, dit Che, 1928-1967)

« Qui était le Che ? Ce rejet chevaleresque des civilisations européennes, faillit là où le rire, la jubilation monstrueuse d'un Indien, peuvent changer le monde. Et nous sommes tous cet Indien, à condition de le vouloir et de jouir de la vie et de la faire jouir, catastrophiquement… (…) Mais le Guevara n'était qu'un Christ qui s'installait sur les hauteurs en proclamant : petits enfants révolutionnaires de tous les pays du monde, venez à moi. Rossinante romantique, il ne pétait pas le feu : il ne vivait déjà plus, ce n'était qu'un survivant pessimiste. Et, sous la lune, le voici condamné à poursuivre sa mauvaise littérature révolutionnaire. Là-bas, au bord du cratère, dans les vagues périphéries de La Paz, il ne chante plus que la politique mélancolique des éternels soupirants de la sœur de Pinochet, la femme-crapaud. »

(Chagrin d'amour)

Gracq (Louis Poirier, dit Julien, 1910-2007)

« M. Poirier, notre professeur d'histoire – vous savez, Julien Gracq, le magicien à la verrue noire, sorte de treets en chocolat posé sur sa joue comme le nez au milieu de la figure – nous raconte déjà la bataille de Waterloo morne plaine, avec des sandwiches et de la bière brune pour les touristes anglais. Cette verrue, pressons dessus, il en jaillira de l'encre. Arrachons-la et, avec elle, son sens énigmatique. Elle explique tout. Elle est le secret de sa vie, la raison même de son dédain affecté pour la télévision, avec son drapé romantique de petit tweed grisâtre. À l'instar du nez de Cléopâtre qui, s'il eût été moins long, eût changé la face du monde, l'altière tour d'ivoire de Gracq n'est qu'une énorme verrue, un grain de beauté monstrueux sur le visage ingrat d'un petit prof – monsieur Poirier-docteur Jekyll and mister Hyde, le beau ténébreux, Julien Gracq. »

(Je rends heureux)

Haine

« On ne hait pas abstraitement ; parce que des théories ou des livres, à l'instar de celui que vous lisez, vous auraient appris à haïr. La haine de papier n'est rien. »

(La Cause des peuples)

Haïti

« ... trop de chroniqueurs, attirés par ce pittoresque atroce, m'ont précédé dans la description d'Haïti, horreur au paradis terrestre, pour que j'y ajoute ici un chapitre inutile. »

(La Cause des peuples)

Hallier (Jean-Edern)

« Je ne peux me lier profondément à rien, je reste l'exilé, l'étranger, l'apatride, la bête blessée qui se roule sur sa flèche, l'errant qui s'acharne à perdre son chemin sans jamais parvenir à se perdre lui-même, à s'oublier au moins. J'ai l'impatience, l'instabilité fébrile des obsédés – et Jean-René (Huguenin) m'a rarement vu rester plus d'une demi-heure au même endroit. Nulle part je ne trouve ma place, parce qu'au fond, je n'ai pas de place... »

(Je rends heureux)

« Vous vous rendez compte, ce chimpanzé Jean-Edern Hallier ! Ah ! si vous saviez mes mille vies ! Combien de défroques n'ai-je pas endossées pour faire rire ? Successivement, je me suis habillé en voyou rimbaldien, en milliardaire, au volant de sa Ferrari, en hobereau bas-breton ruiné. Mon armoire est pleine de ces costumes mangés aux mites : le gauchiste, l'étudiant établi en usine, le guérillero des Andes, le terroriste argentin, le paysan-travailleur, le dandy, le candidat à l'Académie, le grand reporter, le royaliste, l'antisémite, le philosémite, le régionaliste ès certitudes, le fédéraliste corse, le polémiste, l'exilé hugolien, l'anti-éditeur, le directeur de journal, l'éditorialiste socialiste, le bras de fauteuil de Mitterrand, et j'en passe... »

(Bréviaire pour une jeunesse déracinée)

« Si je me suicide, tu crois que je ferai la une du *Monde ?* »

(propos attribués, lors d'un entretien avec le poète Michel Lagrange)

« Je suis vraiment un étranger sur cette terre ! Je n'ai jamais eu autant de mal à m'exprimer dans la classe oligarchico-journalistique, et en même temps, je n'ai jamais eu autant de succès, autant de reconnaissance populaire. Quand je lis la presse, ou c'est la censure, ou je suis traîné dans la boue !

Je reçois comme des bénédictions parfois, le fait que je sois un peu moins traîné dans la boue que d'habitude. Quand on m'insulte un peu moins que d'habitude, je prends ça comme un éloge, un compliment. Je suis tout émerveillé, tout ravi. Je veux dire que, quand on ne me gifle qu'une fois au lieu de me gifler cinq fois, je pense que c'est une caresse. »

(propos recueillis trois jours avant la mort d'Hallier par David Alexandre et parus dans le mensuel *La Une*, en février 1997)

« Jean-Edern Hallier est certainement une forme d'éponge. Le problème est de savoir si je suis capable de la tremper quelque part pour me laver des idées reçues. Ça fait quarante ans que je suis connu, vingt ans que je suis célèbre et trois ans que je suis illustre. Finalement, je ne m'en apercevrai que si ça venait à me manquer. C'est une drogue à laquelle il y a une accoutumance. »

(propos recueillis trois jours avant la mort d'Hallier par David Alexandre et parus dans le mensuel *La Une*, en février 1997)

« Il m'est arrivé quelque chose d'extrêmement nouveau et dont je souffre beaucoup, qui à mon avis est un événement mondial : c'est que j'ai arrêté de fumer depuis treize jours ! Ça, c'est extrêmement important par rapport à mon idéologie. Avant, j'étais tellement dans la "média-jungle" que j'avais une idéologie qui était devenue complètement fumeuse et, maintenant, elle s'est oxygénée. À présent, j'ai l'air nouveau. J'espère que cet air nouveau va devenir l'air du temps. J'ai l'habitude d'inventer les modes, parce que mon naturel invente toujours les modes ! Cet air nouveau permet de régénérer ce cerveau qui était devenu celui d'une vache folle, mais d'une vache sacrée de la littérature. C'était extrêmement dangereux. Donc, maintenant, j'ai tendance à devenir taureau, à regonfler mes couilles de polémiste. Je suis sûr que je vais avoir des jets absolument débordants d'encre langagière qui vont couvrir les murs de l'indifférence publique de figures symboliques et décisives. »

(propos recueillis trois jours avant la mort d'Hallier par David Alexandre et parus dans le mensuel *La Une*, en février 1997)

« … j'ai arrêté de fumer, alors je ne vais plus vivre 100 ans, mais 199 ans ! J'ai 61 ans dans deux mois : j'ai encore 140 ans devant moi. À ce moment-là, je serai dans tous les dictionnaires. J'y suis déjà mais je ferai plusieurs générations à moi tout seul ou je laisserai toutes les générations sur le bas-côté. »

(propos recueillis trois jours avant la mort d'Hallier par David Alexandre et parus dans le mensuel *La Une,* en février 1997)

« Je suis comme Indurain, je gagne des Tours de France et puis je vois que personne n'est vraiment meilleur écrivain que moi. »

(propos recueillis trois jours avant la mort d'Hallier par David Alexandre et parus dans le mensuel *La Une,* en février 1997)

Handicap

« L'avenir est aux handicapés. Et il y a de plus handicapés que moi, je le sais, hélas… »

(au cours de l'émission « Lunettes noires pour nuits blanches », diffusée sur la chaîne de télévision Antenne 2, le 7 janvier 1989)

Héros

« Être de toujours c'est le suprême enjeu. Maintenant vous savez pourquoi, jeunes gens, on déteste les héros : c'est qu'ils sont éternels. Ça ne se pardonne pas si facilement. »

(Je rends heureux)

Histoire

« Entre le passé sans avenir, et l'avenir sans passé, que choisir quand la mise au premier plan de la seule rationalité économique abolit, en Europe, l'histoire ; et à vingt ans, la chance de vivre sa propre histoire ? »

(Bréviaire pour une jeunesse déracinée)

« Car tout n'est qu'histoire. Nous n'avons pas besoin d'une contre-information (...) toutes nos forces doivent tendre à fonder une contre-histoire. D'ailleurs, le terme technique anglais pour désigner l'actualité filmée est *story :* histoire. On passe, on monte, on coupe l'histoire. C'est une histoire divisée, tronquée, écrite avec des ciseaux – et capitalisée demain par les banques de l'information. La presse crée, et détruit, du jour au lendemain, sa propre postérité : peu de faits, d'hommes, surnagent de l'écume de l'actuel. La conscience spontanée ignore l'histoire. Elle ne connaît que sa frange : l'histoire immédiate. »

(Chaque matin qui se lève est une leçon de courage)

Hitler (Adolf, 1889-1945)

« La fortune des armes aurait-elle continué à sourire à Hitler, mes concitoyens se seraient bien accommodés de leur République nationale. Jamais la résistance ne se serait emparée des masses ! »

(La Cause des peuples)

Homme

« Une vie d'homme bien remplie : quinze mille coups, vingt-cinq litres de sperme, deux mille cinq cents milliards de spermatozoïdes. »

(Carnets impudiques)

« La vraie mesure d'un homme, c'est sa capacité à refuser ce que les autres prennent pour désirable. »

(Carnets impudiques)

Hommes (grands)

« Hélas ! grands hommes, vous n'êtes grands que parce que les peuples sont petits ! »

(Chagrin d'amour)

« Des gens comme Mao, comme Staline, et même comme Hitler ont une insupportable grandeur. »

(au cours de l'émission « Double Jeu », diffusée sur Antenne 2, le 12 octobre 1991)

Hommes (politiques)

« Ils disent toujours "il faut", "il faut", "il faut", mais ils ne le font jamais. »

(au cours de l'émission « Double Jeu », diffusée sur Antenne 2, le 12 octobre 1991)

Homosexualité

« J'ai été homosexuel pendant plus de trente ans avant d'aimer les femmes. (…) J'ai commencé à découvrir l'amour par les garçons, j'ai eu en particulier une liaison très forte avec mon frère jumeau stellaire Jean-René Huguenin, né le même jour que moi à la même heure dans la même clinique. Il est mort à 25 ans d'un accident de voiture. Mais je suis persuadé qu'il s'agissait d'un suicide voilé. Il devait bientôt se marier et ne pouvait supporter cette idée (…). J'ai éprouvé un plaisir physique extraordinaire à le sodomiser. Mais il n'y a jamais eu de réciproque, je suis complètement actif. »

(propos recueillis par Michel Cyprien, *Gai Pied hebdo,* n° 239, 11-17 octobre 1986)

« J'ai obtenu mes premiers articles de Michel Foucault et Roland Barthes en les aguichant, après cela, ils ont tous deux tenté de me séduire, mais je les ai repoussés. »

(propos recueillis par Michel Cyprien, *Gai Pied hebdo,* n° 239, 11-17 octobre 1986)

Huguenin (Jean-René, 1936-1962)

« Nous avons tous un double, un radieux ange gardien de notre adolescence passée qui est mort pour nous... Ou bien nous en avons perdu la mémoire frémissante. Nous l'avons tué une seconde fois. Alors nous vieillissons très vite. Ou bien nous lui rendons la première place, le commandement secret de nos actes, pour nous aider à vivre – mais sans jamais oublier la mort qui vibre tout près – et pour n'avoir pas à nous regarder dans la glace en nous méprisant nous-mêmes. Nous avons chacun ce fantôme gracieux, plus ou moins caché, oublié, bafoué, ou vivant en nous. [...]

Il faut qu'il y ait beaucoup de monde pour que, soudain, en tournant la tête, je m'aperçoive que quelqu'un me manque. Même émotion dans les réunions nombreuses, au milieu des vestes blanches ou noires et des robes de couleur.

Je me retourne brusquement avec retard : je peux alors presque arriver à suivre cette absence du regard, de groupe en groupe. C'est en ce monde insignifiant que je me sens le plus seul de lui. Voici trente ans que je suis resté inconsolable de la mort de Jean-René. C'était la meilleure part de moi-même, tandis que je contemple le ciel de nuit derrière mes fenêtres à croisillons.

L'étoile morte du passé a beau briller à des années lumières, son éclat reste fixe, insoutenable – et le souvenir, au lieu de s'affadir, de s'effacer peu à peu, devient plus vivace et douloureux. [...]

Il y a des chagrins de la vie qui valent bien ceux de la mort. La vie peut nous quitter, nous ne la quittons pas, c'est ainsi. Le vieillissement de Jean-René nous aurait-il séparés ? Après tant de brouilles fiévreuses et d'ardentes réconciliations, le temps de l'indifférence méprisante n'aurait-il pas tout recouvert ? Il y a des êtres qu'on ne peut même plus imaginer avoir tant aimés – et d'autres qu'on aurait mieux aimés, si on avait su qu'on les aimait tant. La mort de Jean-René me l'a réconcilié à jamais. »

(Je rends heureux)

« … il tenait à distance ses propres modèles. Il adorait Bernanos, Mauriac ou Péguy mais il ne se prenait pas pour eux. Il rayonnait trop individuellement pour jouer au voleur d'étincelles. Aujourd'hui, je ne puis le mesurer à quiconque ; il désamorce d'avance toutes les comparaisons littéraires. Il est lui-même. Il l'est resté – mystère en pleine lumière de l'adolescence. Certes, on pourrait parfois comparer sa prose à celle du jeune Benjamin Constant, que Jean-René plaçait si haut et qui n'écrivait pour personne que pour Benjamin lui-même. »

(Je rends heureux)

« Quitte à décevoir ses admirateurs, à blesser ces générations montantes qui se reconnaissent en lui, je dirai qu'il n'a pas écrit de grands livres. Il n'en a pas eu le temps. Il y était presque, mais pas encore. Il était sur le point de forcer le mur du sens, c'est-à-dire l'extravagante pusillanimité de la parole. »

(Je rends heureux)

« Ce Napoléon que Jean-René admirait tant, affirmant à tout propos qu'il ne fallait écouter que l'impérialisme de ses rêves. Alors, le soleil d'Austerlitz ne cesserait de se lever sur les petits matins de la vie. Qui ne veut pas conquérir le monde est indigne de se conquérir lui-même – de même que celui qui ne connaît pas l'indicateur Chaix par cœur, comme lui l'avait appris –, ne mérite pas de prendre le train. »

(Je rends heureux)

Hygiène

« Le désodorisant, c'est le lance-flammes de l'hygiène. »

(Carnets impudiques)

Idéal

« Y a-t-il même un régime idéal ? Ou une église idéale – fût-elle catholique, apostolique ou romaine ? Tout ce qui est idéal aboutit au *meilleur des mondes*, c'est-à-dire *au monde invivable.* »

(Bréviaire pour une jeunesse déracinée)

Idéologie

« Toutes les idéologies sont fondées sur la bêtise, si bien qu'en un certain point elles poussent à la répulsion de l'Idéologie. Mais comme la bêtise est rusée, elle se nourrit d'elle-même et se met soudain à s'appeler *fin des idéologies.* »

(Carnets impudiques)

Idiot international *(L')*

« La rotative tourna... *L'Idiot international* était né.

International, car avec deux éditions simultanées : l'une anglaise, l'autre française. Mais idiot, pourquoi ? Idiot, oui, comme le héros de Dostoïevski. Car nul ne peut s'arroger statutairement le droit de tenir des propos graves et vrais, à un entourage frivole, et, inversement, de se faire passer avec l'insupportable frivolité du faux sérieux, pour révolutionnaire.

Le pari de ce journal était clair – organiser en fiction de l'information, un an après mai 1968, la spontanéité des masses. Car toute entreprise de presse est fiction. (…) Il n'avait point d'arrière-pensées commerciales non plus. Le journal durerait ce que durerait son propre printemps, violent et parfumé. Mais il ne connut pas d'été. Il dura trois ans de printemps entretenu, de soubresauts et de vols d'hirondelles rouges. Je vois, dans les raisons de son échec, plus de raisons de me réjouir que de me lamenter. J'essuyais les plâtres aussi, mais d'un mur qui ne séchera jamais : celui où ne cesse de s'afficher, en feuillets superposés, comme les *Dazi-bao* chinois, l'actualité sauvage des peuples. (…) Ce n'était point un journalisme d'idées, mais de faits. Pas un journal de plumes et de talents, paons déplumés et bavards, ne cessant de demander comme la comédienne Cécile Sorel obsédée par sa présentation sur le tréteau : "Cette analyse, l'ai-je bien descendue ?"

Ce fut une presse écrite collectivement, maladroitement, par des ouvriers, des étudiants, des petits commerçants, ou des prisonniers, soucieux surtout de prendre la parole en leur nom propre, sans se la laisser confisquer par des intermédiaires professionnels. En ce sens *L'Idiot international* ne fut pas un bon journal. Mais il n'avait pas à l'être. (…) *L'Idiot* fut autre chose. Ce fut n'importe quoi, une auberge rouge où chacun apporta, au petit bonheur la chance, sa part de vérité, et de subversion. »

(Chagrin d'amour)

« Un *France Dimanche* d'aristocrates. »

(propos rapportés dans l'émission « Paris Vintage : 1984 », diffusée à l'antenne de France Bleu, les 8 et 9 mai 2021)

Iglesias (Julio José Iglesias de la Cueva, dit Julio)

« Pas de jeux olympiques, mais le festival de Vino del Mar, avec Julio Iglesias – lifté, perruqué, *ratelierisé,* à l'image de la dictature de Pinochet. »

(Carnets impudiques)

Impression (première)

« Oui, pareille au coup de foudre de l'amour, seule la première impression compte – elle est aussi la dernière ; je veux dire qu'elle reproduit photographiquement l'éternité secrète des choses : ne jamais s'attarder. »

(Chagrin d'amour)

Information

« Se tenir informé n'est pas entretenir notre clairvoyance, mais notre voyeurisme – un clair voyeurisme à l'échelle du monde satellisé. »

(Bréviaire pour une jeunesse déracinée)

« Qu'on ne s'étonne pas de la voir si fort prisée [l'information] par les imbéciles ou même se constituer en métaphores émotionnelles, de plus en plus nombreuses, entrées dans le langage commun – être branché pour dire qu'on est dans le coup, se sentir survolté, être court-circuité, où le courant passe… Ainsi notre civilisation occidentale, la faustienne, admirable technicienne entre toutes, nymphe aux mains précises, et à l'ingéniosité sans limites, aura-t-elle électrisé tous les imbéciles. »

(Bréviaire pour une jeunesse déracinée)

Insolence

« L'insolence demeure le thermomètre de la liberté. »

(propos rapportés dans un article du journal *Le Monde*, paru le 26 juillet 1989)

Intelligence

« Ils aiment l'intelligence, à condition qu'elle soit asservie. Si elle reste libre une fois au pouvoir, n'ayant plus les mêmes avantages à en tirer, ils laissent aux valets transfuges le soin de bâillonner l'imagination en marche. De toutes les chasses aux sorcières, il en est une qui n'ose jamais dire son nom : le safari des imbéciles contre la sorcière de l'intelligence. »

(Bréviaire pour une jeunesse déracinée)

« … je n'ai jamais prétendu être intelligent. Cette espèce de confusion intellectuelle qui consiste à me placer parmi les intellectuels est absurde. Par rapport à Bernard-Henri Lévy ou Finkielkraut, je me sens comme un ongle incarné devant un cheveu coupé en quatre ou un parapluie devant une machine à coudre ! Je me sens dans un état d'étrangeté pathétique parce que je n'ai pas le même conditionnement du langage. Finalement, le gros problème, c'est que je suis une éponge parlante. L'acharnement avec lequel j'essaie de régler mes problèmes de langage est mon occupation favorite. »

(propos recueillis trois jours avant la mort d'Hallier par David Alexandre et parus dans le mensuel *La Une,* en février 1997)

Jackson (Michael, 1958-2009)

« Androïd muet. »

(Carnets impudiques)

Jeunesse

« Maintenant que ma jeunesse commence à s'en aller, mais pendant qu'il m'en reste, et qu'elle parle encore, et qu'elle comprend mes vingt ans, je veux lui donner mon âge mûr en otage [1]. »

(Bréviaire pour une jeunesse déracinée)

« À cette fièvre, ce tremblement de mots, ce pari vécu, insensé de l'incohérence sensible et de la fulgurance, tous les jours je puise des forces fraîches au fond de ma détresse. Mon existence est cette catastrophe – celle de la cigale des enfants, dont les creux sont aussi des bosses, comme les échecs de ma vie sont mes chances de survie. La littérature, telle est ma petite musique de nuit, accompagnant quelque feu d'artifice, se déployant dans le ciel, au-dessus d'un jardin de prose à la française. Si un de mes avatars explose dans mes mains, je serai tout étonné de mourir. (...) Mais le vrai courage, c'est d'assumer le contre-choc du changement d'avatars. Ce dont la jeunesse a besoin, c'est de se reconquérir en célébrant son désastre : s'éclater, se défoncer, être un univers en expansion, ne serait-ce que pour atteindre ses propres limites. »

(Bréviaire pour une jeunesse déracinée)

« La vraie guerre française, ce n'est pas entre la droite et la gauche, mais la guerre des vieux contre les jeunes. »

(Le Mauvais esprit)

---

(1) Un discours qu'il reprendra lors de l'émission de télévision « Apostrophes », diffusée le 23 avril 1982 sur Antenne 2, en proclamant : « À la jeunesse, je lui donne mon âge mûr en otage. »

« La jeunesse ça n'existe pas : c'est un concept totalitaire ou commercial. Ce qui revient au même, des gardes rouges aux Hitlerjugend. Ou des marchands de jeans aux producteurs de cinéma, qui désormais font des films de plus en plus débiles pour ramasser le public de moins de douze ans. Ce sont toujours les idéaux les plus pourris des adultes qui mettent en avant les jeunes. Les fascismes de gauche ou de droite. Ou l'argent. L'un ne veut qu'enrégimenter idéologiquement, et l'autre commercialement. L'un pense en termes de masse, l'autre de marché. Ce sont des toucheurs de peuple, qui spéculent sur la viande, et se foutent des âmes. Pour les uns comme pour les autres, il n'y a que des clients potentiels. Le monde moderne, une grande surface. Une Sibérie en rose, tout le monde il est sympa. »

(Carnets impudiques)

« Cinquante ans, plus un. Je suis dans la plénitude de l'âge, du talent, de la séduction et du sexe... (...) J'ai conservé cette jeunesse aussi parce que je fume comme un sapeur, que je bois comme un trou, qu'il m'arrive de me défoncer sauvagement, tous les jours une fête que la vie est, et que je m'interdis le moindre sport – à part le sport de lit – et qu'enfin et surtout, malgré mes échecs innombrables, je ne suis pas aigri, je vais au fond pour mieux rebondir, j'ai toujours envie de tout, je sais m'enthousiasmer. »

(Carnets impudiques)

Journalisme

« ... en s'appuyant d'abord sur la sous-culture universitaire, et les professeurs – eux aussi en crise –, le journalisme a pris un pouvoir exorbitant, sans proportion avec ses capacités, en ne visant plus que les satisfactions utilitaires numériques des classes moyennes (...). Ces professeurs se sont moins servis eux-mêmes (...) qu'ils n'ont été les collaborateurs de l'invasion d'un pouvoir d'autant plus redoutable qu'il détient quasiment le monopole de la parole : celui qui relève du façonnement industriel des esprits. »

(Un barbare en Asie du Sud-Est)

« ... au nombre de mes innombrables défauts, j'ai une redoutable suite dans les idées. Je ne sais quelle encoche je laisserai dans l'arbre de la postérité, mais j'ai au moins un point commun avec certains des plus grands esprits, Kierkegaard, Nietzsche, Balzac – celui de la *Monographie de la presse parisienne* –, Dostoïevski, Soljenitsyne – celui du Nobel : l'attaque forcenée, intempestive, incongrue et permanente des journalistes – ... ces journaleux sans nez, ces cochons sans groin pour farfouiller sous les racines et déterrer les truffes de la vie. Leur simple menu. Des pommes de terre pour les pigistes, des épluchures pour les lecteurs. »

(Un barbare en Asie du Sud-Est)

« Si je m'en donnais la peine, je deviendrais même le meilleur journaliste français. »

(Un barbare en Asie du Sud-Est)

« Je ne suis pas un journaliste qui veut se monter du col en prétendant faire de la littérature mais un écrivain qui essaie de rendre son prestige perdu à une profession beaucoup plus menacée qu'il n'y paraît, le journalisme. N'oublions pas que Chateaubriand, Aragon, Saint-Exupéry, Kessel, Malraux, Vailland ou Sartre furent les plus grands de tous les journalistes. Ils avaient une dimension en plus, celle du style, et un regard original qui est aussi celui que je porte sur Cuba. »

(dans un entretien accordé à *L'Humanité,* publié le 1er octobre 1990)

« Le drame du journalisme, c'est toujours la même chose, c'est le révisionnisme ou c'est le réductionnisme. »

(au cours de l'émission « Lunettes noires pour nuits blanches », diffusée sur la chaîne de télévision Antenne 2, le 7 janvier 1989)

« Quand Jean Valjean vole un pain, on lui donne la première page de *France-Soir,* quand il est réhabilité, il n'a même pas deux lignes. »

(au cours de l'émission « Lunettes noires pour nuits blanches », diffusée sur Antenne 2, le 7 janvier 1989)

Justice

« Demain, mes enfants, nous vous jugerons électroniquement, devant les carrelages nus d'une clinique de rééducation ! »

(Chagrin d'amour)

« Justice : le même mot pour désigner une vertu et une administration.

La justice est un état d'âme, un sentiment, un parfum. »

(Carnets impudiques)

Ken Club (1)

« Dimanche au Ken Club : mens *insana* in corpore *sauna*. »

(Carnets impudiques)

---

(1) Salle de sport parisienne située entre le Trocadéro et la Maison de la radio, qui se présente comme un « espace consacré à la remise en forme, à la détente et au bien-être ».

La Boissière (ou Boixière) [1]

« La Boixière… le plus grand de tous mes navires, avec sa proue de granit reposant dans un océan d'herbes ! »

(La Cause des peuples)

Langue française

« À l'Europe-Express, je mène grand train de ma vie inguérissable. La langue française est mon allure. Ma syntaxe est ma locomotive sur les rails. Mes subordonnées, ce sont mes wagons. Cette langue est ce qui me constitue : mon verbe qui s'est fait chair. »

(Bréviaire pour une jeunesse déracinée)

La Rochelle

« L'être, c'est Cejtlin, le néant, c'est la province. Néant, La Rochelle. Néant, ce cul-de-sac, ce port de la désespérance pour un vieux-jeune homme qui n'a pas voulu monter à Paris pour réussir. »

(dans la préface du roman intitulé *Je rêve petit-bourgeois,* de Michel Cejtlin, paru en 1979 aux Nouvelles Éditions Oswald)

Le Luron (Thierry, 1952-1986)

« Notre Fanfanfaron-la-Tulipe. »

(Carnets impudiques)

---

(1) Les deux orthographes sont admises.

Lettre

« Le courrier fonctionnait-il mieux du temps des malles-poste qu'à celui du télex et des télécommunications ? Une lettre, c'est la *transcendance timbrée :* elle permet de voir venir de loin. »

(Bréviaire pour une jeunesse déracinée)

Lévy (Bernard-Henri)

« … nos ambitions sont radicalement opposées. Pour tout universitaire sérieux, sa philosophie est celle d'un *minus habens.* Ne nous y trompons pas : *c'est un choix.* Son cynisme est *commerçant,* le mien est *esthétique.* C'est un voyou qui, comme tous les voyous, est totalement dépourvu d'humour, et défend *la morale,* et moi je reste un incorrigible *moraliste* (au sens du XVIIIe) prônant l'immoralisme et la beauté des voyoucraties. Il se fiche de la postérité, il veut gagner tout et tout de suite ; je ne serais rien sans ce rêve d'immortalité. En un sens, il manque d'ambition. Enfin, je suis un artiste, et lui ne peut l'être. »

(Carnets impudiques)

Libéral

« – On va passer chez Adam… Dis-moi, tu connais chez Adam ?

– Je suis un libéral… Je vais plutôt chez Ève. »

(dialogue avec Thierry Ardisson dans l'émission « Paris Dernière », diffusée sur Paris Première, le 3 février 1996)

Liberté

« Le parti pris de la vie, c'est d'échapper du dedans à ce qui vous contraint du dehors : la liberté se réinvente dans l'accoutumance. »

(Bréviaire pour une jeunesse déracinée)

« L'imprimerie de la Liberté, c'est nous. »

(dans l'éditorial du « livre-journal » *L'Idiot international* qui publia en 1989 la traduction du texte intégral des *Versets sataniques* de Salman Rushdie, alors que l'éditeur Christian Bourgois avait annoncé sa décision de « surseoir » à la parution, sans indication de délai, et que plusieurs autres éditeurs avaient également renoncé)

Linguistique

« La linguistique ne m'intéresse pas, sinon en grossiste des mots. Elle s'attache à la pierre plutôt qu'à la statue, au langage plutôt qu'au style. »

(Carnets impudiques)

Littérature

« J'ai deux ou trois petites choses à dire en littérature. Je les ai toujours répétées de mille manières différentes. Trois choses, c'est déjà énorme pour un artiste. Il y en a déjà deux de trop. Une seule subsiste à la fin, la quête de la beauté. »

(Les Français)

« La littérature est ce qu'il y a de plus beau au monde, surtout la littérature française. »

(Le Mauvais esprit)

Madame Claude (Fernande Grudet, dite, 1923-2015)

« Il faudrait la nommer secrétaire d'État à la condition féminine. Voici enfin quelqu'un qui s'est penché sur l'emploi. À soixante-dix ans, Madame Claude est une légende vivante. Ses filles célèbres, plus proches des demoiselles de Rochefort que des demoiselles d'Avignon, ont presque toutes réussi dans la vie. (...) Comme s'écriait Flaubert : "Notre siècle est un siècle de putains, et ce qu'il y a de moins prostitué, jusqu'à présent, ce sont les prostituées." Chacun sait qu'il n'y a que deux types de femmes, la maman et la putain. Avec Madame Claude, la meilleure éducation possible pour les enfants – depuis Madame de Maintenon qui faisait de filles sans instruction des femmes bien élevées –, c'est d'être un "fils de pute". D'autant que la formation qu'elle donne à ses demoiselles a au moins le mérite des travaux pratiques dans la vie réelle. Cela vaut bien les Oiseaux, la Tour, et Sainte-Marie de Neuilly. Son pensionnat des jambes en l'air, c'est au fond l'héritage de la grande tradition du libertinage du XVIIIe siècle. »

(Le Refus ou la Leçon des ténèbres)

« C'est une sainte, mais c'est aussi une diablesse. C'est la Jeanne d'Arc de la haute prostitution, mais aussi la Thénardier de la Jet-Set. C'est le double visage de la salope et de la victime. »

(Le Refus ou la Leçon des ténèbres)

Madonna (Madonna Louise Ciccone, dite)

« Une Line Renaud qui se serait fait faire un lifting. »

(Carnets impudiques)

Mai 68

« Ce mot d'ordre que j'inventai au tableau noir du grand amphithéâtre Richelieu, à la Sorbonne, en mai 68 : Sous les pavés la plage [(1)]. »

(Bréviaire pour une jeunesse déracinée)

(1) Au cours de l'émission « Apostrophes » diffusée sur la chaîne de télévision Antenne 2, le 23 avril 1982, Hallier a précisé qu'un poète du XIXe siècle, Xavier Forneret (1809-1884), était l'auteur initial de cette alliance de mots.

« 11 mai 1968 – Avec quelle femme ai-je couché la nuit des barricades ? La révolution... »

(Chaque matin qui se lève est une leçon de courage)

Mao Tsé-toung (1893-1976)

« ... nous ne sommes pas tous des petits maos même si, jadis, nous nous plaisions à usurper le titre. Mao Tsé-toung n'est que le La Palisse de l'Orient rouge : il nous rappelle abruptement des évidences oubliées, et d'abord qu'il n'est de méditation que piétonnière. Qui n'a jamais traversé de désert, ne sait rien. »

(Chagrin d'amour)

Marx (Karl, 1818-1883)

« Quant à Marx lui-même, en 1866, adossé à la même tâche d'horrible travailleur, il livrait, un siècle avant Guevara : "Dans les derniers jours, temps abominables, viendront des hommes sensuels." Et j'ajoute : ce sont les poinçons des matrices du réel. »

(Chagrin d'amour)

Matzneff (Gabriel)

« Survivant miraculeux – et miraculeusement préservé, sorte de Dorian Gray à peine vieillissant de nos belles-lettres – Matzneff est un écrivain. Rien qu'un écrivain ? Qu'attendre de plus d'un homme dont les mots sont la raison d'être ? »

(Carnets impudiques)

Mauriac (François, 1885-1970)

« Je ne vois pas de différence notable entre les potins de la commère, dans une presse dont les sensations s'épuisent de plus en plus, et l'œuvre de François Mauriac. Ils sont tressés dans le même osier dont on fait les vieilles corbeilles. »

(La Cause des peuples)

Méchanceté

« Il faut une vraie générosité pour être méchant, ce dont l'homme mesquin, en sa rétention, est incapable. Ses ressentiments fermentent au lieu de s'évacuer, comme des résidus alimentaires dans un côlon envahi par les toxiques. En plus la méchanceté décape, elle met au jour les petites vérités cachées, tapies dans l'ombre. Témoigner de la vérité – même petite – doit se pratiquer comme une offense, et le pardon comme une gifle. »

(Bréviaire pour une jeunesse déracinée)

Mère

« Ma mère est morte, c'est la fin du monde. Rien ne sera jamais plus comme avant. »

(incipit de *L'Évangile du fou*)

Miller (Henry, 1891-1980)

« Miller aura été le lointain porte-parole d'un avenir cuit et recuit. Il était fait pour l'Inquisition : on ne l'a pas brûlé. S'il était le Galilée des mœurs affranchies, la Jeanne d'Arc des Jules, le Maldoror des sous-préfectures, sa victoire, il l'a eue de son vivant. Son bûcher, ce n'est qu'une crucifixion en rose. Bien sûr, il a écrit quelques beaux livres, en vrai poète, avec des fulgurances. Mais vivace, la seule part de son héritage encore transmissible reste la haine de l'Amérique. Dear Henry, on ne défend jamais si bien l'Amérique qu'en la vomissant. Reste ce dégluti, l'œuvre d'art... »

(Carnets impudiques)

Miroir

« J'ai de l'humour, de la conversation, je chausse du 46. Je me contrefiche des attaques dont je suis l'objet. Je m'emploie à tuer les modes jeunes, je contrains les miroirs à me répondre du tac au tac sans réfléchir. »

(Carnets impudiques)

Mitterrand (François, 1916-1996)

« ... un ectoplasme de la chirurgie esthétique et publicitaire. C'est comme Rainier de Monaco : c'est rien dans un pays où il ne se passe rien. Et s'il se passait quelque chose, on découvrirait qu'il est très mauvais. Nous sommes obligés de rattraper le Mitterrand absent de l'histoire de France par l'ortolan. Pour faire oublier qu'il n'a rien fait. Donc on lui fout de l'ortolan partout ! On nous balance qu'il a fait une effraction en mangeant ce plat, pour faire oublier qu'il a fait des choses bien plus graves ! Des transgressions lamentables ont été commises par François Mitterrand sur le plan de la corruption, des droits civiques, etc. C'est un président gâteux qui s'est étalé dans les vomissures d'un pays complètement décadent ! Il a tout permis, oui ! Finalement, il a même permis que je m'enrichisse. Il m'a beaucoup enrichi. Je suis un des héritiers de Mitterrand ! Il a été mon jukebox. J'ai touché le jackpot avec Mitterrand. »

(propos recueillis trois jours avant la mort d'Hallier par David Alexandre et parus dans le mensuel *La Une,* en février 1997)

« Voilà le livre de Mitterrand... Nous allons le noyer dans l'eau de son régime, l'eau de Vichy, pour en terminer, pour exorciser, cela fait beaucoup de bien pour les hépatites de la mémoire, pour nos foies malades... »

(au cours d'une émission du « Jean-Edern's club », diffusée le 16 octobre 1994 – et/ou en 1996 ? – sur Paris Première)

« J'ai touché de l'argent de François Mitterrand pour faire la campagne contre Giscard. C'était rien, c'était pour payer la pub... Il devait y avoir 60 000 francs. C'était payé en espèces évidemment... En liquide, très liquide même, ça glissait sous les manches... C'est la secrétaire de Mitterrand, je me souviens, qui me l'avait donné. C'est la plus grande infamie de ma vie. »

(au cours de l'émission « Double Jeu », animée par Thierry Ardisson et diffusée sur Antenne 2, le 12 octobre 1991)

« Il (François Mitterrand) parle de plus en plus mal. Il fréquente trop Attali [(1)]. »

(Le Mauvais esprit)

Modes

« Parce que l'esprit est asphyxié par l'époque, tout entier occupé par les modes qu'il lance, combat ou subit, qu'il suffoque d'actualité, de provisoire, et de vain, il calque absurdement sa conduite sur les modèles des époques précédentes et devient incapable de percevoir la véritable nouveauté. »

(Carnets impudiques)

Monarchie constitutionnelle

« Entre la république, l'empire, la monarchie, tu choisis quoi ?

– La monarchie constitutionnelle. Parce que cela permet d'avoir un roi sans pouvoir. Et un pouvoir qui ne parade pas. Alors vive la Reine d'Angleterre ! »

(dans un entretien avec Thierry Ardisson au cours de l'émission « Double jeu », diffusée sur Antenne 2, le 12 octobre 1991)

(1) Jacques Attali, né en 1943, ancien conseiller spécial de M. Mitterrand, de 1981 à 1991.

Monde *(Le)*

« *Le Monde* ne sera bientôt plus qu'un journal de correctifs et de démentis. »

(propos attribués)

Monde

« À force d'avoir voulu changer le monde, nous l'avons rendu méconnaissable. »

(Bréviaire pour une jeunesse déracinée)

Mort

« Tous mes morts sont debout dans mon cimetière, ils gesticulent, ils dansent, ils tiennent de longues conversations. Ici Londres, les morts vous parlent. (...) Il y a des ombres vides, comme il peut y avoir des ombres remplies de vie. C'est comme s'il n'y avait jamais eu de séparation. La mort ne leur fait pas de mal : *car ils sont la pleine mort, étant la pleine vie.* »

(Je rends heureux)

Mots

« J'écris, je pianote mes mots – je les dièse –, mes maux. »

(Carnets impudiques)

« Déjà la fin du mois. Pourtant je file sans relâche ma soie de mots. Mon cerveau, un métier à tisser enchanté. »

(*Carnets impudiques,* 31 mai 1986)

« Si on demande à quelqu'un de définir quelque chose, sa définition s'éloigne toujours des choses simples qu'il connaît parfaitement, elle se renforce dans une région inconnue, une région d'abstractions de plus en plus éloignées. Si vous lui demandez ce qu'est le rouge, il vous répondra que c'est une couleur. Si vous lui demandez ce qu'est une couleur, il répond que c'est une vibration ou une réfraction de la lumière, ou une division du spectre. Et si vous lui demandez ce qu'est une vibration, il répond que c'est une sorte d'énergie, ou bien quelque chose dans ce genre-là, ou dans une autre, de plus en plus vague, cotonneux, brouillé. Nous employons des mots dont nous ne connaissons pas le sens. *Rouge*, moi je vous le dis, c'est la cerise, le sang, et le rouge-gorge. Ça se croque, ça saigne et ça chante. Rouge comme un coucher de soleil de Monet. Il n'y en avait jamais eu avant. Ni de *jaune* avant Van Gogh, ni d'homme avant la parole... »

(Je rends heureux)

« Autant de risques avec ses mots qu'avec sa propre vie ! C'est ça le secret du génie. Il faut casser les émois clichés, nettoyer le langage convenu, secouer les tréfonds de soi-même, déchirer tous ses vêtements pour se jeter à l'eau et arriver, sans jamais avoir froid aux yeux, à cette nudité insoutenable qui s'appelle poésie. »

(Je rends heureux)

Nourissier (François, 1927-2011)

« Une Sagan barbue. »

(Carnets impudiques)

Nucléaire

« Le nucléaire a inventé la totalité tragique : quand tout est tragique, plus rien ne l'est. »

(Carnets impudiques)

Objectivité

« L'objectivité n'est pas juste, la justice n'est pas objective.

L'objectivité est un *rêve totalitaire* qui, feignant d'intégrer le pour et le contre, interdit tout autre point de vue. »

(Carnets impudiques)

Opportunisme

« Le véritable opportunisme de l'esprit, c'est : la fidélité. Après mille détours, il finit toujours par vous rejoindre. »

(Bréviaire pour une jeunesse déracinée)

Pacadis (Alain, 1949-1986)

« Alain Pacadis – chroniqueur mondain de *Libération* – est mort étranglé par son amant pendant mon voyage en Amérique du Sud : il voulait tous les soirs qu'on le tue, ça devait arriver… Fabienne arriva à l'incinération avec la bouteille de champagne qu'elle venait, en attendant la cérémonie, de boire à moitié ; et voulut en verser le reste sur le réceptacle des cendres, en hommage suprême au viveur, au dandy qui brûla sa vie, le seul geste qui l'eût touché, qui rendait à César ce qui était à César, du champagne sur une vie champagnisée entièrement consacrée à la mousse des choses…

Quand notre veuve Clicquot commença à mettre son projet à exécution, les cent bras du conformisme moderne l'en empêchèrent, et on la mit à la porte du funérarium : elle, la seule à saluer Pacadis d'une manière un peu profonde – et qui le sauve de l'oubli par ma plume… »

(Carnets impudiques)

Pain

« Le seul drapeau infaillible : *celui du pain terrestre...* »

(Bréviaire pour une jeunesse déracinée)

Paris-Roubaix (course cycliste)

« Paris-Roubaix, comme cérémonie sadomasochiste, je n'ai jamais rien vu de mieux. »

(dans un commentaire pour le journal *L'Équipe*)

Pauvreté

« Je suis tout aussi consterné par le spectacle de la pauvreté matérielle des quatre cinquièmes de l'humanité que par l'indigence, l'intolérable pauvreté spirituelle des mots pour en rendre compte. »

(Bréviaire pour une jeunesse déracinée)

Paysage

« Comme chacun sait, le paysage est un état d'âme. L'odorat touche, les oreilles parlent et l'œil écoute : quand monte le jour, la côte se découvre avec ses maisons blanches, semblables à des notes de musique sur une portée – une mélodie d'un dénuement absolu, dont aucune note étrangère ne peut ternir la nudité de la douleur, celle de l'absence définitive de l'être aimé, le frère par l'esprit. »

(Je rends heureux)

Péguy (Charles, 1873-1914)

« Il faut redécouvrir Charles Péguy. Les œuvres viennent de loin, elles cheminent obscurément vers nous, elles sont pareilles aux comètes dans notre ciel intime, elles apparaissent ou disparaissent, selon qu'elles sont proches et nécessaires, ou non. Ainsi y a-t-il des périodes de *lisibilité* – après une interminable illisibilité nocturne. (...) C'est son image affadie, entre l'Angélus de Millet et les bondieuseries sulpiciennes, qui nous a été transmise par-delà la mort. Pourtant, sa figure récupérée, détournée – comme le fut aussi celle d'un Charles de Foucauld, extrémiste rimbaldien – est l'une des plus magnifiques du génie et de la violence de la pensée. Sa brutalité intellectuelle, il la paya très cher, ce pourfendeur des socialistes dont il avait été le compagnon – il n'est de pire ennemi que l'ancien ami –, ce prophète formidablement contemporain. »

(Carnets impudiques)

Pensée

« Les hommes ne pensent jamais. Où qu'ils soient, ils attrapent des tas de choses au passage, ils les captent et lorsqu'ils se mettent à croire qu'ils pensent, ou à écrire, elles se déversent, transformées, méconnaissables, véritablement hors de nous ; la tristesse nous étreint alors invinciblement en découvrant que nous ne sommes rien d'autre que la voix d'un déroulement que nous appelons l'histoire, une sorte de faits divers, mal agencés entre eux et des créatures baptisées par les époques, rien de plus ! »

(L'Enlèvement)

Philosophe

« Y a-t-il une place (...) pour Lacan, Barthes, Michel Foucault ou Sartre ? C'est fini, et c'est mieux ainsi. Ils sont pis que démodés, irrémédiablement, ils ne sont plus dans le coup. Ils nous ont terrorisés avec leur intellectualisme, mais personne n'en veut plus ; qu'ils reviennent au *travail sérieux*. Leur ère est bien close, et, plus tristement, celle des philosophes, sauf s'ils se mettent à *penser* le monde actuel, c'est-à-dire à inventer les paraboles verbales, ou les concepts idoines du monde technique. »

(Carnets impudiques)

Philosophie

« On ne philosophe plus, on commente. Bordels crados de la pensée : les *maisons gloses.* »

(Carnets impudiques)

Piaf (Édith Giovanna Gassion, dite Édith, 1915-1963)

« Édith Piaf, moineau de l'absolu. »

(Carnets impudiques)

Pinochet (Augusto, 1915-2006)

« Si Pinochet n'existait pas, il faudrait l'inventer. Il est évident que nous vivons d'idées reçues sur la dictature chilienne – et nous les recevons d'autant plus volontiers que nous avons inventé la soft-dictature, la dictature douce, mais irrémédiable – et qu'en ce sens l'Occident aura vraiment pourri le monde. »

(Carnets impudiques)

Police

« Que ce soit à Santa Cruz, ou à Paris, le grand art de la police reste toujours de faire semblant de ne pas voir ce qu'il ne faut pas. »

(Carnets impudiques)

Politique

« Parfois la littérature m'est utile pour mettre en scène des faits ou des analyses qui sont essentiellement politiques. Parfois, la politique doit s'écrire contre la langue de bois de certains théoriciens : les nouveaux matérialistes de la modernité seront aussi des poètes. »

(La Cause des peuples)

« Ne subsiste plus, au sens nietzschéen, qu'une politique réactive, au jour le jour, assortie d'un discours sécuritaire. Plus de lieu d'affrontement entre une volonté et un destin. Tout devient pure communication, désordre établi. »

(Carnets impudiques)

Postérité

« Postérité, je ne sais toujours pas très bien ce que ça veut dire. Rétention après la mort ? Constipation cadavérique de l'éternité ? La postérité retient. Que retiendra-t-elle des quelques années où je dirigeais la revue *(Tel Quel),* lui imprimant ma marque ? J'ai contribué à publier parmi les plus beaux textes de la langue française. La preuve : ils sont toujours lisibles, à la différence de ceux qui furent publiés après mon départ. Ainsi en est-il de l'humilité... »

(Je rends heureux)

« Le jugement de la postérité rend dérisoires les éloges des écrivains que nous mettons aujourd'hui au pinacle. »

(Carnets impudiques)

Potosí

« Potosí, capitale de l'or au XVIe siècle, qui paraît, à présent, déchirée par les griffes d'un monstrueux condor s'arrimant à la surface du temps. (...) Mais Potosí n'est plus qu'une ville morte. S'y rendre n'est qu'un pèlerinage aux origines. Au XVIIe siècle, Charles Quint prétendait qu'un pont d'or pourrait la relier à la capitale d'Espagne, où les lingots affluaient dans son palais. (...) Et notre épuisement était grand, en arrivant dans la ville du sommet des Andes, fondée en 1545 par Juan de Villaroel. Potosí est inaccessible, splendide. Ici, la légende veut qu'un Indien, Hualpa, attardé sur le Cerro, alluma, pour se réchauffer, une nuit, un feu d'herbes sèches et de crottes de lama. Il vit alors la pierre fondre et briller au clair de lune vif argent. Il raconta si bien son histoire que des milliers de gens se ruèrent dans les parages, s'entre-tuèrent, bâtirent la cité à qui Philippe II octroya le titre d'impériale. (...) Quant aux conquistadores, ils se débauchèrent et s'entre-tuèrent au point que Potosí, en 1974, est un écheveau de rues aux splendeurs baroques, de palais, d'églises, et de maisons aux murs bariolés, reconquis par les derniers descendants des Incas ou abandonnés à une bourgeoisie dégénérée et minoritaire. Déjà, en 1705, Bartolomé Martínez y Vela apostrophait : "Dis-moi, Potosí, ce qu'il est advenu de ta grandeur ancienne, de tes richesses, de tes divertissements ? Tout est fini, tout est peine et anxiété, tout est pleurs et soupirs. Est-ce possible, ville grandiose, que tes péchés aient causé une telle ruine ?"

Près de trois siècles plus tard, Potosí poursuivait sa course immobile hors du temps, sous le cône de terre rouge qui la domine et où habitaient et creusaient les mineurs, à la recherche des derniers filons d'argent de la montagne magique. »

(Chagrin d'amour)

Pound (Ezra, 1885-1972) [1]

« Je l'aimais comme un grand-oncle quaker d'Amérique, rude et silencieux. Il m'apprit la force d'être seul contre tous, renforça considérablement la seule idée politique que j'aie jamais eue, européenne, celle de défendre le pas de ma porte. La Venise qui s'engloutit est le symbole de cette Europe changée en musée, dont les habitants ont tout oublié du passé, comme s'il leur fallait se libérer d'un poids trop écrasant. »

(Carnets impudiques)

Pouvoir

« Les gens qui nous gouvernent, si on gratte un peu, ce sont des tartufes ; une bourgeoise avortée. »

(Le Mauvais esprit)

Prénom

« Je n'ai pas choisi mon prénom, c'est lui qui m'a choisi. Aeternus, éternel, telle est sa racine latine. Je me devais de vivre et d'aider les autres à vivre ce qu'il enseigne… »

(Carnets impudiques)

Prince (Prince Rogers Nelson, dit, 1958-2016)

« Castrat de nouvelle Papouasie. »

(Carnets impudiques)

Principe (de l'edernisme)

« Tant que vous êtes le plus faible ne vous réconciliez jamais. »

(Bréviaire pour une jeunesse déracinée)

(1) Avec Dominique de Roux et Michel-Claude Jalard, Hallier a collaboré à un ouvrage de la collection des « Cahiers de l'Herne » consacré à Ezra Pound et publié en 1965.

Progrès

« Le seul véritable progrès moderne, c'est celui de l'hygiène du corps et de la médecine. »

(Carnets impudiques)

Propriété littéraire

« Il faut voter au plus tôt au Parlement la suppression de la propriété littéraire. Il faut mettre fin à l'ignorance forcée des Français, interdits de visiter leur musée de la littérature vivante. (...) Il est parfaitement déraisonnable de mettre en balance les intérêts privés de trois ou quatre familles arrivées à la troisième génération, et l'avenir nécessaire du livre – si on veut faire briller la littérature française de ses derniers feux d'artifice dans la grande nuit de l'ignorance moderne. En revanche, il n'est pas question de déposséder les héritiers, qui ont tout à gagner à voir se multiplier, aussitôt après la mort des écrivains, les éditions de leur père, de leur mère ou de leur oncle, au lieu d'attendre soixante ans comme pour Proust. Vive le droit financier ! À bas le droit moral, parce qu'il ne saurait être question, pour eux, de se croire détenteurs de la pensée du créateur – ce qui nous mena jadis aux éditions falsifiées de la sœur de Nietzsche, ou empêcha, au théâtre, que Feydeau ou Rostand fussent joués autrement que de la manière la plus conventionnelle au Palais Royal.

Je ne propose pas une réforme du livre, mais une révolution culturelle. »

(Carnets impudiques)

Provisoire

« Je suis la goutte d'eau qui sent tout l'océan du provisoire. »

(Bréviaire pour une jeunesse déracinée)

Provocation

« … l'action la plus gratuite peut devenir la plus rentable. Moi je n'ai jamais cessé de danser dans l'entre-deux. Un pas égaré dans la provocation poétique. Un pas récupéré par le commerce qui récupère tout, jusqu'au mot de provocation, qui de par sa connotation péjorative est devenu le dernier mur médiatique du publicitaire. »

(Carnets impudiques)

Rassam (Jean-Pierre, 1941-1985)

« Le producteur fou, inspiré, qui déchira sa vie.

La veille de sa mort, je dînais avec lui. En me quittant il dit : *La vie est fatigante, j'ai bien envie d'aller filmer Dieu.* »

(Carnets impudiques)

Renaissance

« Quand les plus jeunes défendent l'ancien, c'est quelque chose comme une renaissance… Tous les mouvements de la pensée l'ont prouvé, et depuis toujours. »

(dans une interview effectuée par Alain Gillot-Pétré pour le journal télévisé d'Antenne 2 du 7 juin 1978, alors qu'il est candidat à l'Académie française)

Résistance

« Les uns font la Guerre sainte, les autres une sacrée guerre, une foutue grande chamanie des cours de récréation. Les enfants aussi ont leur Dieu guerrier : un Dieu de la castagnette, Dieu œil-au-beurre-noir, que je retrouvai dans la montagne du Liban en 1981, alors que j'étais invité par les phalangistes.

Nous étions dans la neige face aux lignes syriennes. C'était sur un piton rocheux. Les tanks étaient garés dans le cloître d'un monastère dont la chapelle était dédiée à un certain Saint-Siméon, roi des voleurs ; là nous assistâmes à la messe chantée en araméen – la langue du Christ – par les soldats en treillis, la nuque rasée. Ils savaient qu'ils allaient mourir. Leurs voix montaient et descendaient les octaves de l'infini. C'était poignant et fort – et bien que ma sympathie allât encore aux Palestiniens, ma conviction était emportée par la foi de ces desperados de l'Occident chrétien. Soudain, mes narines s'emplirent du plus âcre des fumets, la coke de ce Dieu-là : un mélange d'encens et de poudre à la fois.

J'eus le vertige, et ce puissant vertige me reprend quand me revient cette vision : ce Dieu-là, ce Dieu guerrier, s'appelle *résistance*.

C'est *l'esprit de résistance* qu'ont perdu les Européens. Il y a un autre mot pour le désigner : *mémoire.* »

(Carnets impudiques)

Rêve

« Le rêve, c'est le déchet des choses d'ici-bas. Le rêve, c'est la poubelle de l'esprit. »

(Je rends heureux)

« Un grand artiste ne rêve jamais – ou si cela lui arrive, ce n'est qu'un procédé technique, un contrechamp calculé, une ruse. »

(Je rends heureux)

Revenants

« On croit que je suis ici, je suis déjà plus loin. Nous sommes tous des revenants, toujours ailleurs et ne pouvant être perçus par les autres qu'à l'état de spectres. »

(Carnets impudiques)

Révolutionnaire

« ... oui, je crois savoir ce qu'est un révolutionnaire. Nouveau matérialiste de la modernité, formidable vivant, il peut être tout et se changer en n'importe quoi, en caillou, en pou, en hibou, en genou. Il n'est pas le bois, mais le fer, la lance. Mais s'il doit être aussi de bois, qu'il soit bien humide, pour corroder la pointe qui se tourne contre le peuple. Le bourgeois est incapable de ces métamorphoses fulgurantes : tout juste peut-il changer de couleur. Les jungles du capitalisme sauvage sont remplies de ces bizarres caméléons qui n'ont qu'une seule chance de prospérer : la dissimulation. »

(Chagrin d'amour)

« Être un révolutionnaire, ce n'est pas profiter de la révolution pour prendre ensuite le pouvoir et pour devenir un bourgeois comme les autres. Être un révolutionnaire, c'est une question de tempérament. Quand on est un révolutionnaire, on l'est de la naissance à la mort. Parce que la révolution et la poésie, c'est la même chose. »

(au cours de l'émission « Double Jeu », diffusée sur Antenne 2, le 12 octobre 1991)

Rimbaud (Arthur, 1854-1891)

« Que fit Rimbaud, quand il parcourut les déserts d'Abyssinie ? Se mesurer aux ombres bleues des derviches tourneurs sur les blancs murs des gourbis des oasis ? Non. Il partit chercher l'équivalent matérialiste et révolutionnaire de sa poésie, s'enrichir, à savoir traduire l'alchimie infernale des mots en économie. »

(Chagrin d'amour)

Roman

« Je vis mes romans, je romance ma vie.

Il m'est arrivé de déplorer si fort mon absence d'imagination que j'en ai été réduit à faire de ma vie un laboratoire à hauts risques. Comme Pasteur, je me suis inoculé la rage. »

(Carnets impudiques)

Roux (Dominique de, 1935-1977)

« Dominique de Roux mettait sur son passeport : "profession, honnête homme". »

Il était arrêté et fouillé à chaque frontière. Moi, je devrais inscrire "Dandy de grands chemins". Pour voir... [1] »

(Carnets impudiques)

Russie

« Les Russes ne connaissent pas leur bonheur d'avoir une télévision exécrable : ils ne la regardent pas. Ça leur permet de lire, d'aller à l'Opéra, de se cultiver, d'avoir la nomenklatura la plus brillante de la planète. »

(Carnets impudiques)

(1) Dans *Le Mauvais esprit,* Hallier fait également cette confidence à Jean Dutourd : « Moi, je mettais sur mon passeport "honnête homme", ce qui me valait d'être arrêté infailliblement aux frontières par les douaniers, ça leur paraissait suspect. »

« J'entends déjà les bruits de bottes des armées de l'Est, avançant au rythme de la Moldava, de Soljenitsyne et de Zinoviev. Des Polonais aux Hongrois, tous les peuples de l'autre côté du rideau de fer n'ont qu'une espérance. Pas celle d'être libérés, ils n'y croient plus ; celle de nous faire partager leur triste sort. Exauçons-les, nous leur devons bien cette satisfaction. Faute de reconquête, votons l'extension de nos misères ! Agrandissons les captivités à la mesure d'une Russie dont le génie de garde-chiourme aura été de mettre un peuple entier, le sien, sous les verrous, tout en bâtissant de sombres dépendances périphériques à son blanc pénitencier. Où s'arrêteront les Russes, quand ils marcheront à l'Ouest ? Certes, il y a des miracles auxquels on n'ose plus croire. De ces moments, quasi surnaturels, de silence et d'immobilité, où l'histoire paraît s'être suspendue. (...) Les flots de la mer vont loin, mais quelque chose les arrête. L'Antiquité savait que Dieu est ce qui assigne une limite. »

(Bréviaire pour une jeunesse déracinée)

« Si les Russes contrôlaient le Sahara, ils rationneraient les grains de sable. »

(propos attribués)

Sahara

« Ce qu'on peut faire de mieux avec l'infini, le Sahara ! Face au paysage, on peut crier comme Christophe Colomb : "Terra ! Terra ! Terra !" »

(Carnets impudiques)

Sécurité

« On nous rebat les oreilles avec la sécurité. Le pouvoir quel qu'il soit ne cherche au fond qu'une chose : trouver le moyen de mettre le peuple en sécurité. C'est-à-dire le séquestrer. »

(Le Mauvais esprit)

Seuil (Éditions du)

« Ainsi naquit la célèbre revue *Tel Quel* – que dis-je le lycée *Tel Quel* (…). Aux éditions du Seuil – grand pensionnat honteux, pisse-froid, pisse-vinaigre, touche-pipi, mauvaise conscience, célèbre organe du parti gris, celui des curés défroqués. Bref, nous passâmes sous la houlette du bas clergé de l'intelligentsia – tout en prétendant gagner notre rêveuse autonomie. »

(Je rends heureux)

Sexe

« La gauche a trouvé son nouveau cheval de bataille, la défense du cul industriel. En quoi le trafic de chair fraîche est-il progressiste ? Réveille-toi Jaurès, ils sont devenus fous ! (…) La véritable atteinte aux libertés, pour nos belles âmes, c'est qu'on puisse faire le moindre tort aux marchands de misère sexuelle. Risquer sous peu de n'avoir plus le droit d'avilir la femme indigne les défenseurs des *doigts* de l'homme. »

(Carnets impudiques)

« Quant aux Français, un dépliant les désigne comme le peuple le plus illogique qui soit. Par exemple, ils ont la manie de donner un sexe à tout : la chaussette est féminine, et le foulard masculin. Qui baise qui, du briquet et de la chaussure ? Quant au sexe, il est toujours mâle, même quand il y a tellement de jolies filles, aguicheuses et souriantes, déambulant sur les trottoirs, presque vides.

– Méfiez-vous, les plus belles sont des travestis.

– Comment, des hommes ?

– Vous voulez bien, elle n'est pas si illogique que ça notre langue. Car le sexe, elle le détecte même sous les jupes. »

(Un barbare en Asie du Sud-Est)

Silence

« Le silence des espaces infinis, à la différence de Pascal, ne m'effraie pas. »

(au cours de l'émission « Double Jeu », diffusée sur Antenne 2, le 12 octobre 1991)

Snobisme

« Le snobisme n'est autre que l'illusion imposée à grands frais que seuls quelques-uns possèdent le visage contradictoire de l'inaccessible et de l'universel. »

(La Cause des peuples)

Socialiste

« Toujours le socialiste met une condition à sa pitié : qu'elle soit inutile. »

(Bréviaire pour une jeunesse déracinée)

Société

« Puissent un jour les pages que j'écrirai servir à la connaissance du dedans d'une société qui nous est presque entièrement dissimulée. »

(Carnets impudiques)

Sollers (Philippe)

« *Tel Quel* a été mon luxe, pas ma carrière. (...) Par-dessus tout, j'ai voulu être un infatigable veilleur de vocations – un pontifex, un pont entre les générations. (...) Sollers a suivi une autre voie. Quand il prit la direction de la revue, il la transforma aussitôt en un instrument à sa dévotion. Il sut se glisser, s'insinuer dedans, phagocyter, ou faire croire qu'il appartenait aux grands mouvements idéologiques de l'époque. Il ne cessa de les poursuivre comme un voyageur en retard court après les trains. Quand il parvint enfin à sauter dans le dernier wagon, il se permettait même d'engueuler le contrôleur de ne pas l'avoir attendu, se manifestant par son sectarisme, cette pathétique affectation à l'intransigeance de ceux qui sont à la traîne. Il ne lança jamais une mode, mais il a couru après toutes, structuralisme, maoïsme, formalisme, papisme, freudisme, linguitisme, sémitisme, psychanalysme, érotisme, américanisme. Dès qu'elles se terminaient par un *isme*, il se précipitait sur elles. À part le bouddhisme – et encore ! – il a fait le fil de fériste de tous les *ismes*. Pour finir par trouver enfin le sollersisme, la grande pensée universelle, celle qui vaincra toutes les autres, l'absolue, l'imbattable pensée des pensées, celle vers quoi aboutissent tous les pèlerinages, la Mecque plus ultra : le suivisme. N'est pas suiviste qui veut, il faut savoir suivre – et surtout ne pas avoir de suite dans les idées. »

(Je rends heureux)

« Je n'ai jamais cessé d'éprouver pour Sollers une immense amitié désolée, tout en considérant ses mesquineries comme des accidents sans conséquences. Ma tendresse pour lui est insondable quand je le revois tout occupé à des intrigues minuscules entre les moquettes de son petit bureau et le cuir des fauteuils du Pont-Royal, où il feint de trôner en arbitre retardataire des modes. »

(Je rends heureux)

« (Sollers) contracta une mononucléose qui le fatigua énormément, mais surtout le changea à jamais. Il avait eu quelque génie, il l'avait perdu. Son carburant devint la jalousie métaphysique. Certes, il pouvait paraître pétillant, mais ce n'était que du mousseux ! Pour qui le connaissait bien comme moi, il était devenu méconnaissable – et je suis sûr qu'une maladie organique peut modifier de fond en comble la physiologie de l'esprit, en détruisant les mystérieuses cellules de la création, ne laissant subsister que les automatismes et les ficelles. Sollers ne s'est jamais relevé de sa mononucléose, cette jaunisse de l'âme. C'est là son drame, qui éclaire du dedans son aventure intellectuelle. »

(Je rends heureux)

Sulitzer (Paul-Loup)

« Sulitzer, je m'en fous. Il m'a toujours témoigné une vive admiration. J'aurais même tendance à le considérer comme sympathique. Heureusement d'ailleurs, sinon que lui resterait-il... »

(Carnets impudiques)

Tapie (Bernard, 1943-2021)

« Un petit voyou qui est arrivé au-delà de son niveau d'incompétence... L'immondice de ce personnage a quelque chose d'hallucinant. »

(dans une émission de télévision produite par Thierry Ardisson, diffusée sur la chaîne Antenne 2, le 25 mars 1989)

Télévision

« Nos machines à laver se portent bien, celle qui lave le linge et celle qui se charge du lavage de cerveau de la population, la télévision. Désormais plus rien n'arrêtera notre désertification culturelle, notre bétonnage du sens. Le P.A.F. (procédé d'abrutissement français), c'est le Sahel de l'intelligence. Pas étonnant dans ces conditions que le *nec plus ultra* du raffinement soit d'avoir aujourd'hui chez soi la plus belle télévision éteinte. Il serait temps. »

(Carnets impudiques)

« Quelle merveille de voir un vendeur d'abri-bus s'exprimer à la télévision, soudain devenu l'égal de Platon ou d'Aristote ! Ou un marchand de petits pois disserter d'infini ! Ou un mal aimé familial, un mauvais père, un complexé arriviste et qui plus est un escroc passible des tribunaux, c'est-à-dire un homme politique, donner des leçons de morale ! On en meurt de rire. »

(dans la préface du livre intitulé *Les Icônes de l'instant*, de Patrick Bachellerie)

Tel Quel

« J'étais autocrate au point de me renverser moi-même [1]. »

(*Le Figaro littéraire*, 16 mars 1963)

Temps

« ... à trente-sept ans, la vie devient soudain trop courte : on est mort depuis longtemps, ou bien l'on va mourir sous peu. La marge est incalculable. Il faut faire trembler le temps qui reste, en épuiser tout le possible, puisque la mort, cette inconnue, cette redoutée, surgit au-dedans : désormais, je suis pressé. Tous mes gestes sont marqués par une hâte lente, une fébrilité insignifiante et terrible de n'avoir rien fait de ma vie. »

(Chagrin d'amour)

(1) Propos tenus après avoir été accusé par Philippe Sollers de se conduire en « autocrate intellectuel, en despote littéraire, en Staline du papier » et avoir donné sa démission du comité de rédaction de la revue *Tel Quel.*

Tolérance

« La tolérance n'est plus aujourd'hui que mot d'ordre de l'impitoyable guerre de religion que mèneront les marchands du temple contre tout ce qui est sacré. »

(La Force d'âme)

Typhon

« Les sirènes hurlent, les gens courent, tête baissée, s'engouffrent dans les abris, les passages souterrains. Kriegsspiel aérienne ? Nouveau Pearl Harbour en mer de Chine ? Alerte atomique ? Non, c'est le vent qui vient de déclarer la guerre à la terre. Ce vent s'appelle : typhon. »

(Un barbare en Asie du Sud-Est)

Université

« L'université a perdu son rôle contre le pouvoir. Deux cultures se sont mises à coexister, l'une bâillonnée, ou vieillie, sclérosée, et l'autre triomphante, obscène, celle du showbiz. C'est l'irruption du laid, de l'idiot, de l'innommable comme autant de valeurs par l'intermédiaire de la déesse communication – qui est le contraire du dialogue.

D'un côté, l'université s'est disqualifiée au sens étymologique : elle n'était plus en mesure de donner la qualité de l'enseignement. On a craché sur le savoir et la culture vraie. On a déshonoré les professeurs ; et on les a laissés se déshonorer eux-mêmes. Les analphabètes ont voulu en faire des pédagogues de l'amnésie, et ils se sont prêtés au jeu.

On a cessé d'être cultivé pour devenir culturel. Jadis nous avions des maîtres, peut-être insupportables, tatillons, dépassés, qui enseignaient à la Sorbonne un admirable français du XVIIIe siècle. On les a remerciés, ou on les a laissés sans descendance. Ils étaient inutiles. L'argent n'adore que l'utile. Alors comment imposer une sélection au niveau des étudiants, quand c'est par les professeurs qu'il fallait commencer ?

De l'autre, le showbiz, ce Big Brother orwellien, a fabriqué ses propres maîtres à penser. Les médias n'ont reflété que leur perversion systématique des valeurs. »

(Carnets impudiques)

Utile

« Ainsi l'éducation, nouée à l'efficience, à la réinsertion industrielle, multiplie-t-elle les chômeurs de l'inutile, en les dessaisissant du savoir classique au nom de l'utile. Car si une foi, une passion, ou une idée risquaient d'être fauteuses de troubles apparents, de désordres nécessaires, autant les empêcher d'exister. Le génocide de l'intelligence française, par la déperdition de nos fondements éducatifs, n'est pas innocent. Il a la même stratégie, mais renversée, que développe la technologie de créer, *ex nihilo*, ses propres besoins : les rendre ici impensables. Oublier le latin n'est qu'un prétexte. Le dessein inavouable : multiplier les esclaves qui ne se rebelleront jamais, enchaînés au dur labeur de l'utile – *labor* en latin signifiant torture. »

(Bréviaire pour une jeunesse déracinée)

Valeurs

« Aveugles à blanc, nous sommes tous atteints du même glaucome. Le premier symptôme est une fois de plus la confusion des valeurs – confusion de la politique et du moralisme publié le plus niais, notamment. (...) Peu à peu, les meilleures causes sont devenues les plus mauvaises : la patrie, la religion et la révolution. Parce que ces valeurs, encore trop subversives par la rêverie, le décalage entre ce qu'elles paraissent être, et ce qu'on y mettait, chacune pour soi en son intimité frémissante éblouie, n'étaient plus assez moyennes pour *convenir à la tyrannie du plus grand nombre.* »

(Bréviaire pour une jeunesse déracinée)

« Nous sommes aujourd'hui sur la Une non plus dans le monde des valeurs, mais dans le monde du juste prix. Il n'y a plus de valeurs mais le prix des choses, plus de justice mais le juste prix. »

(au cours de l'émission « Lunettes noires pour nuits blanches », diffusée sur Antenne 2, le 7 janvier 1989)

Vérité

« Il faut remonter la vérité, ainsi qu'on remonte la nuit, jusqu'à l'aube. »

(Bréviaire pour une jeunesse déracinée)

« Mythomanes, vous qui tenez souvent les commandes du pouvoir au nom d'une vérité arrangée, sachez ceci : toute vérité historique, tant qu'elle demeurera la vision de quelques hommes et non la vision profonde, longue à se révéler, de courants anonymes, ne sera que mythomanie. »

(La Cause des peuples)

Vespa (marque de scooters de la société Piaggio)

« Quant à la firme Vespa, elle m'offre un véhicule pour me consoler, et ressort les mêmes publicités, des pages entières dans *Le Monde, Le Figaro* et *Libération,* en modifiant seulement la légende.

Au lieu du célèbre – *Je mettrai le mot Vespa dans le dictionnaire,* qu'on me faisait dire, c'est désormais – *Je n'ai pas eu le prix, mais j'ai ma Vespa.*

C'est l'éclat de rire général [1]. »

(*Carnets impudiques,* 19 novembre 1986)

Vie

« Il faut mener passionnément toutes les guerres perdues d'avance. Qu'avons-nous à y perdre ? Même détruits, amaigris, les yeux exorbités, au bout de notre calvaire de drogués, il faut aller jusqu'au bout de la défaite. Pas de demi-mesures ! Le grand jeu de la vie, c'est aussi le plus simplet, et le plus profond : qui perd gagne. Qui s'est entièrement dessaisi peut désormais se reprendre. »

(Bréviaire pour une jeunesse déracinée)

« Nous durons peu. Il n'y a que l'attente pour nous faire croire que la vie est longue. »

(Je rends heureux)

Wermus (Paul, 1946-2017)

« Quand on le rencontre dans un restaurant, il vous demande gentiment : "Ça biche, mon chou !" Même si on est de mauvaise humeur, et qu'on se roule au fond de soi-même comme un hérisson, on lui fait un pâle sourire. C'est que vous existez, parce qu'il va parler de vous. Ainsi d'innombrables Parisiens se persuadent-ils qu'ils incarnent la célébrité quand il se rappelle leur nom. Tel est Paul Wermus, ce bienfaiteur de l'humanité spectaculaire.

Je le connais et je l'aime. Il m'agace, mais il me chatouille délicieusement. Quand il ne me téléphone plus, j'en deviens malade

(1) Après son éviction du grand prix du roman décerné par l'Académie française, dont certains membres influents s'étaient offusqués qu'il ait, pour une publicité Vespa, posé en habit d'académicien.

comme les autres. Il est un signal de guérison. Il est une rumeur de printemps et de convalescence pour un déjeuner au premier étage du Fouquet's si vous acceptez de parler en même temps à une danseuse de strip-tease et à un astrophysicien. À moins que ça ne soit à un boxeur et à un curé défroqué. À sa table, la conversation théologique de monseigneur Gaillot et de Lova Moor a la profondeur abyssale du mariage d'un entre-seins de béton, et du marbre de la basilique Saint-Pierre. Wermus, ce prestidigitateur, peut sortir n'importe quel lapin du chapeau, et mettre au dessert un acrobate aérien et un jongleur de chiffres à la Bourse. Quand il vous parle, il insiste, il vous presse. Il veut tout savoir de vous. Même si c'est professionnel, il feint la curiosité passionnée d'autrui. En notre ère de narcissisme, au moins s'intéresse-t-il à l'autre. Si vous rencontrez quelqu'un, ce n'est pas pour qu'il vous parle de lui, mais de vous. Encore et toujours de vous. Pour qu'il déniche votre ego le plus profond ou du moins celui qui convient le mieux à votre vanité. Comme dans le cochon, chez Wermus, tout est bon. Bon fils, bon élève, bon mari, bon père, bon amant, et j'en suis sûr bon apôtre, bref bon à tout et jamais à ne rien faire, il a tout d'un bon professionnel, que dis-je un de ces petits grands qui font les autres du métier journalistique, et le plus grand de tous les petits, puisqu'il prétend n'être qu'un animateur ou un échotier. Il est à la fois modeste et mignon. Toujours bien habillé, aimable, accorte comme une soubrette d'antan, dandy comme un gentlemen normand, il est la réincarnation de Modeste Mignon, le personnage célèbre de la Comédie française, pas celle du Palais Royal, la nôtre. »

(dans la préface à *Petites blagues entre amis,* ouvrage de Paul Wermus paru chez First éditions, en novembre 1996, quelques semaines avant la mort d'Hallier)

Zèle

« J'eus à fuir le zèle des proches de Mitterrand que la perspective de mon pamphlet affolait. Je m'en doutais, mais je ne le savais pas. »

(Les Puissances du mal)

« C'est par ses paroles qu'on entre dans la pensée d'un autre. »
Proverbe du peuple Gâ au Ghana

« Je plonge ma tête dans la pensée d'autrui pour éviter la mienne. »
Jules Barbey d'Aurevilly (1808-1889), *Memoranda*

Morceaux choisis

« Cocteau, mon entraîneur au Vel' d'Hiv[1] »

« ... j'avais hâte de voler de mes propres ailes. En publiant des poèmes ? Non en m'envolant sur l'anneau magique de la rue Nélaton – la piste du Vel' d'Hiv. Un soir, nous avions assisté aux Six Jours, et comme il m'arrivait, en Bretagne, de participer en amateur aux courses de kermesses où ma pointe de vitesse faisait des ravages, Cocteau me dit :

– Tu es bien bâti, costaud, mon Edern. Pourquoi ne tenterais-tu pas ta chance ?

J'avais lu *Ouvert la nuit,* de Morand. La couleur des maillots des champions, aux fluorescences de mica, multicolores, entraînées dans des sarabandes infernales, soumises à de brusques accélérations, ralentissant inexplicablement – ceux qu'on appelait en ce temps-là les écureuils, pris dans la cage de lumière –, les sirènes annonçant le dernier tour, la prime, la liesse des populaires dans les gradins, l'odeur de sauciflards, de gros pinards, exerçaient sur moi une intense fascination. C'est ainsi que grâce à Cocteau je découvris la pédale – je veux dire, la Pédale Charentonnaise, nom du club où je m'inscrivis.

Parce qu'il ne cherchait pas à me draguer : du moins j'étais trop innocent pour imaginer ces choses-là. En revanche, ma nouvelle carrière l'enthousiasmait. Cocteau n'était donc ni un père spirituel, ni un ami – mais il allait devenir *mon entraîneur*. Trois fois par semaine, le matin, nous allions rue Nélaton : avec mon casque, mon maillot bleu et blanc, mon vélo ultraléger à pignon fixe, qu'il m'avait payé, je tournais en rond pendant des heures. Au bord de la piste, Cocteau dans sa cape noire, ses cheveux gris fous dressés électriquement sur la tête, sorte de Mandrake le Magicien, me chronométrant avec une grosse montre à gousset en or. Bientôt je fus prêt, je me lançai : je participai à ce qu'on appelait *la médaille*, l'épreuve de masse de sprint des jeunes – où il m'arriva même de battre en série un certain Rousseau, garçon boucher aux cuisses de jambonneau, d'une puissance herculéenne, qui fut champion du monde l'année d'après – et aux *Américaines* le dimanche, en ouverture des grandes réunions professionnelles l'après-midi – où couraient les grandes vedettes de l'époque, dont les noms sonnaient comme des victoires, Carrara, Stoffel Ben, Koblet, ou Hassenforder...

Avais-je de l'avenir ? Je n'en sais rien. Ma carrière fut de brève durée. Je gagnai quelques courses. En tout cas, je figurais honorablement en cette foire d'empoigne. On s'agrippait par le maillot, on se coupait, on s'envoyait des grandes bourrées de coude pour poser à tout prix : c'était la lutte pour la vie, s'arracher au travail à la chaîne à Billancourt et s'élever socialement à la force du jarret – le fils du peuple n'a que deux raccourcis possibles vers le haut, toujours par le corps jamais par l'esprit : ascension du piton ou du sportif. C'étaient de beaux ouvriers bougonneurs et hargneux, aux redoutables coups de reins. Des éphèbes prolo aux mollets luisants. Un après-midi, en plein virage incliné – ce qu'on appelait le dernier mur –, à pleine vitesse, juste avant l'ultime ligne droite, mon boyau éclata. Ange parmi les anges en plein envol, j'oubliai le réflexe professionnel, celui de me mettre immédiatement en équerre pour amortir la chute – selon les principes de cet admirable terme technique, la queue de l'ange.

Je m'étalai, glissant à plat ventre sur presque vingt mètres. Au Parc des Princes, ou à la Cipale, les pistes étaient en ciment : on se déchirait seulement la peau en tombant. Sur le plancher du Vel' d'Hiv, c'était bien plus grave : on se la brûlait. Cocteau vint me relever au bord de la piste, me passa des baumes sur le torse et me pansa dans les vestiaires. Je mis un temps fou à guérir, et quand je voulus recourir, j'étais devenu timoré, mon audace, mon inconscience m'avaient abandonné, j'avais cessé d'être un risque-tout absolu, condition sine qua non pour gagner. C'était la fin d'un champion, j'avais perdu la rage de vaincre – et probablement mes origines sociales m'avaient-elles condamné au dilettantisme ; alors je raccrochai. »

---

(1) Extrait de *Carnets impudiques,* paru en 1988 aux Éditions Michel Lafon.

« Molière, les pieds sur le guidon[1] »

« Des tapis, il y en avait plein d'autres dans le château. Des tapis pour s'essuyer les pieds, des tapis-brosses à dents, des carpettes pour les carpettes qui voudraient s'agenouiller devant nous, des peaux de bêtes, des tapis verts pour couper à trèfle, des tapis rouges pour accueillir les invités, des tapis volants immobilisés, des tapis persans percés, plus quelques vieux tapis d'Orient ramenés du Levant par des oncles coloniaux. Sans compter tous les autres tapis dont les motifs convenaient à nos jeux. Nous ne parlions plus jamais de *Tel Quel.* Nous avions des choses autrement plus importantes à faire : des empires à conquérir ou à conserver. Le monde était à nous. Sauf que ce n'était qu'une succession de tapis, sur lesquels nous avancions à quatre pattes, avec nos billes qui se changeaient successivement en armées, footballeurs, boxeurs, coureurs automobiles, ou équipes cyclistes selon les humeurs du jour. Nos vélocipédistes véloces à triple dérailleur ne s'appelaient ni Bobet, ni Robic, ni Van Looy, les noms des champions de l'époque. C'était le tandem infernal des sprinters français, Marivaux et Beaumarchais, assistés de Boileau, le porteur d'eau et de Rousseau qui abandonnait, le nez dans le ruisseau. Il y avait les redoutables Anglais, Dickens et Shakespeare, de l'équipe des joyeuses commères de Windsor. Les Russes qui se défonçaient, Dostoïevski, spécialiste des échappées solitaires et Pouchkine qui faisait le coup de feu, Molière, les pieds sur le guidon, faisait des pitreries dans le peloton, mais quand il y arrivait il était redoutable aux arrivées. Dante faisait la comédie et Proust perdait son temps à l'arrière du peloton. Voltaire s'envolait dans les Alpes et Corneille dans les Pyrénées. La Bruyère excellait dans le marais poitevin, Rimbaud dans les

Ardennes, Barbey d'Aurevilly dans le Cotentin et Zola sur les pavés du Nord. Nous jouions nos courses aux dés qui n'abolissaient jamais le hasard. En plus, nous avions le droit de tricher, pour soutenir nos favoris – le merveilleux Benjamin Constant pour Jean-René, déjà vainqueur de plusieurs Paris-Roubaix, à l'étincelante pointe de vitesse, et son Lord Byron, l'ange radieux, qui boitait en moulinant des cuisses avec une pédale plus longue que l'autre. Mon as à moi, entraîné par le deuxième Faust, c'était Goethe, l'Allemand de Weimar, toujours le plus fort au classement général – même sans gagner une seule étape. »

(1) Extrait de *Je rend heureux,* paru en 1992 aux Éditions Albin Michel. Hallier y raconte ses souvenirs de jeunesse avec Jean-René Huguenin dans le manoir familial de La Boissière, à Edern, en Bretagne.

« Du "non-monde" au "oui-monde" (1) »

« Je crois qu'il faudrait trouver aujourd'hui – parce que les mots sont les sentinelles de nos pensées, qu'il faut souvent inventer de nouveaux mots pour inventer de nouvelles pensées – je propose le "non-monde". » Après le tiers-monde, c'est le même monde qui est devenu aujourd'hui le non-monde.

Alors, que faire ?

Je ne pense pas que l'économique soit tout dans les batailles que nous menons. Je pense qu'en séparant l'économique, non pas du culturel mais de la civilisation, nous contribuons à l'uniformisation et à la mondialisation de ce que je me refuse d'appeler capitalisme, mais en tout cas de la société marchande. C'est-à-dire que le même McDonald se retrouvera demain au Congo, à Haïti, et partout, et que tous les pays du monde perdront complètement leur identité. Je crois qu'il y a une manière de lutter qui n'est pas seulement économique, qui est une manière de le dire au nom des civilisations (...). Et quand je parle d'enracinement, je veux dire qu'il faut pour se défendre de cette mondialisation, de cette désertification, de cette érosion incessante de ce que nous sommes, il faut aujourd'hui se souvenir de ce que nous fûmes. La bataille de la mémoire est une des plus importantes batailles qui soient. Car à ce moment-là tu défendras ta maison, ta porte, ta femme, tes enfants, ta famille, ton arbre, tes fleurs, ton église quelle qu'elle soit, ton propre soleil. Je suis Français. Je défends la France parce que je suis Français. Je ne sais pas si la France est la patrie de l'espérance et je ne sais pas si l'espérance a une patrie. Mais nous sommes tous en train de chercher, ici, et ailleurs, une espérance.

Mais la seule manière de lutter contre la mondialisation, c'est de se souvenir de ce que nous fûmes (...). Je crois qu'on pourrait aujourd'hui inventer une nouvelle lutte de classes qui serait la lutte de classes enracinée. Et cette lutte de classes, croyez bien, elle nous permettra de résister car il s'agit ici d'un problème de résistance. Alors "lutte de classes enracinée". Inventons de nouveaux mots, mais redonnons-leur un contenu charnel ; inventons de nouvelles valeurs – d'ailleurs ce sont les mêmes valeurs, toujours les mêmes, depuis toujours, depuis le commencement de l'homme –, et que ces valeurs soient positives et charnelles, qu'elles ne soient pas des coquilles creuses, des discours à n'en plus finir... Et que, en réapprenant tous ensemble, à ce que le "non-monde" devienne un "oui-monde". »

(1) Extrait d'un article paru dans le quotidien *L'Humanité,* le 30 octobre 1990, sous le titre « Jean-Edern Hallier : "Inventer une lutte de classe enracinée" ».

« Les soldats de plomb en papier[1] »

« … bien que parlant anglais, je n'aime pas les mots anglais et je n'aime pas le mot "stress" ; je lui préfère le terme d'"angoisse".

L'angoisse arrive à tout le monde. Qui ne connaît pas l'angoisse ne connaît pas la vie.

Il m'arrive d'être angoissé, comme tout le monde. Je m'en délivre par le rire, par le gai savoir, par le divertissement et ce que vous appelez, me concernant, la provocation, la colère. Je m'en sors par le jeu. Le jeu, c'est très important. Je joue comme un enfant, je joue avec mon fils, je joue par terre aux billes, je joue aux échecs, je joue du piano, je dessine. Je joue constamment, j'invente sans cesse des jeux, je redeviens une espèce de petit gosse qui s'amuse dans ses mondes imaginaires, comme quand j'avais sept ans.

Je fabrique des soldats de plomb en papier, je m'amuse avec des baguettes de bois, je joue aux allumettes, je fais des constructions. C'est ainsi que j'échappe à la contingence quotidienne et, presque toujours, j'arrive à vaincre mon angoisse. »

---

(1) Propos recueillis par les journalistes Christian Delahaye et Henri de Saint-Roman et parus dans l'ouvrage *Anti-stress de stars : leurs confidences, leurs recettes,* Éditions 1, 1992.

Cercle InterHallier : ne pas déranger

« La roue du temps ne se contente pas de tourner et de vous emporter dans son cercle. Elle est dentelée et vous accroche sans fin, de souci en souci. »

Robert Merle (1908-2004), *Madrapour*

« La vie, ça tient de diverses choses
En un sens, ça ne se discute pas
Mais on peut toujours changer de sens
Parce que rien n'est intéressant comme une discussion. »

Boris Vian (1920-1959), « Précisions sur la vie »,
Cantilènes en gelée

« C'était le cercle enchanté, le lieu géométrique des petits chevaliers de la Table Ronde du bas XVIe arrondissement. En être ou ne pas en être. Quand j'en serais enfin, d'abord à l'extérieur du cercle, puis dans le cercle, enfin le cercle lui-même, je deviendrais l'un des trois points du triangle qui se constituerait à l'intérieur, avec Jean-René (Huguenin), Renaud (Matignon) et moi. Le cercle représentait l'amitié simple, informelle, qui nous unissait avec tous les autres… »

Jean-Edern Hallier, *Je rends heureux*

Les publicitaires ont raison de le proclamer : un cercle a tout d'une « renaissance perpétuelle (1) ». Il est à l'image de la roue, cette première œuvre de l'intelligence technicienne qui caractérise la puissance abstraite de l'être humain : il tourne. Le Cercle InterHallier ne déroge pas à la règle. Certains de ses membres ont hier tiré leur ultime révérence, d'autres viennent aujourd'hui faire part de leur existence, et d'autres encore s'inscriront demain dans la liste en perpétuelle mise à jour. Rien de plus naturel donc : au fil du temps qui passe, ce cercle ne cesse de tourner et d'évoluer… Bien sûr pas au point d'en devenir hypnotique, mais il invite au rituel collectif, à la récurrence cyclique, à une forme d'engagement et de prise de risque également. La nature fait des lignes, des angles, voire des sinuosités ; mais jamais, sauf dans la pleine lune, elle n'obtient cette égalité des rayons, ce parfait et inhumain contour…

Au Cercle InterHallier, il ne s'agit pas d'entrer ou de sortir, encore moins de tourner en rond, mais plutôt de passer des cercles, d'une année à l'autre, d'une renaissance à l'autre… Et c'est ainsi, peut-être, que ses membres parviennent à ne plus faire la différence entre l'illusion et la réalité, et à restaurer des fantômes.

Le Cercle InterHallier, c'est la transmission de la passion, pas l'adoration des cendres… ce n'est pas faire survivre Jean-Edern Hallier, mais le garder vivant. Penser à lui, parler de lui, c'est précisément le faire vivre, avec nous. Alors, de grâce, ne dérangez pas le cercle… [2]

Les membres du Cercle InterHallier :

Jean-Pierre Agnellet, producteur, ancien dirigeant de sociétés ; Éric Agostini, avocat, professeur émérite des facultés de droit ; Guy-Laurent Albagnac de Capdenac, marquis de White-Grass, historien et critique d'art ; Anney (Roger Anney, dit), artiste-peintre ; Micheline Antoine ; Jean-Paul Arabian, restaurateur, et Nina Arabian, son épouse ; Catherine Artigala, comédienne ; Adam Barro, chanteur lyrique ; Sébastien Bataille, auteur de biographies, chroniqueur musical, chanteur et auteur de chansons ; René Beaupain, écrivain, ancien chercheur au Centre national de la recherche scientifique ; Bruno Belthoise, pianiste et improvisateur ; Adrien Blanc, chargé d'étude de prix au sein du groupe Balas, spécialisé depuis plus de deux siècles dans le bâtiment ; Jacques Boissay, photographe, et son épouse Dominique ; Jean-Pierre Bonicco, journaliste et auteur d'ouvrages ; Marie-Françoise Bonicco ; Roland et Claude Bourg (1935-2019) ; Hélène Bruneau-Ostapowiez, détentrice du droit moral de Maurice Utrillo et Suzanne Valadon ; Yolande Capoue-Nyoko ; Patrice Carquin, chef d'entreprise ; Adeline Castillon, conseil en communication ; Julien Chabrout, journaliste ; Audrey Chamballon ; Jean-Marc Chardon, journaliste ; Laurence Charlot, journaliste ; Xavier du Chazaud, avocat au barreau de Paris ; Bénédicte Chesnelong, avocate au barreau de Paris ; Daniel Chocron, historien du cinéma, conférencier, programmateur de salles et organisateur de spectacles ; Philippe Cohen-Grillet, écrivain et journaliste ; Françoise Colas ; Virginia Constantine, chanteuse ; Dominique Cordier, journaliste hippique et sportif, chroniqueur, polémiste, pronostiqueur à RTL et Canalturf ; Isabelle Coutant-Peyre, avocate au barreau de Paris et amie de Jean-Edern ; Louis Dandolo, entrepreneur ; Dominique Da Silva ; Amélie Da Silva Opter ; Michèle Dautriat-Marre, amatrice d'art ; Christine Debray, avocate au barreau de

Paris ; Yann Debray, avocat au barreau de Paris ; Blandine Dumas, chanteuse ; Caroline Dumas, de l'Opéra de Paris, chanteuse lyrique et professeur à l'École normale de musique de Paris – Alfred Cortot ; Daniel Degrandi ; Claire Dupré La Tour, Ph. D. ; Philippe Dutertre, créateur d'*Ici Londres,* le magazine des Français à Londres ; Cécilia Dutter, écrivaine et critique littéraire ; Gabriel Enkiri, écrivain et éditeur ; Francis Fehr, cinéaste ; Joaquín (1928-2022) et Christiane Ferrer, artiste et chef d'établissement ; Constance Fontorbe ; Audrey Freyz, agrégée de lettres classiques ; Marie-Lize Gall, dite Gallys, artiste, présidente de l'Association des peintres et sculpteurs témoins du 14e arrondissement de Paris, secrétaire générale du Salon des arts plastiques Interfinances, responsable de club littéraire « Pages ouvertes » ; Patrice Gelobter, responsable de communication (1949-2019) ; Jean-François Giorgetti, auteur-compositeur ; Paula Gouveia-Pinheiro ; Cyril Grégoire, directeur artistique ; Maria Guapi-Landeta ; Olivia Guilbert-Charlot, juriste ; Anne Guillot, amatrice d'art ; Patrice Guilloux (1942-2017), manager, et Marie-Hélène, son épouse, amatrice d'art ; Laurent Hallier, frère de Jean-Edern Hallier ; Ariane Hallier, fille de Jean-Edern, décoratrice ; Ramona Horvath, pianiste ; Jean-Pierre Hutin, écrivain, ancien militaire au régiment d'élite, le 3e REP – Régiment de parachutistes d'infanterie de marine ; Dominique Joly, avocat au barreau de Paris, et Alexandra, son épouse ; Jean-Pierre Jumez, guitariste concertiste, slameur, poète, journaliste ; Jean-Luc Kandyoti, pianiste et compositeur ; Hopy Kibarian ; Jean-Pierre Kibarian, bibliographe et bibliophile, éditeur spécialisé ; Ingrid Kukulenz ; Christian Lachaud, conseil en communication ; Anne-Sophie Landeta, infirmière ; Solange Landeta, juriste ; Dominique Lambert ; Marie-France Larrouy-Perrot, fondatrice et présidente de Multi-création ; Jean-Louis Lemarchand, vice-président de l'Académie du Jazz, écrivain et journaliste ; Albert Robert de Léon, directeur de galerie à Paris, expert en tapis ; Ghislaine Letessier-Dormeau ; Didier et Pascale Lorgeoux, chefs d'entreprise ; Christophe-Emmanuel Lucy, écrivain et journaliste ; Patrick Lussault, manager, spécialiste de la finance et de l'organisation, et Sophie Lussault, son épouse ; Pierre Maraval, agent artistique ; Monique Marmatcheva (1934-2018) ; Jean-Jacques Marquis, musicien, président de société, cofondateur du label artistique indépendant Comme un pinson ; Odile Martin ; Jean-Claude Martinez, président de l'Union pour la Nouvelle-Calédonie, professeur émérite de droit public et sciences politiques à l'université de Paris-II – Assas, ancien député français et européen, essayiste et parolier ; Guy Marty, essayiste, fondateur et président de pierrepapier.fr, président d'honneur de l'Institut d'Épargne Immobilière et Foncière ; Bruno et Marie Moatti, parents du pianiste Michaël Moatti et de la violoniste Elsa Moatti ; Michel Monnereau, poète ; Laurence Mougenot, mère du pianiste Tristan Pfaff, du graphiste Volodia Pfaff, du chef cuisinier Natal Pfaff et d'Isis Pfaff, experte française en hula-hoop ; Gonzague Opter ; Pierre Opter ; Marie-Thérèse Parisi, amatrice d'art ; Jean-François et Corinne Pastout, comédiens, artistes de music-hall ; Simon Paupier, directeur de Juste un piano ; Denise Perez, responsable de relations publiques et agent artistique, cofondatrice du label indépendant Comme un pinson ; Cyril Perrot, directeur général de Multi-création ; Gabriel Peyre, directeur artistique au sein d'un groupe de communication ; Michel Pittiglio, président de l'association Maurice Utrillo ; Nadia Plaud ; François Pointeau ; Manuela Poirier ; Gabrielle Rau ; Richard Rau ; Olivier Raymond, gérant de sociétés et amateur d'art ; Viviane Redeuilh, pianiste et artiste-peintre ; Jean-Côme Renard, banquier d'affaires ; Daniel Rivière, conseil en gestion de marques ; François Roboth, journaliste, photographe et chroniqueur gastronomique ; Delphine Roux, principale de collège ; Philippe Semblat, journaliste ; Jacques

Sinard, spécialiste du trust, Formal Secretary du Salvador Dalí Pro Arte Trust, secrétaire du Groupe de Domptin, avocat émérite aux barreaux de Bruxelles et de Paris ; Véronique Soufflet, chanteuse, auteure-interprète et comédienne ; Bernard Stico, journaliste ; Béatrice Szapiro, fille de Jean-Edern Hallier, styliste en prêt-à-porter féminin, directrice d'un atelier de mode et couture ; Hélène Thiollet, biologiste, responsable des affaires médicales au sein d'Alliance Maladies Rares ; Monique Thiollet ; Pierre Thiollet, juriste, membre de la Spedidam (Société de perception et de distribution des droits des artistes-interprètes) ; Jean-Pierre Thiollet, auteur ; Jean Tibéri, ancien maire de Paris, et Xavière Tibéri, son épouse, amis de Jean-Edern Hallier ; Abraham Tukiçi ; Genc Tukiçi, pianiste et compositeur, ambassadeur de paix ; Laurence Uebersfeld, productrice de cinéma ; Laurence Vaivre-Douret, neuropsychologue clinicienne, chercheuse et auteure d'ouvrages ; César Velev, violoniste-concertiste ; Alain Vincenot, journaliste et écrivain ; André Vonner, entrepreneur, ancien secrétaire général de la Cedi (Confédération européenne des indépendants) ; Paul Wermus (1946-2017), journaliste, animateur de télévision et chroniqueur de radio ; Laurent Wetzel (1950-2021), écrivain, ancien homme politique et inspecteur d'académie, et Marie-Henriette, son épouse ; Guillaume Wozniak.

« Nous vivons entourés de numéros… Du cercle infini de la transe, de l'éternel désir obscur de nous perdre à la recherche d'un soleil qui nous salue comme un zéro resplendissant, le monde tient dans un souffle. Le monde est devenu numéro. »

(extrait du spectacle « Una oda al tiempo » de la danseuse et chorégraphe Maria Pagès et de la Compagnie qui porte son nom, textes d'El Arbi El Harti, adaptation libre d'un poème de Pablo Neruda)

« Un soir, à un dîner, au cercle, on parle de l'absence d'un des membres les plus assidus à ces réunions.
– X… ne vient plus, dit l'un des convives, parce qu'il est très malade. Il est à moitié gâteux !
– À moitié, reprend doucement Aurélien Scholl (1833-1902), il va donc mieux ! »

(échange rapporté notamment dans *L'Autorité nouvelle*, Montréal, 6 mai 1928)

« Qui penserait que pour construire un violon, il faut d'abord tracer deux pentagones dans un cercle ? »

Stradivarius (Antonio Giacomo Stradivari, dit, 1644-1737), dans son carnet, en commentaire d'une figure

---

(1) Spot de publicité baptisé « The BMW i Vision circular » diffusé au cours du second semestre 2021 et en 2022 : « Le cercle existe depuis la nuit des temps. Une forme parfaitement harmonieuse. Une renaissance perpétuelle. Le cercle accompagne BMW depuis toujours. Il nous guide, nous inspire, nous stimule. Il est temps de repenser notre vision pour la rendre encore plus circulaire. »

(2) « Ne dérangez pas mes cercles ! »
Derniers mots d'Archimède. Après trois ans de siège, les Romains entraient dans Syracuse. Le savant Archimède, absorbé dans ses calculs, dessinait sur le sol. Un soldat armé courut vers lui. « Ne dérangez pas mes cercles ! » Archimède fut abattu d'un coup d'épée.

120 visages du Cercle

French people. Œuvre d'Anney (Roger Anney, dit), achevée en 1997, l'année de la mort de Jean-Edern Hallier (tryptique à l'acrylique, 60 x 158 cm).

Nina Arabian
Catherine Artigala
Adam Barro
René Beaupain
Bruno Belthoise
Dominique Boissay
Adrien Blanc
Jacques Boissay
Claude Bourg (1935-2019)
Jean-Pierre Bonicco
Marie-Françoise Bonicco
Hélène
Bruneau-Ostapowiez

Yolande Capoue-Nyoko
Patrice Carquin
Adeline Castillon
Julien Chabrout
Laurence Charlot
Philippe Cohen-Grillet
Daniel Chocron
Bénédicte Chesnelong
Dominique Cordier
Françoise Colas
Virginia Constantine
Louis Dandolo
Isabelle Coutant-Peyre

Dominique Da Silva
Amélie Da Silva Opter
Michèle Dautriat-Marre
Christine Debray
Yann Debray
Daniel Degrandi
Caroline Dumas,
de l'Opéra de Paris
Blandine Dumas
Claire Dupré La Tour
Philippe Dutertre
Cécilia Dutter
Constance Fontorbe
Audrey Freysz
Marie-Lize Gall

Patrice Gelobter
(1949-2019)
Jean-François
Giorgetti
Paula
Gouveia-Pinheiro
Cyril Grégoire
Maria Guapi-Landeta
Olivia
Guilbert-Charlot
Patrice Guilloux
(1942-2017)
Anne Guillot
Daniel
Joigneaux
Ramona
Horvath
Marie-Hélène
Guilloux
Laurent Hallier
Alexandra Joly

Dominique Joly
Jean-Pierre Jumez
Jean-Luc Kandyoti
Jean-Pierre Kibarian
Hopy Kibarian
Christian Lachaud
Dominique Lambert
Anne-Sophie Landeta
Solange Landeta
Marie-France Larrouy-Perrot
Jean-Louis Lemarchand
Albert Robert de Léon

Pascale Lorgeoux
Ghislaine Letessier-Dormeau
Didier Lorgeoux
Patrick Lussault
Christophe-Emmanuel Lucy
Pierre Maraval
Jean-Jacques Marquis
Jean-Claude Martinez
Guy Marty
Bruno Moatti
Elsa Moatti

Michel Monnereau
Marie Moatti
Laurence Mougenot
Pierre Opter
Gonzague Opter
Marie-Thérèse Parisi
Jean-François Pastout
Corinne Pastout
Simon Paupier
Cyrille Perrot
Denise Perez
Gabriel Peyre

Manuela Poirier
Nadia Plaud
François
Pointeau
Richard Rau
Gabrielle Rau
Olivier Raymond
Viviane Redeuilh
Daniel Rivière
Jean-Côme Renard
François Roboth
Philippe Semblat

Delphine Roux
Jacques Sinard
Béatrice Szapiro
Véronique Soufflet
Monique Thiollet
Hélène Thiollet
Bernard Stico
Jean-Pierre Thiollet
Jean Tibéri

Xavière Tibéri
Abraham Tukiçi
Genc Tukiçi
Laurence Vaivre-Douret
Alain Vincenot
André Vonner
Guillaume Wozniak
Marie-Henriette Wetzel
Laurent Wetzel
(1950-2021)

La cornett[illegible]e Shona Taylor

La guitarist[illegible] Marie-Ange Martin

Photos :
Philippe Germanaz
et Jean Bibard
(FEP – France Europe Photo, agence de presse photographique),
et divers.
Infographie :
Armelle Fabry

Jean-Edern à l'œuvre

En 1994, Hallier proposa cette paire d'images imprimées, aux couleurs du distributeur Tati, concepteur des établissements éponymes, afin de dénoncer les scandales du moment sur les prix des œuvres artistiques imposés par les réseaux marchands. Ces images étaient vendues à prix dérisoire dans les rayons des magasins Tati au milieu des sous-vêtements, pochettes de bas et autres produits de maquillage…

Grâce à l'aimable complicité d'Olivier Raymond, membre du Cercle InterHallier, une œuvre de Jean-Edern Hallier, datée de 1994. Comme disait Alphonse Allais, ce que Jean-Edern n'aurait sans doute pas désavoué, « la femme est le chef-d'œuvre de Dieu surtout lorsqu'elle a le diable au corps »…

Mini-encyclo du vélo

« Mais je continue, enfourchant la monture à pédales, déraillant à mon double dérailleur, et je lâche le guidon en chantant tandis que se poursuit la route ensorcelante. »

Jean-Edern Hallier,
La Cause des peuples

« Le noirillon », encre de chine et aquarelle, réalisé par Hallier le 14 juillet 1994.

(Photo : DR)

Si Hallier participa dans sa jeunesse à des compétitions cyclistes sur piste, en particulier au Vel' d'Hiv de Paris, Salvador Dalí fut également un amoureux fervent de « la petite reine ». On le voit ici en 1967 livrant ses toiles à bicyclette de marque Graziella, rue de Rivoli. « Avec tous les embouteillages à Paris, disait Dalí, je trouve ma Rolls Royce juste assez bien pour se garer dans un garage. Le vélo est la meilleure solution au problème. »

Avant la Première Guerre mondiale, des bicyclettes de marque Thiollet étaient conçues et réalisées en Haut-Poitou, dans la Vienne.

(Photos : DR)

En 1982, Jean-Edern Hallier, l'écrivain contestataire par excellence, est interviewé dans le jardin des Tuileries par l'académicien Jean d'Ormesson pour le magazine *Paris Match* à l'occasion de la parution de son dernier livre intitulé *Bréviaire pour une jeunesse déracinée.*

(Photo : Richard Jeannelle (1946-1985) – *Paris Match* n° 3707)

– Pas faim ?... Pourtant tu ne peux pas dire que je ne fais pas tout pour te mettre en appétit...

Dessin de Tetsu (Roger Testu, dit, 1913-2008), extrait de *Mauvais desseins,* paru en 2004 aux Éditions Buchet-Chastel.

Art de vivre… avec Hallier

« Versons ces roses près ce vin
De ce vin versons ces roses
Et buvons l'un à l'autre, afin
Qu'au cœur nos tristesses encloses
Prennent en buvant quelque fin. »

Pierre de Ronsard (1524-1585), *Les Odes*

« Le goût est la conscience de l'art. »

Jules Barbey d'Aurevilly, *Une Vieille maîtresse*

« – Et pour commencer ?
– Caviar.
– Bien.
– Une seconde. Comment est-il votre caviar ? Je suis très pointilleux sur le caviar.
– C'est du caviar…
– Mais encore. D'Iran, de Russie ou de Gironde ? Nouvelle pêche ou non ? Petit ou gros grain ? De qualité osciètre ou sévruga ?
–?… Et si vous preniez des asperges ?
– Non, Mademoiselle, un homme lancé sur le caviar ne peut revenir en arrière. Vous me donnerez une boîte.
– La boîte fait 500 grammes, Monsieur.
– Ça ira pour commencer. »

Dialogue entre Paul Meurisse (1912-1979) et une serveuse de restaurant dans *L'Œil du monocle,* film de Georges Lautner (dialogues de Jacques Robert)

Quand le tragique s'invite à notre table, comme ce fut le cas en février 2022 avec la crise russo-ukrainienne, fini la rigolade ! Soudain, l'art de vivre passe quelque peu à l'arrière-plan. Ou prend une autre dimension, parfois très existentielle... Il n'empêche que Jean-Edern Hallier se serait peut-être plu à rappeler qu'il n'avait pas appris à jouer du piano pour rien. Il savait en effet que la vie est un peu comme un instrument de musique. Ce que nous parvenons à en tirer dépend essentiellement de la façon dont nous en jouons, c'est-à-dire dont nous avons appris à en jouer... Comme Fernando Pessoa, il savait que cette vie, « pour la plupart des hommes, est une chose assommante, vécue sans qu'on y fasse attention, une chose triste entrecoupée d'entractes joyeux... » Comme lui, il la définissait comme « une vallée de larmes, bien entendu, mais où l'on pleure rarement », jugeait qu'elle « serait insupportable si nous en prenions conscience » et était malheureux qu'elle soit « si laide », à force de n'être qu'un « tissu de buts, de desseins et d'intentions », où « tous les chemins sont tracés pour aller d'un point à un autre [(1)] ». Ce que justement il n'était pas trop du genre à admettre.

Lui, ce qu'il aurait d'abord voulu, c'est que la France soit, avec l'Italie et la Corse – hé oui, la Corse, avec son identité qui lui est propre –, l'un des derniers pays où l'on puisse goûter le bonheur de vivre, une manière d'exister, un certain sens de la gastronomie, ce mot inventé par le joyeux poète Berchoux comme titre d'une œuvre en quatre chants sur l'art de bien manger... Il n'oubliait pas que si « les Anglais ont appris au monde la façon de se tenir correctement à table », « ce sont les Français qui mangent [(2)] ». Il fallait donc de préférence que la cuisine ait du goût, qu'elle chatouille le palais, qu'elle puisse créer des émotions... Il fallait aussi qu'il y ait du bon vin, pour qu'avec quelques réminiscences de poésie, « des vers, du gigot à l'ail et du Chambertin », la « combinaison [(3)] » soit aussi charmante qu'elle le fut en son temps pour Barbey d'Aurevilly. Au début des années 1980, Jean-Edern pouvait apprécier que le temps suspende son vol, que les heures soient propices et laissent savourer les rapides délices des plus beaux de ses jours... Quitte à somnoler paisiblement, à se promener dans les rues ou à se laisser enchanter à table, le verre à la main, empli du plus gracieux des rubis qui fait plaisir à voir et, avec modération, du bien à boire.

Même s'il ne relevait pas du tout d'un profil à jouer le snobissimo de service dans une épicerie hors de prix ou à singer un personnage de Jacques Chazot en lançant « ce matin, papa a pris la Rolls, maman la Bent, mon frère, la BM. J'ai pris le métro. Tu connais ? » Jean-Edern n'avait pas le moindre complexe à ce sujet. À l'occasion, il lui arrivait de chafrioler d'un air gourmet et ne pas trop résister devant d'exquises friandises. Il n'avait pas attendu la célèbre repartie de François Mauriac, qui, écoutant fort poliment le cardinal Jean Daniélou expliquer au cours d'un dîner que le péché était aujourd'hui une notion dépassée, lui avait lancé : « Vous n'auriez pas pu me le dire plus tôt ? »... Certes, il ne se laissait pas aller à jouer les Robert de Montesquiou et à se coucher « sur le tapis du Khorassan » et à se régaler « de sa bordure de lapis, près du fond, rose de Bengale »... Et il n'était pas du genre non plus à aller se recueillir sur la tombe de Dom Pérignon comme une Amélie Nothomb : il n'était pas un grand amateur de champagne, « qui n'est qu'un vin de fillette (4) », même s'il pouvait à l'occasion faire sienne la confidence de Winston Churchill à Lord Mountbatten en 1940 : « le champagne est nécessaire en cas de défaite et indispensable en cas de victoire ».

Au-delà des bulles les plus exquises ou des vapeurs vodkaïques, son approche de l'existence passait en réalité par des valeurs essentielles, dont une certaine déconnexion à soi-même, la curiosité insatiable de l'autre comme de l'ailleurs et l'edernel retour à tout ce qui a ou peut avoir du sens... Alors, en compagnie de François Roboth, cet observateur attentif, jour après jour, depuis des lustres, des coulisses de la vie française, rendons-nous à Deauville, l'ultime étape de l'itinéraire hallierien, où il existe, aux dires de plus d'un et d'une, « un art de disposer les lieux pour plaire au goût et pour charmer les yeux (5) »...

« Rien ne doit déranger l'honnête homme qui dîne. »

Joseph Berchoux (Joseph de Berchoux, dit, 1760-1839), *La Gastronomie*

« Les Français ont une telle façon gourmande d'évoquer la bonne chère qu'elle leur permet de faire entre les repas des festins de paroles. »

Pierre Daninos, *Les Carnets du major Thompson*

« Un SDF (6) fait la manche devant une épicerie de grand luxe d'où sort une bourgeoise :
– Madame ! Je n'ai pas mangé depuis deux jours !
– Oh, ce n'est pas bien ! Il faut vous forcer... »

Attribué à Jacques Chazot (1928-1993)

---

(1) Fernando Pessoa, *Le Livre de l'intranquillité.*

(2) Pierre Daninos, *Les Carnets du major Thompson.*

(3) Par référence à cette exclamation contenue dans une lettre adressée sans doute à Prosper Delamare (1810-188?) par Jules Barbey d'Aurevilly, l'auteur d'*Une vieille maîtresse* : « Des vers, du gigot à l'ail, du Chambertin, combinaison charmante ! »

(4) Comme l'écrivait Barbey d'Aurevilly, dans une lettre adressée à Léon Bloy et datée du 11 août 1876.

(5) Vincent Campenon (1772-1843), *La Maison des champs.*

(6) Personne sans domicile fixe.

Bonjour le Ciro's
entre deux averses et une
grande éclaircie, un haut
lieu où je reviens bien
volontiers
5 août 84

Jean Edern Hallier

et son père qui y
satisfait ses 93 ans

M.M Hallier A H.

Extrait du livre d'or du restaurant Le Ciro's, à Deauville. De la main de Jean-Edern Hallier :

« Bonjour le Ciro's, entre deux averses et une grande éclaircie, un haut lieu où je reviens bien volontiers. 5 août 1984. »

André Hallier, son père, ajoute : « et son père qui y satisfait ses 93 ans ».

À Deauville… en chansons !

par François Roboth [1]

« J'aime Deauville parce que c'est loin de la mer et près de Paris. »
Attribué à Tristan Bernard (Paul Bernard, dit, 1866-1947)

« Un homme et une femme »…

« Comme nos voix, bada bada da da da da da ! Chantent tout bas… bada bada da da da da da ! Comme un échange, comme un espoir » (musique de Francis Albert Lai, parole de Pierre Elie Barouh). On ne saura jamais si Jean-Edern a fredonné la chanson de ce film culte, Palme d'or du Festival de Cannes 1967, écrit, réalisé, filmé à Deauville en 1966 par le talentueux cinéaste, producteur, metteur en scène, cadreur, Claude Lelouch, et interprété par le couple mythique du cinéma français de l'époque, Anouk Aimée et Jean-Louis Trintignant.

« J'irai revoir ma Normandie » (paroles et musique du chansonnier normand Frédéric Bérat, 1801-1855)

Cette chanson populaire connaîtra un immense succès national au XIXe siècle. Localement, de nos jours, il ne s'éteint pas !

En séjournant fréquemment à Deauville, chez ses parents qui y résidaient dans un grand appartement en front de mer, ou à l'hôtel Normandy, Jean-Edern Hallier « ira souvent revoir la Normandie ! »

La perle de « la côte fleurie » est aussi gourmande!

Cette commune du Calvados, est riche – sans mauvais jeu de mots – d'environ 3 600 habitants, avec ses hôtels de grand standing, son palace, son casino, sa plage aux parasols multicolores, ses cabanons d'époque, ses bons restaurants. Parmi lesquels on peut citer l'incontournable Miocque (du médiatique et tonitruant Jacques Aviègne), et tous ambassadeurs extraordinaires et permanents des authentiques produits normands de qualité : beurre cru en baratte, crème fraîche épaisse, fromages AOC, cidres bruts fermiers, myriade des pommes, Calvados hors d'âge, huîtres de Saint-Vaast, poissons de mer, frais pêchés, Saint-Jacques en saison, agneaux de prés-salés de la baie du Mont-Saint-Michel, andouille de Vire, tripes à la mode de Caen.

Deauville est aussi, chaque année, le rendez-vous des vacanciers, des fidèles turfistes des hippodromes de La Touque et Clairefontaine, des exceptionnels haras locaux, le paradis éphémère des joueurs occasionnels, ou accros? Des stars nationales et internationales du cinéma mondial. Sans oublier, la médiatique et branchée discothèque VIP du Régine's Club, aujourd'hui Le Brummel. Digne d'un dépliant touristique publicitaire de l'Office du tourisme… Authentiques et laudatifs, ces éléments n'échapperont pas à la soif de curiosité permanente et à la sagacité de Jean-Edern, indispensables pour améliorer et agrémenter ses nombreux séjours normands. Autant de preuves irréfutables que Deauville est toujours à la mode!

Amie fidèle, Annie Goude se souvient!

Ayant magistralement, pendant vingt-cinq ans avec une discrète et totale efficacité, dirigé Le Régine's Club, une des créations internationales pour la chaîne Barrière, réalisée par l'inusable, médiatique et prolifique « Mademoiselle Régine », également artiste française de variétés reconnue.

Amie de Jean-Edern Hallier, Annie Goude, authentique « Reine de nuits de Deauville » avait pour clients la jet-set locale, nationale mais aussi internationale : Yves Saint-Laurent, Omar Sharif, Julia Roberts, Jack Nicholson, Sean Penn… Fidèle à son intransigeante devise professionnelle : « Je préfère être vide de qualité, que pleine de rien, quitte à refuser du monde dans les moments difficiles. » Émue et sincère, elle se souvient.

« J'ai connu Jean-Edern Hallier, précise-t-elle, pendant l'une de ses premières villégiatures deauvillaises. Il résidait à l'hôtel Barrière normand. Spontané, notre bon contact fut immédiat, franc et direct. Jean-Edern était un garçon aimable, sympathique. Selon l'expression toujours en usage : bien élevé (si vous acceptez cette locution). Par sa présence, selon les circonstances, il était aussi convivial, et même festif ! J'appréciais aussi qu'il ne soit pas snob, fuyant ainsi les mondanités. Il savait également ne pas les éviter pour obtenir différents contacts agréablement humains et surprenants. Souvent, le dimanche soir, presque une tradition, avec quelques amis communs, nous nous retrouvions pour l'apéritif, au bar du Normandy. À plusieurs reprises, Nicolas Sarkozy et son épouse Cécilia nous rejoignirent ! »

Ainsi s'écrit l'Histoire !

F. R.

NDLR : Amicalement, mais cinématographiquement parlant, l'auteur de ce livre, Jean-Pierre Thiollet, et son contributeur, François Roboth (journalistes professionnels) encouragent Claude Lelouch et ses amis à s'intéresser, documents à l'appui, à l'authentique scénario romanesque de la vie tumultueuse de Jean-Edern Hallier, mais passionnante, ainsi que riche et variée, et bien sûr à son œuvre littéraire.

Sur « Les Planches »… un off!

Comme Laurent Hallier, le frère de Jean-Edern Hallier, me l'a volontiers raconté, non sans une pointe d'humour à peine dissimulé : « Sur Les Planches, les incontournables Champs-Élysées normands de Deauville, passage obligé des promenades mondaines et des bavardages quotidiens, par un beau dimanche estival, Jean-Edern, mon frère aîné s'est longuement attardé pour deviser, usage amical oblige, avec l'une de ses nombreuses relations locales, Nicolas Sarkozy, en tenue d'été, accompagné de ses deux fils Pierre et Jean. Au cours de cet aparté confidentiel, le fougueux Nicolas Sarközy de Nagy-Bocsa, dit Sarkozy, l'informa qu'il quittait son épouse, mère de ses enfants, pour convoler avec Cécilia María Ciganer-Albéniz. Curieux et inquisiteur, mon frère ne peut s'empêcher d'interroger les bambins. Je ne me souviens plus lequel a spontanément répondu : "Cécilia est belle à l'extérieur, mais vilaine à l'intérieur!" Le remariage de Nicolas et Cécilia eut lieu le 23 octobre 1996 à Neuilly. »

F. R.

Ne pas confondre : « Palace » et palaces

Soyons vigilants pour ne pas confondre étymologiquement les mythiques palaces hôteliers internationaux avec « Palace », la célèbre série TV humoristique de six épisodes (scénarios et réalisation par l'iconoclaste et talentueux metteur en scène de théâtre Jean-Michel Ribes), diffusée à partir du 29 octobre 1988 et riche d'innombrables rediffusions imposées par son exceptionnel succès national.

Depuis 1834, le mot anglais *palace* désigne un hôtel de grand luxe, impérativement classé et homologué cinq étoiles (rien à voir avec l'obsolète Guide Michelin, mais attribuées par Atout France). 31 homologations sont attribuées en France, avec 12 palaces à Paris.

Comme à son habitude et avec une pointe d'humour fraternel familial, Laurent Hallier n'a pas oublié les pérégrinations de Jean-Edern, son frère aîné, dans trois de nos prestigieux palaces parisiens.

« C'est peut-être avec la "Toute première fois ! [1]", le tube des années 1980 de Jeanne Mas et en découvrant puis en appréciant le charme, le confort, la classe, l'incomparable qualité du service de l'hôtel Normandy – le mythique palace local normand, fleuron de la chaîne hôtelière Barrière à Deauville –, et sans doute aussi pour s'échapper du douillet cocon familial estival (l'appartement de nos parents), que mon frère appréciera aussi le confort et la notoriété incontestable de deux célèbres palaces parisiens… En toute bonne foi, j'étais dans l'ignorance totale des négociations éditoriales, commerciales et secrètes que Jean-Edern avait obtenues de l'entreprenant éditeur parisien en vogue, Michel Lafon.

Dans son nouveau contrat éditorial, pour la publication d'un prochain ouvrage, lancement parisien à l'appui, mon frère souhaita résider à Paris. Évidemment, pas n'importe où.

Il a choisi en toute simplicité le plus ancien parmi les 12 palaces de la capitale, situé à deux pas de la place de la Concorde et de son obélisque, l'historique et prestigieux hôtel Le Meurice. Avec le Plaza Athénée, avenue Montaigne, ils sont les deux palaces parisiens du groupe hôtelier international Dorchester Collection, propriété de Hassanal Bolkiah, Sultan de Brunei (un État musulman d'Asie du Sud-Est). Bénéficiaire d'une fortune de 20 millions de dollars, ce monarque fut longtemps considéré comme l'un des hommes les plus riches du monde. Il est par ailleurs l'heureux propriétaire de 20 jets privés et d'environ 7 000 voitures de luxe pour faciliter ses déplacements…

Curieux de naissance comme mon frère, j'ai voulu en savoir un peu plus sur son nouveau lieu de villégiature parisien. J'ai appris que ce palace de style néoclassique fut créé en 1835 par le français Charles Augustin Meurice. Que la liste des personnalités y ayant séjourné dépasse celle du Bottin mondain. Que pendant le Seconde Guerre mondiale (de septembre 1940 à août 1944), le QG du commandement militaire allemand l'avait réquisitionné. Et que, en 1973, il fut la résidence parisienne préférée de l'artiste surréaliste espagnol Salvador Dalí – "Avida dollars" pour la postérité et pour ses ennemis. Afin de meubler sa chambre, qu'il jugeait austère, Dalí passa une étrange commande de meubles en pain. Composée d'un lit à deux places, d'une table de nuit, d'un lampadaire et d'une cage à oiseaux avec barreaux. Cet ensemble insolite, absolument pas "garanti pour longtemps", sera réalisé avec une véritable pâte à pain, soigneusement pétrie, façonnée, moulée et cuite longuement, dans le four à bois de l'entreprise familiale du maître artisan, le médiatique boulanger parisien Lionel Poilâne.

Ce sont peut-être les authentiques et glorieuses pages d'histoire de ce palace, confortées par la lecture de son prestigieux Livre d'or qui, soudainement – avec l'augmentation permanente des notes de bar, et la multitude d'invitations intempestives et faramineuses, avec caviar et champagne, signées avec munificence par Jean-Edern se prenant pour un richissime client au train de vie mirobolant –, décidèrent le directeur du Meurice à me contacter et à prévenir, toutes affaires cessantes, son nouvel éditeur Michel Lafon, pour exfiltrer au plus vite mon frère de son palace. »

« Oh là là ! Oh là là ! »

Avec réalisme et fair-play, Michel Lafon, ancien journaliste et producteur TV, aujourd'hui éditeur national de renom, se souvient sans acrimonie, mais avec beaucoup de nostalgie, du feuilleton réaliste de cette turbulente péripétie éditoriale, parisienne et mondaine.

« Jean-Edern, pour rejoindre les éditions Lafon, avait rompu son contrat avec Albin Michel. Pour fêter avec faste ce mémorable événement, il me proposa aussi d'organiser un inoubliable cocktail parisien, obligatoirement haut de gamme avec caviar et champagne ; pas n'importe où, mais dans l'un des prestigieux salons de l'hôtel Meurice, le séculaire palace de la rue de Rivoli. Pour mieux affiner et tester l'ordonnancement de ce cocktail présumé inoubliable, Jean-Edern, perfectionniste, avait décidé d'y résider quelques jours avant. Je remercie au passage Laurent Hallier pour la véracité de son témoignage. Pour conclure, je précise que, le jour où, inquiet, j'ai obtempéré à la convocation du directeur général du Meurice, affolé de ne pas avoir obtenu l'indispensable bon de commande avalisant ce "cocktail du siècle", il m'implora aussi d'évacuer, immédiatement, mon auteur dispendieux. Résident de l'unique et exceptionnelle "Suite prestige de 95 mètres carrés avec vue sur les Tuileries, le plus ancien jardin de Paris" qu'il occupait dans son palace, et présent à cette tripartite réunion comminatoire, Jean-Edern, incorrigible, avait, cette fois encore, sans vergogne, fait livrer caviar et champagne par le room service ! »

F. R.

(1) Jeanne Mas pour les paroles, Romano Musumarra et Roberto Zanelli pour la musique.

À Paris, un palace peut en cacher un autre !

Selon la vox populi, « si vous en avez les moyens, vous serez très embarrassé pour choisir le vôtre, parmi les 12 palaces homologués, trésors historiques internationaux de la capitale ».

Son frère Laurent était très inquiet de la perte progressive de l'acuité visuelle de son frère, de son mode et de son rythme de vie dissolus et trépidants, de ses récurrents problèmes de sommeil. Parfois couché tôt, mais aux insomnies quasi permanentes, que Jean-Edern traitait avec humour, n'hésitant pas à citer Marcel Proust (1871-1922) : « Le sommeil est comme un second appartement que nous aimons et où, délaissant le nôtre, nous serions allés dormir. » Ou conforté par Jean Cocteau ayant affirmé : « Le sommeil n'est pas un lieu sûr. »

Avec détermination, et nullement rebuté par le trop bref et turbulent séjour de son frère au Meurice, Laurent, convaincu que pour son frère un séjour annuel dans un établissement parisien de grande classe, avec les avantages d'un room service efficace et permanent, sans être salvateur lui faciliterait la gestion de ses nombreux soucis et tracas quotidiens. De fructueuses négociations avec la direction de l'hôtel Royal Monceau – un palace construit en 1928, avenue Hoche, à deux pas de l'Arc de Triomphe – aboutirent rapidement. Le Royal Monceau – Raffles Paris (groupe Accor) fut entièrement rénové, et ce, pendant deux ans à partir de 2008 par Philippe Starck.

Nostalgique, Laurent Hallier se souvient. « Pour vous rassurer, non, mon choix n'a pas été influencé par le très long séjour (de 800 jours), de 1989 à 1992, que le chanteur Michel Polnareff avait effectué dans ce palace, sans même en sortir, pour enregistrer son album "Kâma Sutrâ", sorti en 1990. Plus simplement, j'ai été sensible à d'amicales recommandations. Sachant aussi qu'une foule de personnalités nationales et internationales appréciaient la fréquentation de tels palaces, sans oublier, secret hôtelier oblige, les très nombreux résidents à l'année. D'ailleurs, au début de son séjour, loin d'être anonyme, Jean-Edern Hallier fut enchanté et apprécia certaines de ses rencontres, à plusieurs reprises avec Charles Trenet, l'enfant de Narbonne à l'accent du midi, "le fou chantant", l'artiste aux plus de 1 000 chansons.

Il fut comblé et ravi aussi de s'être lié d'amitié, et de fréquemment refaire le monde avec l'écrivain Frédéric Dard (Frédéric Charles Antoine Dard, dit, 1921-2000), l'inoubliable père littéraire du commissaire Antoine San-Antonio, et son adjoint Alexandre-Benoît Bérurier, "Béru" pour la postérité en librairie, une série riche de 175 volumes. Avec des scènes inoubliables de leurs rencontres amicales, dignes d'un long métrage "césarisable" mais hélas sans caméra, au Bar Long du palace, où mon frère déclarait avec conviction à son nouvel ami "qu'à sa connaissance, Frédéric était le plus grand écrivain contemporain de sa génération". Instantanément, avec son incomparable et inimitable accent traînant de Bourgoin-Jallieu, porte de l'Isère, Frédéric Dard lui retournait son compliment. Répliquant qu'incontestablement, ce n'était pas lui, mais seul Jean-Edern, l'unique écrivain au sommet dans l'Hexagone. "Et réciproquement!" aurait pu se contenter d'ajouter l'inoubliable humoriste Pierre Dac.

Malheureusement, débuté sous d'agréables auspices financiers et hospitaliers, ce second séjour en palace fut gâché par les interventions intempestives de l'ombrageux Omar, le chauffeur-majordome-homme de confiance très rébarbatif et sourcilleux de Jean-Edern, pour lequel le séjour prolongé de mon frère au Royal Monceau avait supprimé toutes ses prérogatives et ses privilèges. Ce climat dégradé nous obligea, pour utiliser un langage sportif, à “siffler la fin de cette partie !” et Jean-Edern déménagea une fois de plus. Pour la petite histoire (ou une nouvelle ?), l’irascible et exigeant Omar choisira de proposer et d’offrir ses services multicarte au journaliste Franz Olivier Gilbert. »

F. R.

Bis repetita placent à l'Hôtel de Crillon !

Place de la Concorde, face à l'Obélisque, à la naissance de la plus belle avenue du monde, les Champs-Élysées, qui se terminent place de l'Étoile, se remarque l'Hôtel de Crillon, l'un des fleurons du Groupe Hotels & Resorts, propriété de la célèbre famille champenoise Taittinger, depuis 1907. Le premier des 12 palaces parisiens homologués. Mais depuis 2010, il est la propriété du groupe Rosewood Hotel du prince saoudien Mitab Ben Abdalah ben Abd al-Aziz Al Saoud.

Au fil du temps, fin et habile négociateur, presque chevronné, pour le troisième séjour de son frère dans un palace parisien, sans anecdotes inoubliables à nous communiquer pour la postérité, Laurent Hallier obtiendra de très bonnes, voire d'exceptionnelles conditions financières, indispensables à un long séjour hôtelier parisien d'exception. Avec sur les inévitables additions, la mention : « Room service compris ! » Avec, ou sans, caviar et champagne.

F. R.

« L'été, les vieux cons sont à Deauville, les putes sont à Saint-Trop
et les autres sont en voiture un peu partout… »

Attribué à Michel Audiard (1920-1985)

« Deauville, je t'aime, ville morte où je roule lentement à bicyclette sur un vélo hollandais dont il faudrait peindre les pneus en blanc. Avec la canne blanche, un deux-roues pour aveugle, c'est une grande première. »

Jean-Edern Hallier, *Les Puissances du mal*

« Vision deauvillaise »

« Elle progressait sur cette plage,
Comme si elle venait d'un autre âge.
On pouvait la voir de profil
Mais elle regardait droit devant,
Ce paysage si bien tracé
Entre le sable et les nuages.
Elle pouvait se décourager
Devant la route à parcourir,
Mais le vent était favorable,
Alors elle s'est laissée porter.
À l'horizon, tout serait clair,
Il lui suffisait d'avancer. »

Michèle Bazin-Gabillas

(1) François Roboth est un journaliste connu pour avoir un goût prononcé pour le bon, le beau, le vrai... Il est juré du concours national Meilleur ouvrier de France (catégorie Maître d'hôtel, du service et des arts de la table). Ancien rédacteur en chef du Maxiguide Hachette France, coauteur de *22,* un album photo pittoresque sur les événements de Mai 1968 en France, avec Jean-Pierre Mogui, et d'ouvrages de la célèbre collection des « Guides Bleus », il a également signé les textes de l'album photo de Claude Perraudin, *Le Père Claude,* et des contributions dans les livres *Hallier, l'Edernel retour, Hallier, l'Homme debout, Hallier, Edernellement vôtre, Hallier ou l'Edernité en marche, Hallier, l'Edernel jeune homme, Carré d'art : Barbey d'Aurevilly, lord Byron, Salvador Dalí, Jean-Edern Hallier, Bodream ou Rêve de Bodrum, Piano ma non solo, 88 notes pour piano solo* et *Improvisation* so *piano.* Sur France 3, François Roboth fut enfin l'animateur, pendant cinq ans, de « Quand c'est bon ? Il n'y a pas meilleur ! », seule émission culinaire en direct à la télévision française.

Appendice

« ... appendice replié par en dessous comme une queue de homard. »

Charles Hoy Fort (1874-1932), *Le Livre des damnés*

« L'appendice a ceci de bon que, par son contenu strictement documentaire, il inspire confiance aux lecteurs sérieux. On trouve souvent dans un appendice le meilleur d'un gros ouvrage. En général, même, je choisis les livres à appendice : je vais droit à l'appendice, je m'en tiens là et m'en trouve bien. Autrefois, je disais la même chose des préfaces. Passé l'époque des aide-mémoire et découvrant les préfaces des éditions critiques, je m'y suis complu et attardé si bien que voici venu l'âge des appendices. Cette économie culturelle, quels qu'en soient les immenses défauts, vous donne quand même le droit de mépriser le système digest comme une bouillie infantile. Si j'examine la chose en tant qu'auteur, je reconnais à l'appendice l'avantage de nous épargner les efforts de style, morceaux de bravoure et autre littérature, mais sur ce point je ne suis pas regardant. »

Jacques Perret (1901-1992), *Rôle de plaisance*

« … j'aime beaucoup la France. J'aime notre langue, notre civilisation,
notre talent de vivre, dans tous les sens du terme.
Et je me désole de la voir disparaître dans une infâme américanisation.
La France devient une banlieue de l'Amérique.
Le Japon, l'Islam et certains petits appendices, tels Cuba, résistent.
J'aime le côté Astérix de Fidel Castro qui lutte depuis trente ans,
comme moi, contre les vilains Romains. »

Jean-Edern Hallier, dans un entretien en 1992 avec
Jean-Pierre Jumez (accessible sur Internet)

« On vient d'enlever l'appendice de Raymond Barre[1]. Aucune
demande de rançon n'a pour l'instant été exigée. »

Extrait du spectacle de Chantal Gallia au théâtre de la
Renaissance à Paris, en 1992

(1) Né en 1924 et mort en 2007, Raymond Barre est un ancien Premier ministre français qui fut professeur d'université et vice-président de la Commission européenne, chargé de l'Économie et des Finances. En 2019, il a refait un peu parler de lui à la suite d'une information judiciaire ouverte par le Parquet national financier pour blanchiment de fraude fiscale. Il a en effet été établi qu'il disposait d'un compte bancaire en Suisse, à Bâle, créditeur de 11 millions de francs suisses non déclarés au fisc français et non compatibles avec le montant des revenus générés par ses activités professionnelles officielles. La provenance de ces fonds demeure inconnue au moment de la parution de ce livre et l'affaire, qui donne libre cours à de graves soupçons, ne manque pas de mettre à mal l'image d'indépendance et de probité dont Raymond Barre a longtemps bénéficié…

« *L'Idiot* : un concentré de talents [1] »

par Édouard Limonov [2]

« Heureusement, à *L'Idiot international,* j'ai trouvé la bande de copains dont je rêvais. L'équipe était un concentré de talents. Songez que parmi la liste des éligibles aux prix littéraires 2011, il y avait trois anciens collaborateurs : Charles Dantzig, Romain Slocombe, Morgan Sportès. Ajoutez Michel Houellebecq, qui écrivait sur le théâtre, Patrick Besson, dont j'étais proche, Gilles Martin-Chauffier, Philippe Sollers ou encore ce grand emmerdeur devant l'éternel qu'est Marc-Édouard Nabe et vous aurez une petite idée du joyeux bordel régnant chez Jean-Edern Hallier. Son appartement donnait sur la place des Vosges, non loin de la maison de Victor Hugo. Le dimanche, notre "brigade légère" – c'est ainsi que Jean-Edern nous désignait – se réunissait autour de repas, ou plutôt de banquets, servis par Louisa, sa gouvernante, dans des bassines en plastique. Il y avait vingt, trente convives, comme dans un banquet. Le vin coulait à flots. Mais personne n'était ivre.

Un dimanche, Jean-Marie Le Pen était annoncé. Finalement, c'est le syndicaliste Henri Krasucki qui est arrivé ! Au piano, Philippe Sollers a entamé *L'Internationale*. La franche rigolade ! L'hymne communiste s'entendait jusque dans la rue. Sur la place des Vosges ensoleillée, les passants envieux, tournaient leurs regards en direction de nos fenêtres ouvertes en se demandant qui mettait une ambiance pareille.

Formidable, explosif : le maître des lieux avait un style de vie "champagne". Il nous enchantait par ses bons mots et ses formules. On l'appelait "Le Vieux". Maintenant, c'est mon tour : les activistes de mon parti m'appellent également "Le Vieux"...

Jean-Edern et moi vivions tous deux dans le Marais, mais moi, dans une mansarde, au 86, rue de Turenne... Nous nous voyions souvent, généralement de bon matin. Il était insomniaque. Quand il n'allait pas bien, il m'appelait et je rappliquais car mon domicile n'était qu'à cinq minutes du sien : "Édouard, viens m'aider, je me sens mal", gémissait-il au bout du fil. En règle générale, il s'installait dans un petit café de la rue Saint-Antoine, Les Quatre mousquetaires, si ma mémoire est bonne.

Dès le petit déjeuner, il carburait à la vodka. Quand il a commencé à me dire qu'il était menacé de mort par Mitterrand, je me suis dit qu'il exagérait. Plus tard, l'on a appris que Jean-Edern Hallier était dans la ligne de mire des services français pour avoir révélé l'existence de sa fille cachée Mazarine et son passé vichyste. "Le Vieux" n'était pas si délirant que cela (...).

En juin 1993, quelques fins limiers ont cru déceler un complot "rouge-brun" rassemblant intellectuels ou écrivains d'extrême droite et d'extrême gauche dans les colonnes de *L'Idiot international*. Initiée par le journal socialiste *Le Pli*, la campagne contre *L'Idiot* a ensuite été relayée par l'auteur de romans noirs Didier Daeninckx et par Bernard-Henri Lévy ainsi que par *Libération*, *Le Monde*, *Le Canard enchaîné*, *Le Figaro*. Une attaque aussi massive était inédite. Pour Jean-Edern, ce fut Stalingrad. Sous prétexte que certains de mes articles étaient publiés dans *L'Humanité*, d'autres dans *Le Choc du mois* et sous prétexte que je venais de déposer, à Moscou, les statuts de ma future formation politique, le Parti national-bolchevik, certains ont accusé *L'Idiot international* d'être à l'origine de la création d'un axe stalino-fasciste en France. Une connerie absolue doublée d'une erreur historique : le seul national-bolchevik de *L'Idiot*, c'était moi. Cette campagne merdeuse fut, pour Jean-Edern et son journal, une véritable mise à mort.

C'est dommage car, avec *L'Idiot* naissait une nouvelle pensée contestataire.

Je me souviens d'une soirée organisée par *L'Idiot* à la Mutualité qui a réuni environ 800 personnes, peut-être davantage. Un vieil employé à la Mutualité m'a dit qu'il n'avait jamais vu autant de monde et d'énergie depuis mai 1968.

La foule réunie ce soir-là était un curieux mélange de gens de droite et de gauche, avec des vieux soixante-huitards, des jeunes enthousiastes, des ouvriers. L'ambiance était électrique. Il était évident que les gens réclamaient quelque chose de neuf, comme la création d'un parti politique alternatif qui balaierait les anciens schémas droite-gauche.

La rumeur disait que, influencé par la campagne de presse qui assimilait *L'Idiot international* à un journal d'extrême droite, le mouvement radical juif Betar était là pour en découdre. Personnellement, je n'ai pas vu les gens du Betar. Mais ce qui est certain en tout cas, c'est que la plupart des écrivains de *L'Idiot* étaient absents. Je crois qu'ils s'étaient défilés, tout comme le chanteur Renaud, également collaborateur du journal. Jean-Edern était mort de trouille. Il pensait qu'on allait lui casser la gueule. Je lui ai dit : "Mais regardez cette foule énorme qui vous soutient : qui oserait ?" Alors, il a tourné cette réunion en farce, en meeting d'opérette. À la fin, il est parti immédiatement sur la moto d'Omar, son ami majordome et garde du corps très impliqué dans le journal. Tout le monde était très, très mécontent. Je me souviens parfaitement de cette soirée, l'ambiance qui y planait, et toutes les espérances du public parties en fumée... »

(1) Extrait de *Limonov par Édouard Limonov : conversations avec Axel Gyldén*, paru chez L'Express-Roularta éditions en 2012.

(2) Né en 1943 à Dzerjinsk (Union soviétique) et mort à Moscou en 2020, Édouard Limonov (Édouard Veniaminovitch Savenko, dit) est un écrivain soviétique puis français et enfin russe. Militant politique considéré comme dissident dans l'ex-URSS, il a été le fondateur et chef du Parti national-bolchevik. Installé à Paris à partir de 1980, il s'est rapidement inséré dans les cercles littéraires français et a collaboré notamment à *L'Idiot international.* Après 1989, il est retourné en URSS puis en Serbie. Dans les années 2000, il a fait parler de lui pour son rôle dans la vie politique russe et à l'occasion de la publication de *Limonov,* une biographie romancée d'Emmanuel Carrère qui obtint le prix Renaudot. Plusieurs de ses ouvrages furent alors réédités, dont *Journal d'un raté, Autoportrait d'un bandit dans son adolescence* et *Le Petit Salaud.*

« Ayons le courage de tirer les conséquences de ce que nous savons du génocide des Tutsi[1] »

par Patrick de Saint-Exupéry[2]

« Dans un livre magnifique, *Exterminez toutes ces brutes!* (Les Arènes, 2007, réédition), l'écrivain suédois Sven Lindqvist conclut son exploration de l'histoire coloniale européenne en Afrique par un constat sans appel : "Vous en savez déjà suffisamment. Moi aussi. Ce ne sont pas les informations qui nous manquent, c'est le courage de comprendre ce que nous savons et d'en tirer les conséquences."

Vingt-cinq ans après la première publication de cet ouvrage en France, les mots de Lindqvist résonnent avec une acuité et une puissance troublantes. Une commission d'historiens mise en place voici deux ans à l'initiative de l'Élysée vient de rendre au président de la République un rapport mettant en lumière les "responsabilités lourdes et accablantes" de l'État français dans le génocide des Tutsi du Rwanda, 1 million de morts en cent jours. Voilà donc tout un pays brutalement confronté à une vérité jusqu'ici niée depuis près de trente ans par une poignée d'hommes d'État qui tentaient d'esquiver leurs responsabilités en se drapant dans l'"honneur" d'une nation – la patrie des "droits de l'homme" – pour construire, année après année, un discours négationniste, pas à pas, comme on bâtirait un château de cartes mensonger.

C'est ce château de cartes que le rapport Duclert a écroulé.

La question de la complicité

Une vérité tenue en lisière pendant des décennies apparaît brutalement à tout un pays, incrédule et stupéfait. Le brouillard longtemps entretenu autour du rôle de Paris dans l'extermination des Tutsi du Rwanda se dissipe. Ce ne sont plus "les informations qui nous manquent", ce que la vérité exige maintenant, "c'est le courage de comprendre ce que nous savons pour en tirer les conséquences".

Car il ne faut pas se leurrer. Que la commission de recherche sur les archives françaises relatives au Rwanda et au génocide des Tutsi, présidée par l'historien Vincent Duclert, spécialiste des génocides, se soit sentie obligée de préciser qu'*a priori,* "rien" ne viendrait "démontrer" que les plus hautes autorités françaises se soient rendues complices du génocide n'atteste que d'une évidence : la question de la complicité s'est posée aux historiens de la commission avec une force incontestable.

Ceux-ci y ont prudemment répondu en historiens, privés d'un accès total aux archives, soit parce qu'encore interdites d'accès, soit parce que détruites par ceux-là mêmes qui craignent aujourd'hui encore l'impératif de justice. Un crime de génocide – ce crime absolu qui consiste à vouloir faire disparaître de la surface de la terre un peuple entier, jusqu'à sa mémoire même – est imprescriptible, ses éventuels complices peuvent être traduits en justice dix, vingt, trente ou cinquante ans plus tard. Tant qu'ils sont vivants, ils restent redevables à tout le moins de rendre compte de leurs décisions, de s'en expliquer, de défendre leur honneur. Pas celui d'un pays dont ils s'autoproclameraient les "hérauts" pour mieux taire, justement, la voix de ce pays, mais leur honneur personnel, le leur, juste le leur.

Un “réseau parallèle” à l’Élysée

Car ils se sont compromis, au-delà de toute limite. Ils n’étaient pas nombreux, une vingtaine, mais ils ont emporté un pays entier dans une guerre qui fut secrète et qu’ils menèrent – sans rendre aucun compte – de leur vaisseau amiral de l’Élysée. Une guerre qui permit la réalisation d’un génocide, le plus fulgurant, le plus brutal jamais vu, “un génocide sous sa forme la plus pure”, nota l’historien Raul Hilberg dans *La Destruction des Juifs d’Europe* (Gallimard, Folio Histoire, 2006).

Un détail dit tout de cette histoire folle qui emporta la présidence de François Mitterrand dans une participation active – politique, militaire et diplomatique – au dernier génocide du XXe siècle et, par la suite, à sa négation la plus brutale, la plus abjecte. Ce détail, c’est le général Jean Varret, un soldat, qui le raconte. Il le mentionne dans un entretien publié par *Le Monde* du 30 mars 2021. Il découvre, raconte-t-il en évoquant l’année 1993, au cours de laquelle il va se voir démis d’office de son poste de responsable des missions militaires françaises de coopération, qu’“un réseau (de communication) parallèle non réglementé s’est mis en place à l’Élysée”. Il explique : “J’ai découvert ces moyens de communication chiffrés, une station Inmarsat, lorsque Huchon (le général Huchon est alors chef adjoint de l’état-major particulier de M. Mitterrand) m’a fait visiter l’EMP (état-major particulier de la présidence de la République française). Il m’a emmené sous les combles, où j’ai vu le poste. Un sous-officier servait d’opérateur radio. Cette liaison ne relevait nullement des activités normales de l’Élysée.”

Le général Varret a un solide sens du devoir, il est aussi un proche de François Mitterrand, qu’il estime. Il s’interroge : voici quelque temps, il a averti du risque de génocide en faisant savoir que ses interlocuteurs de l’armée rwandaise, tenue par les extrémistes, lui avaient annoncé vouloir “liquider tous les Tutsi” ; ceux-ci étaient “peu nombreux” et donc “cela allait vite être fait”.

La fidélité à un homme, et non à un pays

Il a averti l’Élysée et l’armée ; le chef d’état-major, entre autres, l’amiral Lanxade. Pour avoir dit ce qu’il ne fallait pas dire – que les alliés de l’Élysée préparaient un génocide –, il est “viré” et remplacé aussitôt par le général Huchon, celui-là même qui, de son bureau de l’Élysée, avec son marsouin, ce sous-officier des troupes de marine installé dans les “combles” du palais présidentiel, donnait directement ses ordres – en grillant toute la chaîne de commandement – aux troupes déployées en nombre à 8 000 kilomètres de là pour être engagées dans une guerre qui ne devait pas être connue de la France, qui était une guerre personnelle menée en son nom propre par François Mitterrand avec l’accord, le soutien et l’appui sans faille d’une poignée d’hommes dévoués au chef de l’État. Faute de l’être à la nation.

Hubert Védrine, secrétaire général de l’Élysée sous la présidence de François Mitterrand, ne peut ignorer la présence de cet opérateur radio dans les “combles” de l’Élysée. De par sa fonction, il lui revient de gérer au quotidien les affaires de la présidence. Ce qu’il fait avec un zèle sans faille. Ce qu’il fera par la suite, pendant plus de vingt ans, avec la même fidélité à un homme – et non à un pays – en construisant, élaborant et diffusant un pur discours négationniste visant à renverser les responsabilités : faire des victimes du génocide les propres coupables de leur malheur sans nom. Le négationnisme, c’est créer un relativisme, créer la confusion. Évoquer un prétendu second génocide – celui des Hutu par les Tutsi en représailles – revient à nier le génocide puisque le “second” occulte le “premier” – le seul réel.

Pour parvenir à cela, les institutions de la République vont être manipulées dans une débauche de tromperie. L'armée va se trouver impliquée à son corps défendant – à l'exception de quelques hauts gradés – dans une entreprise de pure négation de l'évidence ; la justice va se voir embringuée dans une folle instruction menée par le juge Bruguière, qui se fera complice de la négation au prix d'une instruction manipulatrice ; les plus hauts responsables politiques français vont participer à ce processus, de bonne foi pour certains, par cynisme absolu pour d'autres ; des intellectuels reconnus vont verser dans le plus abject négationniste ; de célèbres organisations humanitaires vont se laisser abuser et glisser dans un abîme sans fond.

Les complices du mensonge mis en place pendant plus de vingt ans vont se voir promus et célébrés. Et ceux qui tentèrent de briser la chape de plomb seront, eux, tenus en lisière et désignés à la vindicte comme des "anti-France", des "traîtres", des "idiots utiles", des "complices du führer rwandais", l'actuel président Paul Kagame, des "âmes trop sensibles" éprouvées par l'horreur de ce génocide qu'il ne fallait pas voir, pas regarder, pas examiner.

Des soldats au comportement courageux – à l'image du général Jean Varret – furent placés à l'écart, écartés de toute promotion ou ouvertement dénigrés par ceux-là même qui les commandèrent. Ces soldats étaient pourtant l'honneur de l'armée : l'adjudant-chef Prungnaud, du GIGN ; le colonel Rémi Duval, chef d'un groupement COS, qui découvrit le drame de Bisesero et subit avec son groupement l'ire de ses supérieurs directs, qui, pour mieux s'exonérer de leurs responsabilités, les accusèrent d'avoir fauté ; le colonel Galinié, qui, bien que formé à Saint-Cyr dans le même temps que son camarade de promotion, le général Huchon, refusa de franchir le pas de trop ; le lieutenant-colonel Guillaume Ancel, qui témoigne sans trêve du rôle assigné malgré eux aux soldats de l'opération Turquoise...

Aux citoyens de s'en saisir

La liste n'est pas complète. Pour l'établir, il faudrait scruter les promotions indues du ministère des Affaires étrangères, de la Coopération, du ministère des Finances et de toutes ces administrations qui, un jour ou l'autre, pendant plus de vingt ans, ont eu à faire avec le poids de ce mensonge entretenu sciemment autour du rôle de Paris au Rwanda.

Les faits sont là.

Ils sont têtus, incontestables, publics. La seule lecture du chapitre 7 du rapport Duclert suffit à l'édification de ceux qui oseraient encore tenter de nier leurs responsabilités, énormes ; et d'autant plus importantes qu'ils ont voulu entraîner derrière eux un pays, au risque assumé de salir l'honneur d'une nation entière. Voici quelques jours – et c'est, là aussi, du courage –, ces faits ont été admis par le président de la République Emmanuel Macron ; admis par la France, donc.

Il reste maintenant au pays entier – et à ses citoyens, à ses associations, à ses intellectuels, à sa justice... – de s'en saisir. Pour réclamer justice. Pour demander aux magistrats d'"avoir le courage de comprendre ce que nous savons et d'en tirer les conséquences". »

---

(1) Texte paru dans les pages « Idées » du journal *Le Monde*, daté du 2 avril 2021.

(2) Patrick de Saint-Exupéry est auteur notamment de *L'Inavouable, la France au Rwanda* (Les Arènes, 2004) et *La Traversée : une odyssée au cœur de l'Afrique* (Les Arènes). C'est lui qui rapporta ces mots si révélateurs et si effrayants de M. Mitterrand : « Dans ces pays-là, un génocide n'est pas trop important. »

« Une page sordide s'est enfin tournée pour les militaires français qui se sont vu imposer le silence mortifère[1] »

par Guillaume Ancel[2]

L'ancien militaire salue le discours historique d'Emmanuel Macron le 27 mai 2021, à Kigali. Un geste politique qui, pour ce vétéran de l'opération « Turquoise » organisée par la France au Rwanda, « rétablit la vérité en affrontant la réalité » et met fin à vingt-sept années de déni.

« Dans un discours historique prononcé à Kigali, le 27 mai 2021, le président Emmanuel Macron a reconnu officiellement la responsabilité "accablante" de la France et demandé, avec subtilité, pardon au peuple rwandais. Soulagement et émotion devant ce geste politique qui rétablit la vérité en affrontant la réalité et rétablit "en même temps" la dignité de la France, compromise par une poignée de décideurs autour de François Mitterrand pour avoir soutenu les génocidaires du Rwanda, dans une géopolitique hallucinée au détriment de toute humanité.

Certes, les Français n'ont pas participé au génocide – ce dont nous n'avions jamais douté –, mais en apportant leur soutien aux extrémistes Hutu qui mettaient en place une "solution finale" contre les Tutsi, ils se transformaient de fait en "collabos" de ces nazis du Rwanda ! J'en étais.

De 1990 à 1994, sans que les Français le sachent, nous nous sommes battus aux côtés de ceux qui préparaient le génocide. Nous les avons aidés à multiplier par sept leur armée, qui allait devenir le fer de lance de cette monstruosité. Nous les avons même aidés à constituer des "milices d'autodéfense" qui seront les escadrons de la mort de leur épouvantable programme.

Nous avons perturbé l'enquête

En avril 1994, avons-nous seulement fermé les yeux quand une équipe de mercenaires est venue préparer l'attentat contre le président Juvénal Habyarimana, à partir du camp de Kanombe qu'occupaient les "unités d'élite" rwandaises qui nous "instruisions" ?

Nous avons volé les boîtes noires de l'avion sur les lieux du crash pour perturber l'enquête et diffusé de fausses preuves fournies par leur Himmler, le colonel Bagosora [NDLR : présenté comme le cerveau du génocide rwandais, il a été condamné à la perpétuité, en 2008, par le Tribunal pénal international pour le Rwanda].

Nous avons accueilli les nazis du Rwanda dans l'ambassade de France pour qu'ils constituent un "gouvernement intérimaire" qui sera le gouvernement des génocidaires, à l'encontre même des accords d'Arusha [NDLR : signés le 4 août 1993 et en vertu desquels les casques bleus de l'ONU prennent le relais de la présence militaire française], qu'on qualifiait de "Munich" à l'Élysée…

Une délégation reçue à Paris

Et lorsque nos avions ont atterri le lendemain à Kigali pour évacuer les ressortissants étrangers, ils ont débarqué encore des armes pour ces hordes criminelles. Plusieurs dizaines de nos soldats d'élite sont restés sur place pour une mission qui est encore soigneusement cachée. En plein génocide, l'Élysée a officiellement reçu une délégation conduite par leur Goebbels et nous avons continué à les assurer de notre soutien et de nos armes.

Nous avons commémoré, en juin 1994, les 50 ans du massacre d'Oradour-sur-Glane avec un formidable : "Plus jamais ça !" du président Mitterrand, tandis que nos alliés répétaient 15 fois par jour ces massacres : 10 000 morts par jour pendant cent jours. Au 75e jour des massacres, tandis que nos brillants alliés perdaient pied face aux soldats du Front patriotique rwandais (FPR) de Paul Kagame, nous avons déclenché l'opération "Turquoise", sous "mandat humanitaire de l'ONU", pour envoyer les meilleures unités de l'armée française se battre contre... les ennemis des génocidaires, ces soldats du FPR que nous ne cessions de désigner comme notre ennemi. Et lorsque nos soldats ont croisé les survivants Tutsi des collines de Bisesero, ils ont reçu l'ordre de les laisser choir à nos alliés qui les massacraient, parce que la mission fixée par l'Élysée était claire : stopper nos ennemis plutôt que les génocidaires. Trois jours plus tard, mes camarades des forces spéciales ont désobéi, sans le dire, pour porter enfin secours aux rescapés de Bisesero, et ils en furent blâmés. L'armée française a alors créé, sur ordre, une "zone humanitaire sûre" qui a sauvé l'armée des génocidaires. Nous avons même été obligés de mener des raids à l'intérieur de cette zone, que nous "protégions", pour sauver quelques rescapés Tutsi de la volonté exterminatrice des SS qui s'y étaient installés en toute liberté.

Nous aurions pu nous arrêter là, dans ce désastre, mais nous avons été obligés de boire la coupe jusqu'à la lie. Les organisateurs du génocide se sont présentés à Cyangugu, où se trouvait un groupement militaire français, celui dont je faisais partie ; son commandant fut obligé d'escorter les responsables du génocide jusqu'à la frontière du Zaïre, devenu Congo, alors qu'il avait réclamé de les arrêter.

Ces criminels ne sont pas partis seuls : ils avaient pu conserver la radio Mille Collines, qui diffusait leurs ordres odieux, et ils ont déclenché l'exode forcé de la population Hutu pour continuer leur "résistance", la destruction des Tutsi. Nous leur avons à nouveau livré des armes et nous leur avons même proposé nos conseils pour élaborer une nouvelle stratégie. Ces combats durent encore dans l'est du Congo [NDLR : avec la "deuxième guerre du Congo", de 1998 à 2002, puis celle du Kivu], faisant près de 300 000 morts, dix fois plus de vies massacrées que celles "sauvées" par l'opération "Turquoise", qui, de fait, a sauvé les génocidaires.

Une vérité indéfendable

Des voix se sont élevées en France pour réclamer des explications. Mais la vérité était indéfendable et inacceptable, alors les responsables de l'époque ont inventé des thèses "alternatives" pour atténuer leurs responsabilités et enterrer ce désastre français. À la tête de certains d'entre eux, depuis vingt-sept ans, Hubert Védrine [NDLR : secrétaire général de l'Élysée de 1991 à 1995] oriente les actions : n'y aurait-il pas eu un deuxième génocide, commis par les Tutsi, qui contrebalancerait l'horreur de celui qu'ils avaient subi ? Le président Kagame n'aurait-il pas organisé lui-même l'assassinat du président Habyarimana pour déclencher le génocide ? Des Tutsi n'auraient-ils pas infiltré ces milices qui démembraient les leurs pour les transformer justement en bourreaux ? Le négationnisme, ce n'est en effet pas seulement nier le génocide contre les Tutsi, c'est aussi chercher à atténuer la responsabilité de ceux qui l'ont commis ou, pis, de transformer les bourreaux en victimes.

Le 27 mai 2021, avec solennité, avec des mots choisis, avec une humilité à laquelle il ne nous avait pas habitués, le président Macron a rétabli l'équilibre des valeurs qui honorent notre nation et notre société, la capacité à affronter la réalité, l'intelligence d'apprendre de ses échecs et la force de reconnaître ses erreurs. Pour les militaires français, qui se sont vu imposer une politique délirante amenant à collaborer, qui se sont vu imposer un silence mortifère et le déshonneur d'assumer de tels mensonges, c'est une page sordide de notre politique qui est enfin tournée. Car l'honneur d'un soldat réside dans son humanité bien plus que dans sa discipline, et c'est pour cela que mon cœur s'est senti soulagé en écoutant ce président nous libérer de la honte d'avoir collaboré. »

---

(1) Texte paru dans les pages « Idées » du journal *Le Monde,* daté du 2 juin 2021.

(2) Ancien lieutenant-colonel de l'armée française, vétéran de l'opération « Turquoise ». Auteur notamment de *Rwanda, la fin du silence* (Les Belles Lettres, 2018).

« François Mitterrand et son amour clandestin »

Extrait de la chronique de Laurent Gerra diffusée le 13 octobre 2021 à l'antenne de RTL [1]

« La vie personnelle de François Mitterrand fait l'objet de nouvelles révélations fracassantes. Dans son livre intitulé *Le Dernier Secret*, Solenn de Royer, grand reporter au *Monde*, dévoile la relation amoureuse du président Mitterrand, alors âgé de 71 ans, avec une étudiante en droit de 19 ans, prénommée Claire dans le livre. Un amour clandestin qui dura huit ans, jusqu'à la mort du président et qui donna lieu à une abondante correspondance dont voici un extrait. Nous sommes au début de l'amour à l'automne 1988…

"Claire, ma Clairette, ma Clarinette… L'été se termine enfin (…) Il faut (…) que je te présente Mazarine, ma fille cachée. J'espère qu'elle te plaira. Vous pourrez réviser, faire vos devoirs ensemble. Elle n'a que 14 ans, mais ce sera un peu comme une petite sœur pour toi. Tu verras, elle est espiègle. L'autre jour, avec le tube de son stylo Bic, elle a envoyé une boulette de papier mâché dans l'œil de verre de Jean-Edern Hallier.

Il était furieux et depuis il me fait la gueule, cet idiot international. Bah, ça lui passera avant que ça me reprenne… En attendant, je l'ai fait mettre sur écoutes par Grossouvre. Je te ferai entendre les enregistrements. Il ne décolère pas. C'est irrésistible.

Depuis que je te connais, ma petite Claire, je me sens rajeunir. C'est comme si les cinquante-deux ans qui nous séparent n'existaient pas. Je me sens dans la force de l'âge : mon médecin, le bon docteur Gubler, n'en revient pas. Il croit que c'est grâce à son traitement à base d'Ovomaltine.

Laisse-moi te confier un petit secret. J'ai demandé à l'aîné de mes deux nigauds de fils, Jean-Christophe, celui qui traficote en Afrique, de me trouver de la corne de rhinocéros blanc broyée. J'en mets dans tous les plats. J'ai dit à Anne Pingeot que c'était du sel de Noirmoutier que m'avait envoyé Ségolène. Depuis, j'ai une pêche d'enfer, comme tu le dis toi-même.

J'ai hâte de te revoir. J'espère de tout mon cœur que tu pourras venir à la soirée caviar et homards qu'organisent les Badinter. Je voudrais te les présenter officiellement. Ils sont mortellement ennuyeux, mais ils ont le bras long. J'ai déjà parlé de toi à Robert Badinter. Alors ne te fatigue pas trop avec tes examens de droit, il t'aidera le moment venu. Il me doit bien cela…" »

---

(1) Né en 1967, Laurent Gerra est un imitateur, humoriste, acteur et scénariste français. Il s'est rendu célèbre en France par ses imitations ironiques et talentueuses de personnalités de la politique, du monde du spectacle et des médias. Diffusées en direct le matin à partir de 8h45 sur l'antenne de la radio RTL et conçues avec la complicité d'une équipe dont font notamment partie Jean-Jacques Peroni, Régis Mailhot, Albert Algoud et Pascal Fioretto, ses chroniques réunissent chaque matin de très nombreux auditeurs.

« De Le Luron à Robuchon : François Roboth se met à table »

Reproduction *in extenso* de l'article paru dans le numéro 4 de la revue *Gueuleton* en juillet 2021

« À la veille de ses 85 ans, François Roboth en a encore sous le pied et la fourchette. Confortablement attablé chez son copain le Père Claude, dans le 15e à Paris, le journaliste gastronomique revient sur cinquante ans de carrière... et de gueuletons.

Certains se souviennent de l'émission "Quand c'est bon ?... Il n'y a pas meilleur !", diffusée sur France 3 à la fin des années 1980. François Roboth nous emmenait à la rencontre des plus grands chefs mais aussi d'une cuisine familiale et généreuse. Quarante ans plus tard, l'ancien journaliste-photographe est toujours aussi passionné par son métier et par la gastronomie en général.

Depuis trente ans, qu'est-ce qui a changé dans l'univers de la gastronomie ?

Ça ne date pas de 1990, mais Instagram et certaines émissions de télévision ont bousculé pas mal de choses. Évidemment, il y a de bons côtés et cela contribue à mettre la cuisine en valeur, mais la médaille a aussi son revers...

C'est-à-dire ?

Disons que je me méfie un peu des chefs à la mode, des étoiles filantes et du marketing. Quand Jean Imbert reprend une aussi grosse machine que le Plaza Athénée et ouvre en même temps une table pour Dior, il faut m'expliquer.

Moi je suis de la vieille école : j'ai énormément d'admiration pour les chefs qui ont démarré à 14 ans, qui ont fait leurs classes dans les plus grandes maisons. Ce n'était pas le Club Med ! Ils ont encaissé les coups de louche, les bousculades, les gueulantes... Ils ont appris le métier, la rigueur, mais aussi l'humilité.

Aujourd'hui, on est dans la mise en scène, l'apparence. Dans "Top Chef", il y a un climat de guerre civile. On entraîne même les candidats à chuter. "Elle est pas bonne celle-là, on la refait !" En 1987, dans "Quand c'est bon ?... Il n'y a pas meilleur !", il n'y avait pas de script, pas de montage. On ne trichait pas.

Ne penses-tu pas que ces émissions contribuent à sensibiliser les consommateurs aux terroirs, aux techniques ?

Sincèrement, non. Je suis même consterné par le manque d'éducation des consommateurs aujourd'hui. Autrefois, les garçons apprenaient le bricolage et la mécanique et les filles prenaient des cours ménagers. Je ne prône évidemment pas un retour à ce système – j'ai bien noté qu'on était au XXIe siècle – mais pourquoi ces matières ne seraient-elles pas enseignées à tous les enfants, garçons et filles, à l'école, au collège ou au lycée ? Apprendre la cuisine, les saisons, les produits, c'est important !

Sur l'origine des produits, c'est pareil : il y a beaucoup de poudre aux yeux. Selon les cas, on nous prive d'informations ou au contraire on nous noie volontairement sous des tonnes de trucs auxquels personne ne comprend rien. Et au final, on ne sait pas ce qu'on mange. C'est de l'enfumage, tout ça est verrouillé.

Les labels, les AOC… C'est un bordel sans nom. Il faudrait des mesures draconiennes des autorités, mais personne n'y a vraiment intérêt. Sauf le consommateur peut-être ? En Belgique, il faut un diplôme d'État pour ouvrir un restaurant. En France, n'importe qui peut décréter qu'il est restaurateur du jour au lendemain. Pourquoi ?

Comment un jeune photo-reporter devient-il une des figures de la presse gastronomique ?

Je viens d'une famille où on mangeait plus que bien. Ma grand-mère était membre de la Commanderie des Cordons Bleus et mon grand-père, marchand de vin à Tavel. C'est avec eux que j'ai découvert la gastronomie. Après, c'est une histoire de hasard et de rencontres. J'allais à l'école communale de la rue Rouelle, à deux pas du Vélodrome d'Hiver. On essayait de photographier les grands cyclistes pour sortir des prises de vue maîtrisées des albums Panini, et ça m'a donné le goût de la chasse à l'image. Après, j'ai acheté un Leica et rejoint un copain de lycée qui était entré à l'agence Dalmas.

Ça, c'est pour la photo. Et le passage à la presse gastronomique ?

Le deuxième déclic, si je puis dire, je le dois au critique Philippe Couderc, que j'ai accompagné pour faire les photos d'un chef. Après, tout s'est enchaîné et je ne suis plus jamais sorti des cuisines !

Pour la télévision, c'est pareil, c'est une histoire de rencontres. J'ai travaillé avec Le Luron, avec Pierre Perret. Personne ne le sait mais c'est moi qui ai fait la photo du zizi (1). C'est ça, ce métier : de la passion, de l'humain, des rencontres... et un peu de chance !

Propos recueillis par Romain Benita

(1) François Roboth évoque bien sûr la pochette du célèbre disque de Pierre Perret sorti en 1974.

In memoriam

Laurent Wetzel

« Ce pour quoi j'ai vécu. Trois passions simples mais irrésistibles ont commandé ma vie : l'aspiration à l'amour, la soif de la connaissance, l'insupportable sentiment de pitié devant les souffrances du genre humain. »

Bertrand Russell (1872-1970), *Autobiographie*

« Ô Seigneur, donne à chacun sa propre mort… La mort issue de cette vie où il trouva, l'amour, un sens, et la détresse. Car nous ne sommes rien que l'enveloppe et la feuille ; la grande mort, que chacun porte en soi, elle est le fruit, elle est le centre. »

Rainer Maria Rilke (1875-1926), *Le Livre de la Pauvreté et de la Mort*

« L'histoire universelle est celle d'un seul homme. »

Jorge Luis Borges, « Le temps circulaire », *Histoire de l'Éternité*

Bien sûr, il y a la page Wikipédia qui lui est consacrée. Bien sûr, il y a les trois livres qu'il a laissés. *Vingt intellectuels sous l'Occupation : des résistants aux collabos*, un ouvrage tout à fait remarquable paru aux éditions du Rocher en 2020, *Ils ont tué l'histoire-géo*, un essai assez retentissant que publièrent les éditions François Bourin en 2012, ou encore *Un internement politique sous la Ve République : barbouzes et blouses blanches,* un document à la fois émouvant et saisissant édité par Odilon Media en 1997. Bien sûr, il y a la notice de la Bibliothèque nationale de France qui, en quelques mots, semble énoncer le résumé d'une vie et établir un « profil » : « Laurent Wetzel (1950-2021). Naissance à Landerneau (Finistère). Mort à Clamart (Hauts-de-Seine). Ancien élève de l'École normale supérieure de la rue d'Ulm, agrégé d'histoire. Enseignant et homme politique. Professeur d'histoire. Inspecteur pédagogique régional. Maire de Sartrouville, Yvelines (1989-1995). » Bien sûr... Mais Laurent Wetzel ne se réduisait pas au contenu d'une page Wikipédia ou à une notice de catalogue de bibliothèque. Profondément attaché à l'humanisme, il était d'abord et avant tout un être d'une réelle sensibilité et d'une grande humanité, qui ne manquaient pas de frapper les personnes amenées à le rencontrer. Et c'est sans doute ce fait – si rare dans le monde actuel – que retiennent aujourd'hui tous ceux et celles qui déplorent amèrement sa brutale disparition.

S'il aimait à débusquer l'imposture et n'était pas homme à se contenter des vérités officielles, il avait le souci de la rigueur intellectuelle, du recul par rapport à l'immédiateté et, en tout, de la nuance éventuelle. À l'auteur de ces lignes, il le démontra à maintes reprises et en particulier en 1998, à l'occasion de l'assassinat de M. Claude Érignac en Corse. Très respectueux du chagrin de sa veuve et de ses enfants, il eut simplement des mots qui avaient du poids et démontraient qu'il existe un parfait engrenage, une logique implacable de la fatalité... Et que dès qu'il est question de « préfet exemplaire », le citoyen a tout lieu de se montrer inquiet, de s'interroger : « exemplaire » pour qui et au service de qui ?

Nombreux sont les souvenirs qui s'attachent à celui qui, avec son épouse Marie-Henriette, faisait partie des membres fondateurs du Cercle InterHallier, créé le 1er mars 2017. Mais peut-être vaut-il mieux laisser ses trois fils, Guillaume, Arnaud et Emmanuel, lui rendre hommage en évoquant le père qu'il fut... comme ils le firent si bien lors de la cérémonie d'adieu qui eut lieu le 18 octobre 2021 à Versailles :

« Papa, en bon khâgneux, aurait certainement apprécié un éloge funèbre selon le classique plan en vingt-sept parties qu'il regrettait ne plus voir enseigner dans les dissertations... Je vous ferai grâce aujourd'hui d'un long développement mais souhaite cependant m'appuyer sur trois vertus pour vous parler de notre père. Papa, tout au long de sa vie, a tendu à la recherche de la vérité. La vérité historique et la rigueur qui en découle. Vous le percevez bien sûr, au regard de ses combats et son engagement politiques et de ses livres, et je m'en souviens lorsqu'il m'emmenait, enfant, à la bibliothèque de l'École normale supérieure, l'École pour les intimes, et m'expliquait le classement des fiches en in-quarto, in-octavo ou autre pour pouvoir emprunter un ouvrage qu'il n'avait pas encore étudié et indispensable (bien sûr) pour vérifier une des références de ses notes de bas de page... Mais plus profondément, ce qui comptait pour lui, c'était la vérité des hommes. Pour tous ceux d'entre vous qui ont connu son amitié, vous savez qu'elle était indéfectible, idéaliste et naïve parfois, sans compromission et même s'il souffrait de la distance que la vie peut créer entre des amis, il accourait pour les retrouvailles, de préférence dans un café philo ou une brasserie parisienne de noctambule. L'exigence de la vérité, notre père l'a beaucoup menée au travers de son engagement politique et ses écrits. Il aimait profondément la France, notre belle nation. Il aimait son histoire, son identité. Il aimait sa géographie, du Vaucluse à la Normandie. Il nous racontait, enfants, lors de nos longs trajets en voiture, la formation de ses massifs au quaternaire et la production de carottes du Cotentin. Il y a consacré une grande partie de sa vie... On surnommait papa le "maire courage", après les émeutes de 1991, émeutes dont à l'époque je percevais les conséquences par la voiture de police garée, la nuit, devant notre maison à Sartrouville.

Mais le véritable courage de notre père, était de faire face, depuis ses 20 ans, à cette longue souffrance qu'est la dépression chronique. Il s'est courageusement battu, tout au long de sa vie, contre ce mal intérieur qui le rongeait. Il s'est battu pour pouvoir vivre, aimer et s'occuper de sa famille du mieux qu'il le pouvait. Il ne s'est pas battu seul, Maman était à ses côtés, qui l'a soutenu indéfectiblement jusqu'à son dernier jour. Papa était un homme bon et profondément gentil. Il a toujours été là pour nous, évidemment, ainsi que pour ses parents, oncles, tantes, cousins et cousines et j'en passe... Si vous y réfléchissez, je suis sûr que vous trouverez, sans grande difficulté, un moment de votre vie où il vous a appelé, écouté, épaulé et offert son aide... S'il y a un de ses enseignements que je retiendrai toute ma vie, c'est que l'homme est fait pour faire le Bien. Cette conviction, il l'a suivie tout au long de sa vie, auprès de sa famille mais aussi ses camarades, ses élèves, ses concitoyens et les professeurs qu'il a accompagnés. "L'homme est fait pour faire le Bien..." Ce n'était pas chez lui une abstraction philosophique, mais une Foi. La Foi en Jésus-Christ, la Foi en l'Espérance. L'Espérance profonde qu'il avait de la vie éternelle, qu'il retrouverait, un jour, ceux qu'il aimait et qui étaient partis avant lui. Cette Foi, nous la partageons et vous encourageons à la vivre pleinement au cours de cette célébration. »

Guillaume Wetzel

« Notre papa est parti brutalement, et un grand vide demeure. Il est difficile d'exprimer avec des mots qui il était pour moi tant sa personnalité et son amour font partie de moi. Papa était un homme bon. Pour lui, le bien existait, un bien absolu, car papa était croyant. Il souffrait de vivre dans un monde où tout se vaut, où la recherche du bien et du meilleur a laissé place au statu quo. Ainsi, toute sa vie, il a mené un combat intense pour faire vivre ce monde d'idées et de valeurs.

Cette lutte, avant de l'incarner avec courage en politique ou en public, il l'illuminait d'abord par sa passion de l'échange, intime, intense, dans lequel la réaction se muait en discours, l'idéologie s'effaçait derrière les idées, les opinions se perdaient face à la connaissance.

Mais cette recherche de lumière s'est heurtée à ses nombreuses fragilités, sa maladie. Et son combat a aussi été celui contre ses propres failles et erreurs. Sa plus grande blessure venait du regard qu'il portait sur lui-même. Car avec le temps j'ai compris que derrière son regard parfois sombre sur le monde se trouvaient les déceptions, les déceptions d'un observateur émerveillé de la grandeur de l'Homme. Sa fierté était avant tout celle d'un homme qui cherchait à s'élever au niveau des hommes et des femmes qu'il admirait. Il admirait maman, ses amis, ses enfants, ses parents, et tant d'autres. Son école le rendait si fier, car il admirait les grands esprits qui l'ont parcourue. Il admirait le courage, l'intelligence, l'intégrité, la fidélité, la gentillesse. Il les admirait, car ces qualités touchaient sa sensibilité exceptionnelle. Moi aussi papa, je t'admire. Cette sensibilité façonnait en papa un puits d'amour. Tourmenté par le fait de ne pas ressentir cet amour comme il faut, de ne pas le transmettre comme il faut, papa nous a pourtant fait vivre son essence. L'amour est ce tourment, ce choix, cette volonté de servir la personne qu'on aime, d'être touché par ses souffrances et de les partager pour l'en libérer, d'être préoccupé, inquiet de ses choix et de ses pensées. Papa, nous t'aimons tendrement comme tu nous as aimés, je t'aime comme tu m'as aimé. »

Arnaud Wetzel

« Papa tu nous as quittés trop tôt et si brutalement. Chacun de nous ici présent se souvient de sa dernière conversation avec toi, comme si c'était hier. Mais tu n'es plus là. Nous ne t'embrasserons plus. Nous n'entendrons plus ta voix. Nous ne verrons plus ton visage. Papa tu n'es plus là, mais tu continueras à vivre en chacun de nous. Dans cette assemblée, nous avons tous été marqués, à un moment ou à un autre, par ta personnalité, ton courage, ta culture, ta passion pour l'Histoire, tes conseils avisés, ta générosité, ta profonde gentillesse, ton amitié fidèle ou ton amour.

Papa, tu m'as marqué. Tu louais souvent certaines de mes qualités, elles étaient le reflet des tiennes. Tu disais de moi que j'étais un observateur aiguisé, mais tu étais capable de déceler le moindre de mes tourments sans même me parler. Tu louais ma gentillesse, ma générosité mais tu as toujours pensé à notre bonheur plutôt qu'au tien. Cette profonde gentillesse, tu l'as transmise à tes trois enfants, que tu aimais plus que tout. Tu parlais de mon esprit de famille mais tu as toujours été là, en toutes circonstances, pour soutenir les tiens.

Tu m'écoutais attentivement pendant nos nombreux échanges téléphoniques, estimant mon jugement sur différents sujets d'actualité, mais c'est moi, c'est nous, qui recherchions souvent ton avis éclairé. Je n'arrive toujours pas à réaliser que ces conversations si enrichissantes, je ne les aurais plus. Nous ne les aurons plus.

Tu me disais fidèle en amitié, mais ne sommes-nous tous pas ici les témoins de cette fidélité. Tout ce que tu étais Papa, je le retrouve, nous le retrouvons dans tous ces souvenirs que nous avons avec toi. Le temps viendra, je l'espère, où je me souviendrais de tous ces moments précieux avec le sourire, mais aujourd'hui la tristesse est immense et semble insurmontable.

Je sais papa que de là où tu es dans les bras de ta maman, tu regardes tout l'amour dans cette église et tu souris. Ton Titou qui t'aime. »

Emmanuel Wetzel

« Le coup a été cruel. Vous savez si je sais aimer mes amis. »

Jules Barbey d'Aurevilly, dans une lettre à Auguste-Félix Azambre, rédigée après le décès de son ami, le critique et historien d'art Théophile Silvestre survenu le 20 juin 1876

« Avec celui que nous aimons, nous avons cessé de parler, et ce n'est pas le silence. »

René Char, « L'Éternité à Lourmarin »

« Mon ami n'est pas mort puisque je vis encore. »

Proverbe bantou

Jean Thiollet

« La mort, "viens" est son nom, elle appelle tout le monde à soi :
et ils viennent tout de suite à elle, bien que leur cœur
frissonne de peur devant elle.
Nul ne la voit parmi les hommes et les dieux :
les grands sont dans sa main comme les petits,
personne ne peut éloigner longtemps son signe
d'appel de tous ceux qu'il aime :
elle dérobe le petit enfant à sa mère plus volontiers
que le vieillard qui lui tourne autour.
Tous les peureux prient devant elle,
mais elle ne tourne pas sa face vers eux.
Elle ne vient pas à celui qui l'implore, elle n'écoute pas celui
qui lui donne des louanges,
elle ne regarde pas ce qu'on lui offre. »

Épitaphe de Taimhotep, épouse d'un grand prêtre sous Ptolémée XI
(*Littérature et poésie de l'ancienne Égypte, Letteratura et Poesia dell'antico Egitto,* a cura di E. Bresciani Torino, G. Einaudi, 1969)

« NF.F.NS.NC »
« Non fui, fui, non sum, non curo. »
« Je n'existais pas, j'ai existé, je n'existe plus, je n'en ai cure. »

Inscription traditionnelle des tombeaux gallo-romains

« Les morts sont des invisibles, mais non des absents. »

Saint Augustin (Augustin d'Hippone, dit, 354-430)

« Votre père est-il mort ? » Question posée à deux reprises, à plusieurs années d'intervalle, par un agent d'une caisse d'assurance vieillesse à l'auteur de cet ouvrage... À l'évidence, le décès de Jean Thiollet était très attendu. *A priori*, le montant de la pension de retraite versée par l'organisme en question – inférieur à 500 euros par mois – ne paraissait pas pouvoir constituer un réel enjeu [1]. Mais il faut croire qu'à force de défier les statistiques, en percevant de petites sommes d'argent plus de vingt-cinq ans après sa liquidation de droits et deux AVC, Jean Thiollet avait fini par susciter un trouble logiciel au point de devenir un « cas d'espèce ». De fait, il fut tout au long de son existence quelque peu « hors norme ». Et il l'a démontré jusqu'à son dernier souffle puisque sa disparition que les autorités médicales et les données mathématiques les plus sérieuses programmaient après un accident de santé majeur à l'horizon de trois ou quatre ans, dans la plus bienveillante des hypothèses, n'est intervenue que plus de douze années plus tard…

D'emblée, il s'est singularisé des générations dont il était issu par des formations diversifiées et un parcours professionnel résolument non linéaire. Qu'il s'agisse d'agriculture, de radio-électricité, de calligraphie, de musique, de droit, de procédure judiciaire civile ou d'expertise immobilière et foncière, il a veillé à ne jamais s'intéresser trop longtemps à un domaine ou à l'exercice d'une activité, considérant qu'au-delà de quinze-vingt ans, routine bien ancrée risquait souvent de rimer avec médiocrité. Il faisait sienne cette conviction de Jacques Brel que « dans la vie d'un homme, il y a deux dates importantes, celle de sa naissance et celle de sa mort » et que « tout ce qu'on fait entre ces deux dates n'a pas beaucoup d'importance »…

À l'auteur de ces lignes, Jean Thiollet – né et mort en deux années de crise planétaire, 1929 et 2021 – a légué une boussole. Avec quatre « points cardinaux » bien définis. D'abord, l'importance de l'observation et l'urgence de la curiosité, chère à Albert Einstein, qui va de pair avec la remise en question permanente des apparences. Deuxio, le parti pris résolu de la transversalité. Tertio, la conscience aiguë que les limites humaines peuvent être très vite atteintes et que la reconnaissance est une maladie du chien hélas non transmissible à l'homme... Comment ignorer en effet que l'être humain est capable du meilleur et du pire, mais c'est dans le pire qu'il est le meilleur ? D'où la nécessité également d'une certaine méfiance à l'égard des idéologies, des religions, des confréries, de toutes ces entités réunissant des individus qui, sous couvert d'œuvrer pour le bien-être de l'humanité, imposent leurs vues, bien évidemment les meilleures qui soient... Enfin, le savoir dire non. Quelle que ce soit la circonstance et le pouvoir ou l'importance sociale de l'interlocuteur. Un enseignement majeur.

Très intéressé par la vie politique, Jean Thiollet vécut ses derniers temps forts d'observateur grâce à Emmanuel Macron, à la chaîne de télévision Public Sénat et d'autres médias d'information en continu. Il assista en effet à la retransmission des débats à l'Assemblée concernant la « loi pour la croissance, l'activité et l'égalité des chances économiques », dite « loi Macron [2] ». Il fut très frappé par la combativité d'un jeune ministre de l'Économie dont il admira la fougue, l'argumentation implacable et l'opiniâtreté épique, quand il le vit, seul défenseur de son projet durant des semaines de discussions à l'Assemblée nationale, tenir tête face à des hordes de parlementaires, députés comme sénateurs, plus ou moins stipendiés par de puissants lobbys, partisans déterminés d'un immobilisme préjudiciable et même clairement criminel à l'égard de la jeunesse française...

Mourant vieux, Jean Thiollet avait l'appréciable sentiment d'avoir fait, dans le cours de son existence et à son niveau, ce qu'il avait pu, et ne déplora pas du tout de quitter l'histoire universelle avant la fin. Il avait même fini par oublier qu'il avait existé. Mais son petit cercle familial garde en mémoire ce qui constitue sans doute un vrai titre de gloire : avoir été recruté au milieu des années 1950 par Jo Bouillon pour assurer comme saxophoniste, accordéoniste et bandéoniste la première partie de récital de Joséphine Baker, cette immense artiste longtemps mésestimée de nombreux Français et admise depuis 2021 au Panthéon. Il s'est éteint sans regret ni misanthropie, juste conscient qu'il n'y a souvent pas lieu d'être fier de ce que les êtres humains font de la planète Terre...

« Il faut compenser l'absence par le souvenir. La mémoire est le miroir où nous regardons les absents. »

Joseph Joubert (1754-1824), *Pensées*

« Chacun n'est devenu tout à fait soi-même que le jour où ses parents sont morts. »

Henry de Montherlant (Henry Millon de Montherlant, dit, 1895-1972), *Carnets*

« Tout simplement un mort que j'aime ne sera jamais mort pour moi. Je ne peux même pas dire : je l'ai aimé ; non, je l'aime et si je refuse de parler de mon amour pour lui au temps passé, cela veut dire que celui qui est mort, *est.* »

Milan Kundera, *Les Testaments trahis*

---

(1) Encore que dès la mort du bénéficiaire, et sans qu'il y ait eu besoin d'aviser de ce décès, il fut mis fin aux virements...

(2) Évoqué au conseil des ministres en octobre 2014, ce projet de loi fut présenté en décembre 2014 à l'Assemblée nationale. Il fit l'objet de plusieurs semaines de discussions, de plus de 10 700 amendements déposés et de plus de 2 300 amendements adoptés. Le ministre de l'Économie qui le défendait, Emmanuel Macron, fit pour sa part l'objet de menaces de mort et de violentes invectives. Définitivement adoptée en juillet 2015 au moyen de l'article 49 alinéa 3 de la Constitution, la nouvelle législation a été publiée au *Journal officiel,* le 7 août 2015. Quant aux décrets d'application et aux ordonnances, leur signature et leur parution se sont étalées sur deux ans, entre décembre 2015 et décembre 2017. L'application de l'ensemble des textes législatifs a donc commencé à partir de 2018. Par la portée d'ordre historique de son contenu, la « loi Macron » marque le début du XXIe siècle en France.

Dessin de Janbrun (1933-2017), extrait de la pochette *Montmartroisement vôtre* (Cabaret Chez Ma Cousine, 1984).

Bibliographie

« Un homme m'est déjà apparu comme une table de multiplication et l'éternité, elle, comme une bibliothèque. »

Georg Christoph Lichtenberg (1742-1799), *Le Miroir de l'âme*

« Mon autorité vient de ce que j'ai lu plus de livres. »

Paul Ricœur (1913-2005), à un étudiant en 1968

« Une maison sans livres est comme une pièce sans fenêtres », aimait à rappeler Karl Lagerfeld, et il avait raison. Marguerite Yourcenar pensait souvent, elle aussi, à l'avantage de s'entourer d'ouvrages et à cette belle inscription que Plotine avait fait placer sur le seuil de la bibliothèque établie par ses soins en plein Forum de Trajan : « Hôpital de l'âme [1] ».

Au moment d'aller se coucher et de choisir dans sa bibliothèque le livre qui accompagnera l'endormissement, il est possible de s'offrir à très peu de frais la sensation que devaient éprouver les sultans des contes orientaux lorsqu'ils désignaient au sein du harem leur favorite d'un soir... Sensation sans exclusive ni discrimination bien sûr.

Avoir été élevé par une bibliothèque, comme Jules Renard le raconte dans son *Journal*, n'a vraiment rien d'anodin. En tout lieu, en toute époque et pour tout être humain.

Ainsi, Bill Gates, le célèbre homme d'affaires milliardaire, le dirigeant féru de technologie de Microsoft, a fait construire à Washington une maison de 150 millions de dollars et d'une surface de 6 000 mètres carrés. Équipée de tous les gadgets possibles et concevables, elle comporte une bibliothèque qui rendrait envieux n'importe quel amoureux des livres.

Ainsi, Djaïli Amadou Amal, la militante féministe camerounaise, prix Goncourt des lycéens en 2020 et ambassadrice de l'Unicef en 2021, a publié de son côté un témoignage particulièrement édifiant (2). « J'avais 7 ans, 8 ans peut-être, a-t-elle confié. J'habitais Maroua, une petite ville du nord du Cameroun dénuée de livres et de bibliothèques. Il existait bien sûr quelques ouvrages scolaires, que peu de parents d'élèves avaient, d'ailleurs, les moyens d'acheter. Mais de vrais livres, je veux dire des livres pour rêver, pour penser, pour apprendre la vie, la terre, l'amour, la lutte, les autres, il n'y en avait point. On n'y pensait même pas. Et puis voilà qu'un jour, jouant avec d'autres enfants chez des amies de ma mère, j'ai découvert un livre. Et la lecture est devenue la clé de mon existence. »

« Un homme s'en vint rire aux galeries de pierre des Bibliothécaires. – Basilique du Livre ! (...) Et les murs sont d'agate où se lustrent les lampes, l'homme tête nue et les mains lisses dans les carrières de marbre jaune – où sont les livres au sérail, où sont les livres dans leurs niches, comme jadis, sous bandelettes, les bêtes de paille dans leurs jarres, aux chambres closes des grands Temples – les livres tristes, innombrables, par hautes couches crétacées portant créance et sédiment dans la montée du temps... »

Saint-John Perse (Alexis Leger, dit, 1887-1975), *Vents*

> « Nos bibliothèques sont en quelque sorte des pénitenciers où nous avons enfermé nos grands esprits, Kant naturellement dans une cellule individuelle, de même que Nietzsche, de même que Schopenhauer, Pascal, Voltaire, Montaigne, tous les très grands dans des cellules individuelles, les autres dans des cellules collectives, mais tous pour toujours et à jamais, mon cher, pour l'éternité et jusqu'à l'infini, voilà la vérité. »
>
> Thomas Bernhard (1931-1989), *Le Naufragé*

---

(1) Marguerite Yourcenar, *Mémoires d'Hadrien.*

(2) Djaïli Amadou Amal, « Avec les livres, une petite graine d'insoumission a germé en moi », *Le Monde,* 8 mars 2021.

Œuvres de Jean-Edern Hallier

« C'est une grande marque, pour un livre, d'excellence ou de conformité avec notre caractère, que le désir qu'on a de le rouvrir. »

Émile Faguet (1847-1916), *L'Art de lire*

Les Aventures d'une jeune fille, Seuil, Paris, 1963

Un rapt de l'imaginaire, contenu dans *Livres des pirates,* de Michel Robic, Union générale d'éditions, Paris, 1964

Que peut la littérature? avec Simone de Beauvoir, Yves Berger, Jean-Pierre Faye et Jean Ricardou, présentation d'Yves Buin, Union générale d'éditions, Paris, 1965

Le Grand Écrivain, Seuil, Paris, 1967

Du rôle de l'intellectuel dans le mouvement révolutionnaire – selon Jean-Paul Sartre, Bernard Pinguaud et Dionys Mascolo, entretiens réalisés par Jean-Edern Hallier et Thomas Savignat, collection « Le Désordre », Éric Losfeld, Paris, 1971

Cet opuscule de 50 pages réunit trois textes extraits de *L'Idiot international* (septembre 1970) et de *La Quinzaine littéraire* (octobre et décembre 1970). Le premier est celui d'un entretien avec Jean-Paul Sartre par Jean-Edern Hallier et Thomas Savignat.

La Cause des peuples, Seuil, Paris, 1972

Chagrin d'amour, Éditions Libres-Hallier, Paris, 1974

Le Premier qui dort réveille l'autre, Éditions Le Sagittaire, Paris, 1977 (*Der zuerst schläft, weckt den anderen,* traduit en allemand par Eva Rechel-Mertens, Suhrkamp, Francfort, 1980)

Chaque matin qui se lève est une leçon de courage, Éditions Libres-Hallier, Paris, 1978

Lettre ouverte au colin froid, Albin Michel, Paris, 1979

Un barbare en Asie du Sud-Est, NéO – Nouvelles éditions Oswald, Paris, 1980

Fin de siècle, Albin Michel, Paris, 1980 (*Fine del secolo,* traduit en italien par Anna Zanon, Spirali, Milan, 1983 ; *Fin de siglo,* traduction de Francisco Perea, Edivision, Mexico, 1987)

Bréviaire pour une jeunesse déracinée, Albin Michel, Paris, 1982

Romans, Albin Michel, Paris, 1982 (réédition en un volume de *La Cause des peuples, Chagrin d'amour* et *Le Premier qui dort réveille l'autre*)

L'Enlèvement, Jean-Jacques Pauvert, Paris, 1983

Le Mauvais esprit, avec Jean Dutourd, Éditions Olivier Orban, Paris, 1985

L'Évangile du fou : Charles de Foucauld, le manuscrit de ma mère morte, Albin Michel, Paris, 1986 (*El Evangelio del loco,* traduction de Basilio Losada, Planeta, Barcelone, 1987)

Carnets impudiques : journal intime, 1986-1987, Michel Lafon, Paris, 1988

Conversation au clair de lune, avec Fidel Castro, Messidor, Paris, 1990 (*Fidel Castro Ruiz ile Küba Devriminin 32. yilinda 5 Temmuz 1990 ayişiğinda söyleşi,* Dönem, Ankara, 1991)

Le Dandy de grand chemin (propos recueillis par Jean-Louis Remilleux), Michel Lafon, Paris, 1991

La Force d'âme, suivi de *L'Honneur perdu de François Mitterrand,* Éditions Les Belles Lettres, Paris, 1992

Je rends heureux, Albin Michel, Paris, 1992

Les Français – Dessins, collection « Visions », Ramsay, Paris, 1993

Le Refus ou la Leçon des ténèbres : 1992-1994, Hallier/Ramsay, Paris, 1994

Fulgurances, « Aphorismes », Michel Lafon, Paris, 1996

L'Honneur perdu de François Mitterrand, Éditions du Rocher, Monaco ; Éditions Les Belles Lettres, Paris, 1996

Les Puissances du mal, Éditions du Rocher, Monaco ; Éditions Les Belles Lettres, Paris, 1996

Parutions à titre posthume

Journal d'outre-tombe : journal intime, 1992-1997, Michalon, Paris, 1998

Fax d'outre-tombe : Voltaire tous les jours, 1992-1996, Michalon, Paris, 2007

Préfaces

Mille pattes sans tête, de François Coupry (Éditions Hallier, Paris, 1976)

Corneilles de Cornouaille ou les souvenirs de Joseph Garnilis (1901-1978), augmentés d'une suite par Adrienne Garnilis, future arrière-petite-fille du précédent (mai 2081), d'André Hallier, le père de Jean-Edern, collection, « Témoins pour demain », Nouvelles éditions Baudinière, Paris, 1978. Préface cosignée par Laurent Hallier, le frère de Jean-Edern

Je rêve petit-bourgeois, de Michel Cejtlin (Oswald, Paris, 1979)

Le Droit de parler, de Louis Pauwels (Albin Michel, Paris, 1981)

Les Sentiers de la trahison, de Mikhaïl-Kyril Platov (Albin Michel, Paris, 1985)

Les Icônes de l'instant, de Patrick Bachellerie (collection « Les bonshommes », Centre de création littéraire de Grenoble, Grenoble, 1987)

Je défends Barbie, de Jacques Vergès (Jean Picollec, Paris, 1988)

Poèmes de sans avoir, de Jean-Claude Balland (Jean-Claude Balland, Paris, 1990) (1)

Petites blagues entre amis, de Paul Wermus (Éditions First, Paris, 1996)

Hallier est également le signataire de la notice en guise de préface du livret d'une vingtaine de pages qui retrace la vie de l'auteur-compositeur-interprète Guy Béart (1930-2015), avec photos, paroles de certaines chansons, dessins et articles de presse, et accompagne le coffret de 13 disques vinyles 33 tours regroupant en 146 titres la carrière de l'artiste de 1957 à 1978 et publié à 2 000 exemplaires par les Éditions Espace à Garches en 1978.

Préface (posthume)

Pour des États-Unis francophones ! Entrons tous ensemble dans le Nouveau Monde, de Gabriel Enkiri (Éditions du Phare-Ouest, Lorient, 2013), préface intitulée « L'honneur de la gauche » et écrite en 1985

Postface (posthume)

Kidnapping entre l'Élysée et Saint-Caradec – « roman », de Gabriel Enkiri (Éditions du Phare-Ouest, Paris, 1999)

Jean-Edern Hallier est également l'auteur d'une pièce de théâtre intitulée *Le Genre humain* qu'il a écrite en 1975. Cette pièce fut à l'affiche du théâtre Cardin en 1976. Mais elle ne fut pas présentée au public. Hallier prit en effet la décision de la retirer de l'affiche avant la première. *Le Genre humain* fut donc joué « derrière le rideau » et en catimini durant 28 « représentations » (mise en scène d'Henri Ronse). Avec, notamment, Michel Vitold, José-Maria Flotats, Catherine Lachens, Marie-Ange Dutheil, Daniel Emilfork et Jean-Pierre Coffe dans la distribution.

L'écrivain a de surcroît laissé plus de 600 dessins, aquarelles ou gouaches : des croquis de voyages, des silhouettes et portraits de personnages, connus ou non, souvent tracés à l'encre de Chine, sous des titres parfois étonnants comme « Gobeuse de balivernes » ou « Arroseur d'idées reçues ». Une première exposition eut lieu du 9 septembre au 2 octobre 1993 à la galerie Gerald Piltzer, 78, avenue des Champs-Élysées, à Paris.

Durant l'été 2019, l'une de ses œuvres a fait partie de l'exposition « Nues et nus », organisée à Bourbon-Lancy, en Bourgogne-Franche-Comté, au musée de Saint-Nazaire et à l'espace Robert-Cochet.

« Écrire est un acte d'amour. S'il ne l'est pas, il n'est qu'écriture. »

Jean Cocteau, *La Difficulté d'être*

(1) Hallier est bel et bien l'auteur d'une « préface invisible » de *Poèmes de sans avoir,* de Jean-Claude Balland, paru chez Jean-Claude Balland, en 1990. Cette « préface invisible » est annoncée comme telle en couverture...

Ouvrages consacrés à Jean-Edern Hallier

« Le véritable artiste n'est pas celui qui est inspiré mais celui qui inspire les autres. »

Salvador Dalí (1904-1989), *Comment on devient Dalí : les aveux inavouables de Salvador Dalí* (récit présenté par André Parinaud, collection « Vécu », Éditions Robert Laffont)

François Bousquet, *Jean-Edern Hallier ou le Narcissique parfait,* Albin Michel, Paris, 2005

Petit ouvrage au titre prometteur mais au contenu décevant, publié par une maison d'édition qui, plus grosse que grande, ne paraît plus justifier son prestige d'antan...

Dominique Lacout, *Jean-Edern Hallier, le dernier des Mohicans,* Michel Lafon, Paris, 1997 ; avec Christian Lançon, *La Mise à mort de Jean-Edern Hallier,* Presses de la Renaissance, Paris, 2006

Pièces à l'appui, le second livre montre combien Hallier fut persécuté par M. Mitterrand et soulève plus d'une interrogation au sujet des circonstances de son décès, et surtout des heures et des jours qui ont suivi sa mort à Deauville, à 7 heures du matin le 12 janvier 1997, d'une chute de bicyclette sans témoin. Dans les minutes qui suivirent son décès, sa chambre d'hôtel aurait été fouillée et sa dépouille rapatriée à Paris par un ambulancier qui aurait mis sept heures pour effectuer 200 kilomètres. Entre-temps, son appartement parisien aurait également été pillé... Né en 1949, l'auteur est un ancien professeur de philosophie qui a publié plusieurs biographies. Il fut un ami de Léo Ferré (1916-1993).

Jean-Claude Lamy, *Jean-Edern Hallier, l'idiot insaisissable,* Albin Michel, Paris, 2017

Cette volumineuse biographie a bien sûr le mérite notable d'exister, même si elle ne fait sans doute que relever, pour l'essentiel, de la part de la société d'édition, d'une opération de marketing de basse étagère... Dans son indigeste fourre-tout, l'auteur a beau jeu de multiplier les preuves de la haine mesquine des ennemis d'Hallier. Mais son encombrant pavé de

600 pages est mal ficelé et son entreprise se révèle au bout du compte décevante car désordonnée, inutilement touffue, ce qui ne fait que ressortir combien elle est dépourvue d'éclaircissements, en particulier au sujet de l'enlèvement controversé de 1982 et de l'argent destiné aux opposants chiliens. Enfin, et surtout, la démarche reflète une incohérence majeure, à proprement parler rédhibitoire. Sitôt la parution, Sébastien Bataille, auteur de plusieurs biographies de musiciens pop rock n'a pas manqué de la signaler dans son blog, en assortissant son constat précis et irréfutable d'une remarque lapidaire : « Au dos de la couverture, Lamy dit que Hallier est de la race des grands écrivains. Mais en page 197, il dit que Hallier a failli être un grand écrivain. Faudrait savoir... »

Arnaud Le Guern, *Stèle pour Edern,* Jean Picollec, Paris, 2001

Premier ouvrage, au ton suggestif, d'un auteur breton, né en 1976, à l'époque où il se présentait comme « profondément bâtardé de langue française » et n'aimait « que le Beau, la Femme, l'outrance et l'écume brûlante. En un mot : l'art. »

Aristide Nerrière, *Chambre 215 : hommage à Jean-Edern Hallier en Corse,* collection « San Benedetto », La Marge-édition, Ajaccio, 2003

Poète, dramaturge, essayiste et romancier, l'auteur, né en 1951, a publié de nombreux autres ouvrages.

Anthony Palou, *Allô, c'est Jean-Edern... Hallier sur écoutes,* Michel Lafon, Neuilly-sur-Seine, 2007

Né en 1965 en Bretagne, l'auteur a été, dans les années 1990, un secrétaire particulier d'Hallier.

Béatrice Szapiro, *La Fille naturelle,* Flammarion, Paris, 1997 ; *Les Morts debout dans le roc,* Arléa, Paris, 2007

Styliste en prêt-à-porter féminin, diplômée de l'École nationale supérieure des Arts décoratifs de Paris, Béatrice Szapiro est la fille de Jean-Edern Hallier et de Bernadette Szapiro, la petite-fille de Béatrix Beck, qui obtint le prix Goncourt en 1952, et l'arrière-petite-fille du poète belge Christian Beck (1879-1916). Après sa lecture, sitôt la parution du livre *La Fille naturelle : pour Jean-Edern Hallier, mon père,* Sébastien Bataille a eu sur son blog, avec l'exemple édifiant d'une double page à l'appui, ce commentaire sans appel : « une daube sans nom, au "style" égocentrique, suffisant (voire débile), juste digne de la rubrique psy de n'importe quel titre de la presse féminine ».

Peut-être cette centaine de pages bien légères aurait-elle beaucoup gagné à ne pas être publiée dès septembre 1997 et à faire l'objet d'une heureuse « décantation ». L'urgence de répondre à l'objectif commercial d'un label a ses écueils vite perceptibles. Malgré tout, plus de vingt ans après sa sortie en librairie, le document-témoignage a, par-delà ses faiblesses, le mérite d'exister et comporte, dans un ensemble plutôt décousu de confidences, quelques émouvantes notations. *A fortiori* pour qui a connu l'homme qu'était Jean-Edern Hallier.

Dans *Les Morts debout dans le roc,* l'auteure évoque sa mère, morte de la maladie de Parkinson, et sa grand-mère. Un récit-puzzle plutôt réussi d'une centaine de pages, qui, à force de témoigner d'une ardente sensibilité et d'une méditation touchante sur le deuil, incite le lecteur à s'intéresser à un environnement familial très féminin et singulier, que Hallier et quelques autres hommes sont venus traverser.

Jean-Pierre Thiollet, *Carré d'art : Jules Barbey d'Aurevilly, lord Byron, Salvador Dalí, Jean-Edern Hallier,* avec des contributions d'Anne-Élisabeth Blateau et de François Roboth, Anagramme éditions, Paris, 2008 ; *Hallier, l'Edernel jeune homme,* avec des contributions de Gabriel Enkiri et de François Roboth, Neva éditions, Magland, 2016 ; *Hallier ou l'Edernité en marche,* avec une contribution de François Roboth, Neva éditions, Magland, 2018 ; *Hallier, Edernellement vôtre,* avec le témoignage d'Isabelle Coutant-Peyre et des contributions de François Roboth, Neva éditions, Magland, 2019 ; *Hallier, l'Homme debout,* avec des contributions de François Roboth, Neva éditions, Magland, 2020 ; *Hallier, l'Edernel retour,* avec des contributions de François Roboth, Neva éditions, Magland, 2021

Sarah Vajda, *Jean-Edern Hallier : l'impossible biographie,* Flammarion, Paris, 2003

Intéressant ouvrage par l'auteure d'une thèse en trois volumes consacrée à Henry de Montherlant et soutenue à l'EHESS (École des hautes études en sciences sociales) et à l'université Sorbonne-Nouvelle – Paris-III, d'un essai sur Romain Gary paru en 2008 et du livre plutôt réussi, *Claire Chazal, derrière l'écran,* paru en 2006 aux Éditions Pharos-Jacques-Marie Laffont au sujet de cette présentatrice de journaux télévisés et de « l'imposture TF1 », la chaîne française de télévision.

Autres publications

Yann Penn, *Le Testament politique de Jean-Edern Hallier en Bretagne,* Bannalec (Finistère), 2000

Plaquette de 35 pages publiée par un agent immobilier qui fut candidat du Front national aux élections législatives et est également l'auteur de deux ouvrages intitulés *Bretagne province d'Europe* et *Lettre d'Iroise.*

Hugues Poujade, *Jean-Edern Hallier, cet écrivain qui a raté l'Académie française,* Edilivre, Paris, 2018

Opuscule de 88 pages publié par un auteur né à Rennes qui fut pigiste pour des journaux parisiens et a rédigé une thèse sur l'idéologie du régime militaire chilien. C'est en 1981 qu'il croisa, sans avoir « rien fait pour », Hallier, alors directeur de collection chez Albin Michel, au moment où, se souvient-il, « nous abordions les années quatre-vingt, les plus intéressantes et les plus historiques de sa courte vie ».

« Moi je ne connais pas d'autre littérature qu'une littérature de combat. Je peux même dire que je ne connais pas de grande vie qui ne soit une vie de combat. »

Jean-René Huguenin, *Journal*

Thèses et mémoires

Xavier Wittmann, « Les pamphlets de Jean-Edern Hallier : une vision négative de la société démocratique », mémoire de diplôme d'études approfondies en sciences politiques, université Toulouse 1, 1986.

Karim Djaït, « Littérature, contemporanéité et médias, étude d'un écrivain face à son siècle : Jean-Edern Hallier », thèse sous la direction d'Arlette Lafay, université Paris-XII – Paris Val-de-Marne, 1994 (thèse non autorisée à la publication, qui a fait suite à un mémoire de DEA – diplôme d'études approfondies – sous le titre « Étude d'un écrivain face à son siècle », sous la direction de Robert Jouanny, 1988).

Articles

Dans la fort volumineuse revue de presse consacrée, de son vivant comme de manière posthume, à Hallier :

Christian Dedet, « Jean-Edern Hallier : *La Cause des peuples* », revue *Esprit,* 1er janvier 1973

André Pieyre de Mandiargues, « À propos de *Chagrin d'amour.* Des analogies avec André Breton », *Les Nouvelles littéraires,* n° 2464, 16-22 décembre 1974

Jean-Edern Hallier, « Jean-Edern Hallier tel qu'en lui-même », *Le Monde,* 10-11 décembre 1978

« Jean-Edern Hallier à Lorient », *Breiz,* magazine de la culture bretonne, n° 240, décembre 1978

« Jean d'Ormesson, Jean-Edern Hallier et Dieu » (entretien), *Paris Match*, n° 1651, 16 janvier 1981

Marie-Noëlle Little, « Jean-Edern Hallier : *Fin de siècle », French review* (publication de l'Association américaine des professeurs de français), 1er octobre 1981, p. 164

Danielle Chavy Cooper, *« Fin de siècle », World Literature Today* (magazine bimensuel de l'université d'Oklahoma consacré à la littérature internationale et à la culture), 1er janvier 1982

Philippe Sollers, « Vies et légendes de Jean-Edern Hallier », *Le Nouvel Observateur,* 26 septembre 1986

« Polémique : Cioran, Hallier et la morale », *Le Nouvel Observateur,* 14 novembre 1986, p. 50

Michel Cyprien : « Jean-Edern Hallier : "Je redécouvre l'homosexualité à 50 ans !" », *Gai Pied hebdo,* n° 239, 11-17 octobre 1986, p. 39

Roger de Weck, « Le bonheur mensonger : les rebelles de France et leurs enfants », *Die Zeit,* 5 décembre 1986 (reproduit dans un numéro thématique (« Mobilisations étudiantes, automne 1986 ») de *Politix, Revue des sciences sociales du politique,* 1988, traduction de Udo Philipp et Jean-Philippe Heurtin)

L'auteur de l'article y relève que « le génial et lunatique pamphlétaire, Jean-Edern Hallier, rêve d'un siège dans une Académie française ossifiée ».

Anna Bojarska, « Jean-Edern Club » (article en polonais), *Wiadmomosci Kulturalne (Nouvelles culturelles),* n° 11, 1996, p. 6.

Jean-Pierre Pitoni, « Adieu l'ami ! : Jean-Edern Hallier », *CinémAction,* avril 1998, p. 54

Margereta Melen, « Den upproriske idioten i Paris » (article en suédois), *Moderna Tider,* nº 97, novembre 1998, p. 46-47

Jean-Jacques Brochier, « Jean-Edern Hallier », *Magazine littéraire,* nº 420, mai 2003

Bruno Daniel-Laurent, « Sur Jean-Edern Hallier », *La Revue Littéraire,* Éditions Léo Scheer, Paris, 19 octobre 2005

« Jean-Edern Hallier : l'écrivain derrière l'histoire », *Le Journal de la Culture,* nº 17, novembre-décembre 2005, p. 12-42

Stéphane Arpin, « "Pourquoi les médias n'en parlent pas ?" – L'occurrence à l'épreuve du sens commun journalistique et des processus de médiatisation », *Réseaux,* Éditions La Découverte, nº 159, janvier 2010, p. 219-247

Histoire de frapper au plus juste les esprits, l'auteur de l'article évoque d'emblée le silence complet des médias au sujet de l'existence de Mazarine Pingeot, fille naturelle de M. Mitterrand, alors président de la République française, l'affaire dite « des écoutes de l'Élysée », où, de manière gravement illégale, « 3 000 conversations concernant plus de 150 personnalités seront enregistrées entre 1983 et 1986 », et bien sûr le rôle déterminant joué, en dépit de l'« intense surveillance » d'une cellule élyséenne, par un homme volontiers stigmatisé comme « instable » et « mythomane », un certain Jean-Edern Hallier...

Renaud d'Elbée, « Artistes, génies et bipolarité ou la tache indélébile du deuil », *L'Information psychiatrique,* mars 2013 (vol. 89), p. 253 à 256

Après s'être demandé « de quelle farine étaient faits Winston Churchill, Cervantes ou Jean-Edern Hallier », l'auteur de l'article, docteur en psychiatrie et praticien français, avance des « soupçons de piste incongrue » à partir de « trois constatations » : « les génies naissent souvent au printemps » ; « ils sont orphelins (au sens large) » et « ils sont quand même peut-être un peu bipolaires ».

Emmanuel Fansten, « Mitterrand, Hallier et moi », *Charles* nº 7 (Journalisme & Politique), Paris, octobre 2013

Article qui évoque la rencontre à Paris, début 1984, de Jean-Edern Hallier avec Joseph d'Aragon, alors étudiant en droit âgé de 26 ans.

« Edern. Le château de Jean-Edern Hallier à l'abandon », *Le Télégramme de Brest,* 18 avril 2016

Présenté comme « chronique d'une mort annoncée », l'article est consacré non seulement à La Boissière, la demeure « historique certes mais sans luxe ni architecture exceptionnels » qui a appartenu à la famille Hallier et est aujourd'hui abandonnée, mais encore aux soirées qui y furent organisées par Jean-Edern.

« Jean-Edern Hallier mord encore ! », entretien avec Jean-Pierre Thiollet, propos recueillis par Sébastien Bataille, *Causeur,* 8 octobre 2016

Eva-Marie Goepfert, « L'événementialisation de la vie privée des acteurs politiques en contexte numérique », *Sciences de la société,* n° 102, 2017

L'article évoque un numéro du *Crapouillot* paru en juin-juillet 1984 qui signalait que Jean-Edern Hallier cherchait à publier un « brûlot terrible ne laissant rien dans l'ombre des secrets du Président », initialement appelé « Mitterrand et Mazarine » « du prénom, selon Hallier, de l'enfant naturel du Président ». Il fait également allusion à d'autres numéros du *Crapouillot* parus en mai 1993 qui affirmaient l'existence d'écoutes téléphoniques d'Hallier, relevant selon la revue, d'une logique de préservation du secret.

Alain Delannoy, Laboratoire Pôle U de l'université d'Orléans, « Jean-Edern Hallier, le "grand écrivain" face au pouvoir. La dialectique de l'engagement politique et de la composition d'une œuvre littéraire au travers de l'exemple de l'écrivain Jean-Edern Hallier », hal.archives-ouvertes.fr, 15 décembre 2017 ; « *La Méditation d'un passant aux bois sacrés d'Isé,* de Louis Massignon, *L'Évangile du fou,* de Jean-Edern Hallier, une perspective écocritique ». Perspective écocritique à partir des textes de Jean-Edern Hallier et de Louis Massignon au travers de réflexions de William Cronon, Philippe Descola, Lynn White Jr et Pascal Bruckner, hal.archives-ouvertes.fr, 3 janvier 2018

Visant à « l'archive ouverte pluridisciplinaire », HAL se consacre au dépôt et à la diffusion de documents scientifiques de niveau recherche, publiés ou non, émanant des établissements d'enseignement et de recherche français ou étrangers, de laboratoires publics ou privés.

Stéphane Barsacq, « Jean-Edern Hallier, enfant terrible des Lettres », *Les Carnets de l'IMEC,* n° 13-14, printemps-automne 2020

Article publié après que les archives de Jean-Edern Hallier ont été confiées à l'IMEC (Institut Mémoires de l'édition contemporaine), avec l'accord de son frère Laurent Hallier, par ses enfants, Béatrice Szapiro, Ariane et Frédéric Hallier.

« Jean-Edern Hallier : secrets d'outre-tombe », entretien en deux parties avec Jean-Pierre Thiollet, propos recueillis par Sébastien Bataille, *Causeur,* 9 et 10 octobre 2020

« Il n'est pas nécessaire qu'un auteur comprenne ce qu'il écrit. Les critiques se chargeront de le lui expliquer. »

Abbé Prévost (Antoine François Prévost d'Exiles, dit, 1697-1763), *Réflexions et dialogues*

Autres ouvrages

« Le rôle du livre est de donner aux choses une durée, une forme, une épaisseur, de sorte qu'on puisse les voir de plusieurs côtés à la fois et qu'on puisse les observer comme un spectacle. »

Robert Escarpit (1918-2000), *Lettre ouverte au diable*

Anne Abeillé et Danièle Godard (sous la direction de), *La Grande Grammaire du français,* Actes Sud/L'Imprimerie nationale, Arles/Paris, 2021

En deux tomes, la grammaire complète du français contemporain, grâce au concours d'une soixantaine de spécialistes. Un ouvrage de référence de plus de 2 600 pages qui fait d'ores et déjà date dans l'histoire de la linguistique française et témoigne de la grande vitalité du français que chérissait Hallier.

Fouad Abou Nader, *Liban : les défis de la liberté,* avec la collaboration de Nathalie Duplan et Valérie Raulin, Éditions de l'Observatoire, Paris, 2021

Un éclairage sur la crise libanaise et sur le combat d'un chrétien d'Orient, assorti de quelques propositions pour sortir d'un mode de gouvernance politico-économique contre-productif pour l'avenir d'un pays durement éprouvé qui ne saurait laisser indifférents de nombreux Français. Né en 1956, l'auteur est le neveu de l'ex-président de la République libanaise, Bachir Gemayel, et un petit-fils de Pierre Gemayel, le fondateur du parti phalangiste.

A.D.G. (Alain Fournier, dit Camille, dit Alain Dreux-Gallou, dit, 1947-2004), *La Nuit Myope,* Éditions Balland, Paris, 1981 (Durante éditeur, 2003)

Dans ce court récit, « l'œuvre complète de Jean-Edern Hallier » surgit soudain comme rescapée d'« un autodafé prescrit par les radicaux de gauche »... Auteur de « romans noirs » et poète, A.D.G. fut également journaliste à l'hebdomadaire *Minute* puis à *Rivarol.*

Yann Algan et Pierre Cahuc, *La Société de défiance : comment le modèle social français s'autodétruit,* Éditions Rue d'Ulm, Paris, 2007 (avec un avant-propos de Daniel Cohen, 2016)

Né en 1974, Yann Algan enseigne à HEC (École des hautes études commerciales de Paris) après avoir été professeur à l'École d'économie de Paris et à l'université de Paris-Est. Né en 1962, Pierre Caduc est également économiste, professeur d'université et chercheur.

Jean-Michel Aphatie, *Les Amateurs : les coulisses d'un quinquennat,* Flammarion, Paris, 2021

Matthieu Aron et Caroline Michel-Aguirre, *Les Infiltrés : comment les cabinets de conseil ont pris le contrôle de l'État,* Allary Éditions, Paris, 2022

Un livre-enquête de deux journalistes à *L'Obs* qui montre comment des consultants, souvent issus de sociétés anglo-saxonnes, sont parvenus à s'emparer de certains pans de la puissance publique française. Au nez et à la barbe de la représentation parlementaire.

Arpiar Arpiarian (1851-1908), *Rouge offrande,* traduit de l'arménien par Hervé Georgelin, présenté et annoté par Jean-Pierre Kibarian, Société Bibliophilique Ani, Paris, 2019

La véritable « résurrection » d'un roman qui n'est pas une fiction et a des accents ô combien prémonitoires et intemporels… Ce Rouge offrande met en scène l'affrontement entre un riche marchand arménien, partisan d'une attitude déférente à l'égard du pouvoir ottoman en place, et un prêtre à l'esprit rebelle, un « homme debout » qui, arrivé du fin fond d'une des « provinces habitées par les Arméniens », seule appellation autorisée de l'Arménie avant les grandes boucheries de 1895-1896, se révèle acteur de l'autodéfense contre les génocidaires turco-kurdes… Ces deux personnages ont bel et bien existé : l'un s'appelait Apig Ounjian, et l'autre le père Vramchabouh Kibarian (1855-1940), qui devint jusqu'à sa mort le premier archevêque de Paris et dont une belle photographie, fort suggestive, prise en 1910 dans la capitale française, figure en couverture de l'ouvrage. Paru en feuilleton en 1902, le texte de Rouge offrande, qui s'achève par un plaidoyer en faveur d'une réconciliation nationale arménienne face à l'ennemi turco-kurde, aurait pu ne jamais resurgir de l'oubli le plus complet. L'initiative éditoriale de la Société Bibliophilique Ani constitue donc une précieuse contribution à la transmission du patrimoine arménien. D'autant plus remarquable que le livre comporte, outre de nombreuses notes, éclairantes et indispensables pour le lecteur d'aujourd'hui, des annexes, une bibliographie, un glossaire, une table des illustrations et un index ! Écrivain arménien influent de la seconde moitié du XIXe siècle, Arpiar Arpiarian peut être considéré comme le pionnier du réalisme dans la littérature arménienne.

Philippe Artières, *La Police de l'écriture : l'invention de la délinquance graphique, 1852-1945,* collection « Sciences humaines », Éditions de La Découverte, Paris, 2013

Une exploration de l'histoire de l'écriture contemporaine et des pouvoirs de l'écrit dans la société moderne. Né en 1968, l'auteur est un historien, directeur de recherche au CNRS (Centre national de la recherche scientifique).

Patrick Artus et Marie-Paule Virard, *La Dernière Chance du capitalisme,* Odile Jacob, Paris, 2021

Un livre qui s'appuie sur un constat : le capitalisme néolibéral est en sursis. Perçu comme injuste et inégalitaire, il nourrit colère et rancœurs, faisant le lit des populismes. Circonstance aggravante, il se révèle inefficace en créant de moins en moins de croissance. Forts de ce diagnostic, les auteurs font valoir que ce capitalisme néolibéral en est réduit, pour continuer à avancer, à recourir à des béquilles : l'endettement sous toutes ses formes et la création monétaire. Après avoir montré que cette situation atteint ses limites et qu'elle fait courir de gros risques à notre société, ils proposent un modèle de capitalisme, « raisonné » et intelligent.

Né en 1951, Patrick Artus est un économiste reconnu, directeur de la recherche et des études de Natixis et membre du conseil d'administration de Total. Marie-Paule Virard est une journaliste économique également reconnue, qui a été rédactrice en chef du magazine *Enjeux-Les Echos.*

> « Je n'ai jamais lu un livre jusqu'au bout, ma façon de lire est celle d'un feuilleteur supérieurement doué, c'est-à-dire d'un homme qui préfère feuilleter plutôt que lire, qui feuillette donc des douzaines, parfois même des centaines de pages avant d'en lire une seule ; mais quand cet homme lit une page, alors il la lit plus à fond qu'aucun autre et avec la plus grande passion de lire qu'on puisse imaginer. »
>
> Thomas Bernhard, *Maîtres anciens*

Bertrand Badie, *Inter-socialités : le monde n'est plus géopolitique,* CNRS Éditions, Paris, 2020

Une intéressante réflexion sur les relations internationales qui ne sont plus seulement entre les États mais entre les sociétés... Selon l'auteur, l'humain et le social l'emportent désormais sur le politique et il serait nécessaire que la France soit redéfinie dans un monde globalisé, qu'elle fasse preuve à la fois de modestie et d'ambition pour devenir une puissance mondialisée, qu'elle change de sémantique en privilégiant la notion de « partenaire » aux mots très « vieux monde » d'« ennemi » ou « allié »... Né en 1950, Bertrand Badie est professeur émérite des universités et enseignant-chercheur associé au Centre d'études et de recherches internationales (CERI).

Jean Baudoin et François Hourmant (sous la direction de), *Les Revues et la Dynamique des ruptures,* collection « Res Publica », Presses universitaires de Rennes, Rennes, 2007

L'ouvrage comporte un chapitre d'une quinzaine de pages intitulé « *Tel Quel* Minotaure La fabrique de l'excommunication », dont François Hourmant est l'auteur. À l'occasion de cette évocation de la revue *Tel Quel* dont Hallier fut le cofondateur et le directeur-gérant, les « excommunications particulièrement marquantes » de Jean-Edern Hallier puis de Jean-Pierre Faye sont rappelées de manière précise et bien référencée. Né en 1965, François Hourmant est maître de conférences en sciences politiques à l'université d'Angers et membre du laboratoire de recherche Jean-Bodin, après avoir enseigné à l'université de Rennes-II.

Arnaud Benedetti, *Comment sont morts les politiques ? Le grand malaise du pouvoir,* Éditions du Cerf, Paris, 2021

Comment la médiocrité et l'insignifiance de trop nombreux politiciens français ont fini par engendrer non seulement leur déclassement, mais encore le dégoût, la colère, l'indifférence et l'abstention des citoyens... Une analyse lucide par un professeur associé à l'université de Paris-Sorbonne (Paris-IV) et rédacteur en chef de la *Revue politique et parlementaire* né en 1965.

Alain de Benoist, *Les Idées à l'endroit,* collection « Essai », Éditions Hallier, Paris, 1979 (collection « Polémiques », Avatar Éditions, Lucan (Irlande), 2011)

Recueil de textes extraits de diverses publications parues dans les années 1970, avec une postface intitulée « Mai 1968 : un dialogue entre Jean-Edern Hallier et Alain de Benoist ». La réédition est augmentée d'un avant-propos et sous-titrée : « Pour une ligne de conduite décisive face à la modernité ».

L'auteur, né en 1943, est un directeur de revues qui a entretenu des échanges réguliers avec Hallier et a participé à des débats-conférences avec lui, à Paris et en province, durant les années 1970 et 1980. Il a signé des articles dans *L'Idiot international.*

Céline Bessière et Sibylle Gollac, *Le Genre du capital : comment la famille reproduit les inégalités,* collection « L'Envers des faits », Éditions La Découverte, Paris, 2020

Née en 1977, Céline Bessière est professeure à l'université de Paris-Dauphine. Née en 1978, Sibylle Gollac est chercheuse au CNRS.

Pierre de Boisdeffre (Pierre Néraud Le Mouton de Boisdeffre, dit, 1926-2002), *L'Île aux livres : littérature et critique,* Seghers, Paris, 1980

Avec un chapitre consacré à Jean-Edern Hallier et à *La Cause des peuples.*

Gérard Bonal, *Joséphine Baker : du music-hall au Panthéon,* collection « Libre à elles », Taillandier, Paris, 2021

Un livre-hommage par un journaliste né en 1947, qui ne saurait naturellement faire oublier l'ouvrage de référence paru en 1976 aux éditions Robert Laffont, sous la double signature de Jo Bouillon et de Joséphine Baker, avec la collaboration de Jacqueline Cartier.

Il existe plus d'un point commun entre Jean-Edern Hallier et la « Vénus noire », la célèbre artiste : une drôle de « vie de château », comme l'a rappelé une émission radiophonique « Historiquement vôtre » d'Europe 1, diffusée en novembre 2021, une certaine idée de la France et le fait que l'un et l'autre ont officiellement succombé d'une hémorragie cérébrale.

Sophie Bonnet, *Le Maître et l'Assassin,* Éditions Robert Laffont, Paris, 2022

Mars 2013, un ténor du barreau – Olivier Metzner – est retrouvé mort au large de son île privée en Bretagne. Dans son ombre papillonne Alexandre Despallières, un gigolo à la beauté magnétique et au passé trouble, soupçonné d'être un empoisonneur en série... Amants depuis une vingtaine d'années, l'avocat réputé pour son entregent et le jeune homme partageaient, semble-t-il, bon nombre de secrets. L'auteure, journaliste et réalisatrice de documentaires, qui affirme avoir enquêté plusieurs années durant, rencontré des témoins et eu de longs entretiens avec Alexandre Despallières, affiche son ambition d'entraîner le lecteur dans les allées du pouvoir que le sexe, l'argent et les délits en tous genres savent rendre labyrinthiques à souhait, mais son volume à l'impressionnante pagination n'apprend rien qui n'ait déjà été publié dans les meilleurs magazines et pêche lourdement par une absence d'informations sur les affaires les plus importantes des années 1990... Preuve, une nouvelle fois, qu'à force de verser dans l'édition papetière et dans le marketing à tout va, les labels autrefois prestigieux peuvent voir leurs limites vite atteintes.

Jonathan Bourguignon, *Internet année zéro : de la Silicon Valley à la Chine, naissance et mutations du réseau,* Éditions Divergences, Paris, 2021

Gilles Boyer et Édouard Philippe, *Impressions et lignes claires,* Lattès, Paris, 2021

Maire du Havre, Édouard Philippe, né en 1970, a été Premier ministre de mai 2017 à juillet 2020. Gilles Boyer, né en 1971, a été son conseiller à Matignon avant d'être élu député européen.

Juan Branco, *Abattre l'ennemi,* Au diable vauvert, Paris, 2021

Comment sauver un pays qui étouffe sous ses charges, la médiocrité et l'impunité ? En abattant l'ennemi. Voilà la réponse de l'auteur, activiste politique et avocat franco-espagnol né en 1989, qui estime avoir pu mesurer l'égoïsme, la concupiscence mais aussi l'extrême fébrilité de ceux et celles qui nous gouvernent. Tour à tour menacé, flatté, décrié ou vilipendé, Juan Branco a battu le pavé avec le mouvement de protestation des Gilets jaunes et appelle à un changement de paradigme : il propose un programme révolutionnaire, incluant la création de tribunaux d'exception, et la mise à bas des coteries qui gouvernent le pays... Il a également publié *Crépuscule* (avec Denis Robert) en 2019.

« Ce que le lecteur veut, c'est se lire. En lisant ce qu'il approuve, il pense qu'il pourrait l'avoir écrit. Il peut même en vouloir au livre de prendre sa place. »

Jean Cocteau, *La Difficulté d'être*

Jean-Pierre Cabestan, *Demain la Chine : guerre ou paix,* Gallimard, Paris, 2021

Sinologue réputé, l'auteur, né en 1955, est directeur de recherche au CNRS (Centre national de la recherche scientifique). Rattaché à l'Institut français de recherche sur l'Asie de l'Est de l'Inalco (Institut national des langues et civilisations orientales), chercheur associé à Asia Centre Paris et membre correspondant de l'Académie des sciences d'outre-mer, il a enseigné de 2007 à 2021 à l'Université baptiste de Hong Kong.

Arlette Camion, *Les Temps ont changé,* Presses universitaires de France, Paris, 2021

Des petits textes à la recherche sociologico-nostalgique des objets perdus de vue, du parc à bébé à l'horloge parlante, en passant par la manivelle, le manche à gigot, la gamelle, la cabine téléphonique ou le brassard de deuil... Autant de souvenirs de temps, à la fois proches et déjà si lointains, où la mort existait dans les consciences et s'affichait sur les vêtements.

Née en 1947, l'auteure est agrégée d'allemand et docteur ès lettres. Maître de conférences honoraire, elle a enseigné la littérature germanique dans les universités de Lille, Orléans et Aix-Marseille.

Monique Canto-Sperber, *Sauver la liberté d'expression,* Albin Michel, Paris, 2021

Forgé entre le XVIIe et la fin du XVIIIe siècle, le concept moderne de liberté d'expression, aujourd'hui « bousculé » par les outils numériques, le multiculturalisme et une forme de démocratisation de la parole, est l'objet d'un rapport de force de plus en plus criant et risque demain de devenir l'enjeu de conflits... Spécialiste de Platon, l'auteure de cet essai, née en 1954, qui a enseigné la philosophie à l'université d'Amiens, s'en préoccupe.

Alain Carion, *De Mitterrand à Chirac, les affaires : dix ans dans les coulisses du pouvoir,* Plein Sud, Toulon, 1996

L'ouvrage comporte un chapitre intitulé « H... comme Hallier ».

Né en 1964, l'auteur est un journaliste qui, dans les années 1990, s'était spécialisé dans les affaires politico-financières françaises.

Louis-Ferdinand Céline (Louis-Ferdinand Destouches, dit, 1894-1961), *Guerre,* édition établie par Pascal Fouché, avant-propos de François Gibault, Gallimard, Paris, 2022

Près de quatre-vingt-dix ans après sa rédaction et plus de soixante ans après la mort de l'écrivain, un roman dont la parution relève d'un miracle et constitue à coup sûr un événement capital dans le domaine littéraire, qui ne fait que précéder la publication d'un autre roman inédit intitulé *Londres,* du manuscrit complet de *Casse-pipe* et du texte d'une « légende », *La Volonté du roi Krogold.* Féerique festival pour un fabuleux trésor. L'ami Paul Chambrillon (1924-2000), qui avait bien connu l'auteur du *Voyage au bout de la nuit* et à qui l'on doit des documents sonores exceptionnels, doit en être plus qu'enchanté...

Annie Chapelier, *Un Parlement en toc,* Nombre7 Éditions, Nîmes, 2022

Par une infirmière-anesthésiste de profession, née en 1967, qui a été secrétaire du bureau de l'Assemblée nationale française et députée La République en marche puis Agir de la 4e circonscription du Gard de 2017 à 2022, un bilan de santé sans appel – et ô combien inquiétant – d'une démocratie malade. Quand les parlementaires ne sont là que pour le décorum, pratiquer le jeu de rôle et rivaliser d'insignifiance, les lobbies et think tanks ne peuvent que dicter leurs lois, veiller à la pérennité des rentes de situation et au respect du sacro-saint immobilisme à la française. Avec pour mot d'ordre, selon Annie Chapelier : « Surtout ne changeons rien. Ou très peu pour donner l'illusion que nous changeons. »

Johann Chapoutot, *Libres d'obéir : le management, du nazisme à aujourd'hui,* Gallimard, Paris, 2019

Né en 1978, l'auteur, docteur en histoire et agrégé d'histoire, est professeur à Sorbonne Université.

Jean-Marie Charon et Adénora Pigeolat, *Hier, journalistes : ils ont quitté la profession,* Entremises Éditions, Paris, 2021

Au travers de cette enquête menée par un sociologue reconnu né en 1948, spécialisé dans l'observation de la presse et des médias, et une jeune chercheuse en sociologie, plusieurs constats sont mis en lumière : la durée moyenne des carrières de journalistes français est de quinze ans, le nombre des détenteurs de carte de presse recule à un rythme soutenu, et la distorsion entre mythe et réalité se traduit par une crise existentielle et cette question récurrente : « Pourquoi je quitte le journalisme ? »... Une évolution dont Jean-Edern Hallier avait parfaitement supputé l'émergence il y a plus de quarante ans.

Christian Chesnot et Georges Malbrunot, *Le Déclassement français – Élysée, Quai d'Orsay, DGSE : les secrets d'une guerre d'influence stratégique,* Éditions Michel Lafon, Paris, 2022

Une enquête dans les coulisses diplomatiques sur les raisons profondes et souvent anciennes du déclassement de la France au Moyen-Orient et au Maghreb.

Né en 1966, Christian Chesnot est grand reporter à France Inter. Né en 1962, Georges Malbrunot est un journaliste qui a collaboré à l'Agence France-Presse, aux stations de radio Europe 1 et RTL, ainsi qu'à des quotidiens comme *Le Figaro, La Croix* et *Ouest-France.* Spécialistes du Moyen-Orient, ces deux auteurs ont coécrit plusieurs autres ouvrages.

François de Closets, *La Parenthèse boomers,* Fayard, Paris, 2022

Un essai particulièrement décapant et opportun, qui cloue au pilori les boomers aux commandes de la France entre les années 1970 et la fin du quinquennat Hollande qui ont fait passer le pays de la prospérité au déclin... À défaut d'être traduits devant des tribunaux quand ils sont encore de ce monde, les politiciens, ministres, parlementaires ou élus locaux, qui n'ont pensé qu'à leur propre intérêt, sans considération pour l'avenir, en prennent pour leur grade. Face à cette faillite dont ils portent l'accablante responsabilité, des solutions sont proposées – en particulier la création d'un Conseil de prévision – afin que le désastre en cours se transforme en chemin du renouveau. Ne se contentant pas de rejoindre l'indignation des jeunes générations, l'essayiste bien connu, né en 1933, adopte ainsi une démarche positive, aussi constructive que possible face aux dégâts provoqués par la « parenthèse boomers » où l'égoïsme est généralement allé de pair avec la médiocrité.

David Colon, *Les Maîtres de la manipulation : un siècle de persuasion de masse,* Tallandier, Paris, 2021

Par un professeur agrégé d'histoire à l'Institut d'études politiques de Paris, 20 portraits de publicitaires, spécialistes de relations publiques au service de la politique ou des entreprises, stratèges ou praticiens de la révolution numérique.

Emmanuel Combe, *La Concurrence,* préface de Laurence Boone, Presses universitaires de France, Paris, 2021

La France est un pays où les réformes concurrentielles sont, hélas, très rares. À la fin des années 2000 sont toutefois intervenues la création de l'auto-entrepreneuriat à l'initiative d'Hervé Novelli, la réforme de l'urbanisme commercial, la création des VTC (voitures de transport avec chauffeur) et l'instauration de l'Autorité de la concurrence... En 2012, le paysage de la téléphonie mobile a été modifié grâce à l'octroi d'une nouvelle licence, avec, à la clé, une baisse significative des prix. Mais c'est 2015 et la loi pour la croissance, l'activité et l'égalité des chances économiques, dite « loi Macron », qui ont marqué le début du XXIe siècle, avec notamment la création de nouveaux offices notariaux et l'ouverture à la concurrence du transport par autocars.

Économiste, l'auteur, né en 1968, est professeur des universités à Skema Business School et vice-président de l'Autorité de la concurrence. Il est également président de la Société d'économie politique.

Marcel Conche, *La Nature et l'Homme,* Les Cahiers de l'Égaré, Le Revest-les-Eaux (Toulon), 2021

109 « fragments » pour des interrogations métaphysiques et des souvenirs... Né en 1922 et mort en 2022, l'auteur, agrégé de philosophie et docteur ès lettres, est un spécialiste de philosophie antique.

Philippe Corcuff, *La Grande Confusion : comment l'extrême droite gagne la bataille des idées,* collection « Petite encyclopédie critique », Éditions Textuel (groupe Actes Sud), Paris, 2021

Un volume de plus d'un kilo et de près de 700 pages pour un sujet passionnant. La lecture est parfois un peu laborieuse, mais se justifie par le caractère sérieux, minutieux, méticuleux même, de l'étude, truffée de citations fort soigneusement référencées. Né en 1960, l'auteur est maître de conférences à l'Institut d'études politiques de Lyon et a publié une vingtaine d'autres ouvrages.

Guillaume Cuchet, *Le Catholicisme a-t-il encore de l'avenir en France ?*, Éditions du Seuil, Paris, 2021

Né en 1973, l'auteur est professeur d'histoire contemporaine à l'université de Paris-Est-Créteil et spécialiste d'histoire des religions.

« Laissez-nous seuls, sans les livres, et nous serons perdus, abandonnés, nous ne saurons pas à quoi nous accrocher, à quoi nous retenir ; quoi aimer, quoi haïr, quoi respecter, quoi mépriser ? J'ai le désir d'en rester là. Mais le puis-je ? »

Fiodor Dostoïevski (1821-1881), *Les Carnets du sous-sol*

Frédéric Dabi (avec Stewart Chau), *La Fracture : comment la jeunesse d'aujourd'hui fait sécession – ses valeurs, ses choix, ses révoltes, ses espoirs...*, Les Arènes, Paris, 2021

Né en 1969, l'auteur est un analyste politique reconnu et le directeur général opinion du groupe Ifop (institut de sondage).

Léa et Hugo Domenach, *Les Murs Blancs*, Éditions Grasset, Paris, 2021

« Très chouette », pour reprendre l'appréciation d'Emmanuel Macron au sujet de ce livre qui est sans doute effectivement l'une des plus belles initiatives éditoriales du label Grasset en 2021. Située à Châtenay-Malabry, en région parisienne, « Les Murs Blancs » est une propriété qui fut choisie par le philosophe Emmanuel Mounier pour y vivre en communauté avec les collaborateurs de la revue *Esprit* dont il était le fondateur. Tombée dans l'oubli durant ces dernières décennies, cette demeure n'en a pas moins marqué l'histoire intellectuelle du XXe siècle. Grâce à un récit intelligemment conçu, par brefs chapitres-séquences, plaisant à lire et parfois émouvant, les auteurs – une réalisatrice et un journaliste et responsable éditorial à l'INA (Institut national de l'audiovisuel) – donnent un « coup de projecteur » sur la maison de leurs grands-parents mêlant avec habileté histoire familiale et vie intellectuelle française. Des pages évocatrices d'un environnement social et culturel pré-1968 à jamais disparu, que connut Hallier, et de la « césure » soixante-huitarde.

Pierre-Antoine Donnet, *Chine, le grand prédateur : un défi pour la planète*, préface de Jean-Pierre Cabestan, Éditions de l'Aube, La Tour-d'Aigues, 2021

Né en 1953, l'auteur, qui a été correspondant de l'Agence France-Presse à Pékin et dont le savoir a de quoi impressionner, estime qu'une confrontation entre la Chine et le reste du monde est inévitable, et que la Chine de Xi Jinping a l'art de se mettre à dos une bonne partie du reste du monde… « Xi Jinping a parié, assure-t-il, sur le déclin irréversible et inexorable de l'Occident pour imposer sa loi au monde. Pari qui sera perdu. Au contraire, la Chine de Xi Jinping va désormais trouver l'Occident sur sa route. » Le préfacier est un sinologue réputé, directeur de recherche au CNRS (Centre national de la recherche scientifique).

Dictionnaire de la sagesse orientale, réalisé par Kurt Friedrichs, Ingrid Fischer-Schreiber, Franz-Karl Ehrhard et Michael S. Deiner, traduit de l'allemand par Monique Thiollet, collection « Bouquins », Éditions Robert Laffont, Paris, 1989

Ouvrage de référence, réédité et réimprimé à de nombreuses reprises, qui offre une approche et une compréhension du bouddhisme, de l'hindouisme, du taoïsme et du zen.

David Djaïz, *La Guerre civile n'aura pas lieu,* Paris, Éditions du Cerf, 2017, *Slow démocratie : comment maîtriser la mondialisation et reprendre notre destin en main,* Allary Éditions, Paris, 2019 ; *Le Nouveau Modèle français,* Allary Éditions, Paris, 2021

Par un enseignant à l'Institut d'études politiques de Paris né en 1990.

Jean-Charles Duboc, *Les Milliards disparus de la Division Daguet,* CreateSpace Independent Publishing Platform, Scotts Valley (Californie, États-Unis), 2014

Un ouvrage qui dénonce le détournement en 1991-1992 par M. Mitterrand, alors président de la République française et chef suprême des Armées, des frais de guerre remboursés à la France par le Koweit, les Émirats arabes unis et l'Arabie saoudite à la suite de l'opération « Division Daguet ». Des fonds initialement destinés aux militaires qui avaient participé en 1991 à la guerre du Golfe, conflit auquel Hallier et *L'Idiot international* s'opposèrent vigoureusement.

Frédérique Dumas (Frédérique Dumas-Zajdela, dite), *Ce que l'on ne veut pas que je vous dise : récit au cœur du pouvoir,* Massot Éditions, Paris, 2022

Un témoignage saisissant et lucide par une députée à l'Assemblée nationale française de 2017 à 2022, dans le groupe République en marche puis dans le groupe UDI et indépendants, où il apparaît notamment que l'insignifiance des députés au sein d'une Assemblée nationale, simple « chambre d'enregistrement », se conjugue avec une impossibilité systémique de faire, en quoi que ce soit, « bouger les lignes »...

Née en 1963, Frédérique Dumas est également une productrice de cinéma reconnue, qui a été notamment directrice générale de la filiale cinéma d'Orange.

Hélène Dumas, *Sans ciel ni terre : paroles orphelines du génocide des Tutsi (1994-2006),* Éditions La Découverte, Paris, 2020

Au travers d'une centaine de témoignages d'enfants orphelins, la sophistication de l'organisation des massacres génocidaires, auxquels les noms de MM. Mitterrand, l'ancien chef d'État français, et de son fils aîné Jean-Christophe, sont étroitement associés, dans toute son horreur... Née en 1981, Hélène Dumas est historienne, chargée de recherche à l'Institut d'histoire du temps présent du CNRS, membre associée du Centre d'études sociologiques et politiques Raymond-Aron.

Édouard Dumortier, *Le Futur de l'économie collaborative,* Éditions Hermann, Paris, 2020

L'auteur est le fondateur de la start-up nantaise AlloVoisins. Lancée en 2013, cette plateforme de services d'entraide entre voisins vise à réinventer les échanges de proximité et prône ainsi une économie circulaire et solidaire, au travers d'une nouvelle manière de consommer.

« Parmi toutes les raisons que j'avais de vouloir grandir
il y avait celle d'avoir le droit de lire tous les livres. »

Annie Ernaux, *La Femme gelée*

Sarah El Haïry, *Envie de France,* Éditions de l'Observatoire (Humensis), Paris, 2021

Un bon titre pour ce livre au contenu inspiré par des rencontres de l'auteure avec des jeunes poitevins... Née en 1989, l'auteure, qui a été secrétaire d'État chargée de la Jeunesse et de l'Engagement de 2020 à 2022, est conseillère municipale de Nantes et conseillère communautaire de Nantes Métropole. Son nom est associé à deux lois promulguées en 2021 et destinées à faciliter la vie des associations.

Stéphane Encel, *Ce n'est pas que d'la télé ! Ce que le système Hanouna dit de la France,* David Reinharc Éditions, Neuilly-sur-Seine, 2021

L'auteur est professeur à l'ESG Management School.

« En latin *legere* signifie lire et signifie cueillir.
Cette langue latine est charmante. »

Émile Faguet, *L'Art de lire*

Olivier Faye, *La Conseillère : Marie-France Garaud, la femme la plus puissante de la Ve République,* Éditions Fayard, Paris, 2021

Par un journaliste au service politique du journal *Le Monde,* un décryptage remarquable et fort bienvenu du parcours d'une ancienne conseillère de Georges Pompidou, cette personnalité le plus souvent dans les coulisses mais toujours influente et marquante, qui avait une certaine idée de l'État, de la France et de la Politique.

Michel Foucher, *Ukraine-Russie : la carte mentale du duel,* Gallimard, Paris, 2022

Un « tract » d'une soixantaine de pages qui offre une analyse concise du conflit russo-ukrainien et une lumineuse cartographie mentale – à la fois historique, politique, territoriale et identitaire – du duel qui oppose les deux nations.

Né en 1946, l'auteur, universitaire et essayiste, est reconnu comme un expert en géopolitique. Il a été notamment ambassadeur de France en Lettonie.

« Avec tout ce que je sais, on pourrait faire un livre… il est vrai qu'avec tout ce que je ne sais pas, on pourrait faire une bibliothèque. »

Sacha Guitry (1885-1957), *Le KWTZ*

Dominique Garcia (sous la direction de), *La Fabrique de la France : 20 ans d'archéologie préventive,* Flammarion/Inrap (Institut national de recherches archéologiques préventives), Paris, 2021

L'histoire de France revisitée, grâce à des découvertes archéologiques qui révèlent ce que les textes bien souvent ne disent pas…

Manon Garcia, *La Conversation des sexes : philosophie du consentement,* collection « Climats », Flammarion, Paris, 2021

Née en 1985, l'auteure est une normalienne, agrégée et docteure en philosophie qui est professeur assistante à l'université de Yale, après avoir occupé des postes d'enseignant et de chercheur aux universités de Harvard puis de Chicago.

Laurent Gaudé, *Paris, mille vies,* Actes Sud, Arles, 2020

Par un écrivain né en 1972, une déambulation de nuit dans la capitale française qui n'aurait peut-être pas déplu à Hallier.

Étienne Girard, *Le Radicalisé : enquête sur Éric Zemmour,* Éditions du Seuil, Paris, 2021

Bonne enquête, qui s'appuie sur de nombreux témoignages recueillis et sur un méticuleux travail de recherche. Le premier ouvrage, prometteur, d'un journaliste de *L'Express.*

Jean de Gliniasty, *Petite histoire des relations franco-russes,* Éditions de L'Inventaire, Paris, 2021

L'auteur a été ambassadeur de France à Moscou.

Jean-Marie Guéhenno, *Le premier XXIe siècle : de la globalisation à l'émiettement du monde,* Flammarion, Paris, 2021

Par un ancien secrétaire général adjoint des Nations unies auprès de Kofi Annan et enseignant-chercheur à l'université Columbia à New York, une vaste réflexion qui tente de définir les moyens de relancer le multilatéralisme et d'inciter l'Europe à constituer un pôle à la mesure de son importance face aux États-Unis et à la Chine.

« L'univers, c'est un livre, et des yeux qui le lisent.
Ceux qui sont dans la nuit ont raison quand ils disent :
Rien n'existe ! Car c'est dans un rêve qu'ils sont. »

Victor Hugo, « L'univers, c'est un livre… »

Jean Hatzfeld, *Là où tout se tait,* Gallimard, Paris, 2021

Sur les collines de Nyamata, au Rwanda, l'auteur, journaliste et écrivain né en 1949, part à la recherche des très rares Hutu qui ont résisté au péril de leur vie à la folie génocidaire dont M. Mitterrand, l'ancien chef d'État français et « ennemi juré » d'Hallier, fut le sinistre complice.

Nathalie Helal et Sandrine Audegond, *Le Goût de Paris… et de la région Île-de-France,* Hachette Pratique, Paris, 2021

La copieuse histoire gastronomique de la capitale et de sa couronne, agrémentée de recettes.

François Héran, *Lettre aux professeurs sur la liberté d'expression,* collection « Petits cahiers libres », Éditions La Découverte, Paris, 2021

Béatrice Houchard, *Le Fait du prince : petits et grands caprices des présidents de la Ve République,* Éditions Calmann-Lévy, Paris, 2017

Née en 1954, l'auteure, journaliste reconnue pour ses compétences professionnelles, a couvert de nombreuses campagnes présidentielles et arpenté les coulisses de la vie politique française. Dans cet ouvrage, elle souligne notamment que si *Closer* et les réseaux sociaux avaient existé à l'époque de M. Mitterrand, l'ancien chef d'État, dont Hallier s'efforçait de dénoncer les turpitudes et de révéler les plus inavouables secrets, n'aurait pas pu secrètement mener pendant quatorze ans une double vie…

« L'éternité comme dans les livres
Faut pas rêver. »

Jean-Michel Jarre, *« Faut pas rêver »,* chanson interprétée par Patrick Juvet (1950-2021), paroles de Jean-Michel Jarre, musique de Patrick Juvet

Pascal Jacob, *Clowns !,* Éditions du Seuil/BNF, Paris, 2021

La mission sociale du clown contemporain fort opportunément rappelée et soulignée par le directeur du cirque Phénix, chargé de cours d'histoire du cirque. Jean-Edern Hallier appréciait beaucoup les clowns, ainsi que les spectacles de cirque en général et ceux du cirque national Alexis Grüss en particulier. L'auteur de cet ouvrage en fut le témoin.

Laurent Joly, *L'État contre les juifs : Vichy, les nazis et la persécution antisémite,* Grasset, Paris, 2018 (Flammarion, Paris, 2021)

Le livre d'un chercheur et historien né en 1976, directeur de recherche au CNRS (Centre national de la recherche scientifique), qui démontre combien la connaissance de l'histoire de la persécution des juifs sous l'Occupation, contrairement à une idée trop communément répandue, est loin d'être achevée et qu'elle mérite au contraire d'être approfondie. Au risque d'aboutir à de sombres constats…

Steven Jezo-Vannier, *Presse parallèle : la contre-culture en France dans les années soixante-dix,* Éditions Le Mot et le reste, Marseille, 2020

Par un auteur né en 1984 qui s'est spécialisé dans la contre-culture et l'univers rock, le « portrait » d'une décennie que Hallier vécut intensément et qui vit jaillir le mouvement écologiste, la libération des femmes, les revendications des homosexuels, les mouvements communautaires, les réflexions en matière de santé, d'éducation, de justice, et de rapport à l'autre et à la différence...

Marcel Jouhandeau, *Réflexions sur la vieillesse et la mort,* Grasset, Paris, 1956

Junius, *Précis fantasmatique et ludique de littérature, suivi de quelques miscellanées,* Edilivre, Saint-Denis, 2016

Né en 1950, l'auteur ne manque pas de mentionner Hallier dans ce deuxième tome de sa collection « Les Cahiers de Junius ».

« Ce qui compte, ce n'est pas de les avoir lus, ces livres, c'est de vivre en leur compagnie. »

Masud Khan (1924-1989), à un visiteur qui, devant le nombre considérable d'ouvrages qu'il détenait, l'interrogeait : « Mais vous avez lu tout cela ? »

Joel Kaye, *Histoire de l'équilibre (1250-1375) : l'apparition d'un nouveau modèle d'équilibre et son impact sur la pensée,* préface d'Alain Boureau, traduction de Christophe Jaquet, collection « Histoire », Les Belles Lettres, Paris, 2017

Comment la notion d'équilibre et ses mutations historiques constituent un véritable marqueur de la pensée et se situent au cœur de l'histoire des idées... Ce livre fort savant ne fait pas qu'inciter à une nouvelle lecture du Moyen Âge : il invite à une transcendance des polémiques, des débats, des controverses les plus contemporaines... Né en 1946, l'auteur est professeur au département d'histoire du Barnard College, à la prestigieuse université Columbia de New York.

« Mes meilleures omelettes au lard, je les ai mangées imprimées. »

Jacques Laurent (Jacques Laurent-Cély, dit Cécil Saint-Laurent ou, 1919-2000), *Les Bêtises*

Isabelle Lasserre, *Macron, le disrupteur : la politique étrangère d'un président antisystème,* Éditions de L'Observatoire, Paris, 2022

L'auteure est une journaliste, rédactrice en chef adjointe du service politique étrangère du quotidien *Le Figaro.* En 1999, elle a obtenu le prix de la presse diplomatique pour ses reportages au Kosovo et dans le Caucase.

Thierry Lefebvre, *Carbone 14 : légende et histoire d'une radio pas comme les autres,* collection « Médias Histoire », Éditions de l'INA, Bry-sur-Marne, 2012

Avec un chapitre intitulé « L'affaire Jean-Edern Hallier »...

Sébastien Le Fol, « *Reste à ta place... !* » *Le Mépris, une pathologie bien française,* collection « Documents », Albin Michel, Paris, 2021

L'auteur est directeur de la rédaction de l'hebdomadaire *Le Point.*

Gérard Le Gouic, *Nous avons la douleur de vous faire part,* Éditions des Montagnes Noires, Gourin (Pontivy, Morbihan), 2012

L'auteur, né en 1936, fut une relation amicale de poètes et écrivains (Georges Perros, Louis Guilloux, Xavier Grall, Henri Queffélec, Charles Le Quintrec...) qui comptèrent dans la Bretagne du dernier tiers du XXe siècle. Il a donc assisté aux cérémonies de leurs obsèques qu'il relate dans ce petit ouvrage. Hallier figure dans la table des matières.

Emmanuel Lemieux, *Pouvoir intellectuel : les nouveaux réseaux,* Denoël, Paris, 2003

Par un journaliste indépendant né en 1963, un volume de plus de 750 pages où Hallier est mentionné et qui conserve deux décennies après sa parution un réel intérêt documentaire.

« Car c'est par l'écriture toujours qu'on pénètre le mieux les gens. La parole éblouit et trompe, parce qu'elle est mimée par le visage, parce qu'on la voit sortir des lèvres, et que les lèvres plaisent et que les yeux séduisent. Mais les mots noirs sur le papier blanc, c'est l'âme toute nue. »

Guy de Maupassant (1850-1893), *Notre cœur*

Jacques Mandrin, *L'Énarchie ou les Mandarins de la société bourgeoise,* collection « La Table ronde de combat. Les Brûlots », Éditions La Table ronde, Paris, 1967

Un livre qui fit date. Philippe Tesson en était l'éditeur dans la collection qu'il dirigeait aux éditions de la Table ronde. Jacques Mandrin est un pseudonyme collectif utilisé par des membres du CERES (Centre d'études, de recherches et d'éducation socialiste), dont Jean-Pierre Chevènement, Didier Motchane (1931-2017), Pierre Guidoni (1941-2000) et Alain Gomez.

Olivier Marleix, *Les Liquidateurs : ce que le macronisme inflige à la France et comment en sortir,* Éditions Robert Laffont, Paris, 2021

Un ouvrage qui incrimine vivement le macronisme mais qui a surtout le grand tort de prendre ses lecteurs pour des amnésiques... Des pages confondantes d'absence de rigueur intellectuelle, d'inconscience et d'impudence. Né en 1971, l'auteur est député LR (Les Républicains) d'Eure-et-Loir et a été maire de la commune d'Anet, dans ce département français, de 2008 à 2017.

Jean-Claude Martinez, *Nouvelle-Calédonie : quoi qu'il en coûte, la France doit rester !,* Éditions Godefroy de Bouillon, Paris, 2021

Un essai qui ne se contente pas de dénoncer de graves manipulations anticonstitutionnelles de listes électorales et souligne à juste titre l'importance, à proprement parler, capitale de cette île du Pacifique, si méconnue, hélas, de nombreux Français et lorgnée par l'impérialisme chinois, désireux notamment d'implanter de nouvelles bases navales militaires. Avec courage et opiniâtreté, l'auteur, membre du Cercle InterHallier, ancien député européen et professeur de droit public et sciences politiques à l'Université de Paris-II, n'entend pas se résoudre à ce que la Nouvelle-Calédonie devienne un Zimbabwe du sud Pacifique. Il invite les gouvernements français à cesser, par incompétence ou lâcheté, d'apparaître comme les complices d'un grand renoncement à être la « France Monde »... « Quoi qu'il en coûte » oblige, la Nouvelle-Calédonie restera !

Richard Millet, *Chronique de la guerre civile en France, 2011-2022*, Éditions La Nouvelle Librairie, Paris, 2022

Un assemblage de textes qui dressent un portrait sans concession de la population française en proie, à en croire cet essayiste polémiste, à une misère identitaire, écrasée par une doxa antiraciste et par le révisionnisme général.

Né en 1953, Richard Millet a été, avec Frédéric Beigbeder, Alain Decaux, Mohamed Kacimi, Daniel Rondeau et l'auteur de ces lignes, l'un des participants du Salon du livre de Beyrouth en 2005 et a contribué au renouveau de cette manifestation.

Michel Monier, *Le Libéralisme pour le XXIe siècle : essai critique du néolibéralisme,* Books on Demand, Norderstedt (Hambourg), 2021

Après le constat que les meilleurs principes libéraux sont volontiers pervertis par les politiques publiques et qu'ils paraissent ainsi se traduire par pauvreté et chômage de masse, un plaidoyer en faveur d'un « monde d'après » où un libéralisme « raisonné » réconcilie l'Économique et le Social. Ancien directeur adjoint de l'Unedic, l'auteur est membre du groupe de réflexion Craps.

Aquilino Morelle, *L'Opium des élites : comme on a défait la France sans faire l'Europe,* Grasset, Paris, 2021

Par un ancien conseiller de Lionel Jospin à Matignon, puis de François Hollande à l'Élysée, proche de Jean-Pierre Chevènement et d'Arnaud Montebourg, né en 1962, une analyse de la décomposition française et la revendication d'un « souverainiste raisonné ».

Hugues Moutouh et Jérôme Poirot (sous la direction de), *Dictionnaire du renseignement,* « Hors collection », Perrin, Paris, 2018, et Tempus, Paris, 2020

Dans les pages consacrées au GIC (Groupement interministériel de contrôle), l'écoute des conversations téléphoniques de Jean-Edern Hallier à l'instigation de M. Mitterrand figure en bonne place. Né en 1967, Hugues Moutouh est un haut fonctionnaire, qui a été professeur agrégé de droit. Ancien adjoint du coordinateur national du renseignement, Jérôme Poirot a été conseiller ministériel.

Gérard Mulliez et Richard Whiteley, *La Dynamique du client : une révolution des services,* textes de Richard C. Whiteley, traduits de l'américain par Isabelle Pillu, propos de Gérard Mulliez recueillis par Jean-Pierre Thiollet, Maxima-Laurent du Mesnil éditeur, Paris, 1994 (première édition)

« La bibliothèque est le lieu de l'exercice public de la raison. »

Gabriel Naudé (1600-1653), *Avis pour dresser une bibliothèque*

Abdallah Naaman, *La Statue ébréchée de Charles de Gaulle,* Éditions Orizons, Paris, 2022

Essayiste, poète et ancien diplomate, l'auteur, né en 1947, a publié, outre un recueil de nouvelles, plusieurs ouvrages de référence dont *Le Liban : histoire d'une nation inachevée* (en trois volumes) et *Histoire des Orientaux de France.*

Julie Neveux, *Je parle comme je suis : ce que nos mots disent de nous (Enquête linguistique sur le 21e siècle),* Grasset, Paris, 2020

L'origine et l'emploi d'une centaine d'expressions très courantes sont examinés dans cet essai avec une belle vitalité, jubilatoire et communicative, et une rigoureuse précision.

Née en 1978, diplômée de l'École normale supérieure (Ulm) et agrégée d'anglais, Julie Neveux est maître de conférences en linguistique à l'université de Paris-Sorbonne. Elle est également auteure de pièces de théâtre, comédienne et metteuse en scène.

Gérard Noiriel, *Le Venin dans la plume : Édouard Drumont, Éric Zemmour et la part sombre de la République,* collection « L'envers des faits », Éditions La Découverte, Paris, 2019

Né en 1950, l'auteur est un historien qui a été directeur d'études à l'École des hautes études en sciences sociales.

« Être fidèle à soi-même est le plus grand honneur d'un homme de lettres. »

Roger Peyrefitte, *Propos secrets*

Fanny Parise, *Les Enfants gâtés : anthropologie du mythe du capitalisme responsable,* Payot, Paris, 2022

Un ouvrage au contenu éclairant et décapant. Née en 1987, l'auteure est une anthropologue, spécialiste des mondes contemporains et de l'évolution des modes de vie, enseignante dans des établissements d'enseignement supérieur en France et en Suisse, et créatrice du podcast « Madame L'Anthropologue ». À en croire les conclusions de ses travaux, la fameuse consommation écoresponsable ne serait qu'un alibi pour ne rien changer et les initiatives des « bobos », à force de ne produire que l'illusion du changement, ne feraient qu'assurer une parfaite permanence du système social.

Paul Pasquali, *Héritocratie : les élites, les grandes écoles et les mésaventures du mérite (1870-2020),* collection « L'envers des faits », Éditions La Découverte, Paris, 2021

Par un sociologue né en 1984, chargé de recherche au CNRS (Centre national de la recherche scientifique), une analyse édifiante des stratégies de résistance au changement et de fermeture sociale des « grandes écoles ». Il apparaît ainsi que face aux perspectives d'évolution et aux projets de réforme, les élites françaises savent se mobiliser pour restaurer l'ordre sur le point de s'ébranler…

Bruno Patino, *La Civilisation du poisson rouge : petit traité sur le marché de l'attention,* Grasset, Paris, 2019

Cet ouvrage a le triple mérite d'arborer un bon titre sur sa couverture, d'attirer l'attention… sur « l'économie de l'attention », et de se lire facilement. Mais il ne fait, hélas, que relever d'un « processus éditorial » de plus en plus répandu, celui dit de « l'article allongé », qui consiste à parvenir à présenter, sous forme commercialisable de petit « livre », le contenu d'un article justifiant son étalement sur quelques pages d'un magazine…

Né en 1965, l'auteur est le président d'Arte, la chaîne de télévision culturelle européenne de service public.

Camille Peugny, *Pour une politique de la jeunesse,* collection « République des idées », Éditions du Seuil, Paris, 2022

L'auteur, né en 1981, est professeur de sociologie à l'université de Versailles-Saint-Quentin.

Gilles Philippe, *Pourquoi le style change-t-il ?,* Les Impressions nouvelles, Bruxelles, 2021

Né en 1966, l'auteur, ancien élève de l'École normale supérieure (Ulm), agrégé de lettres modernes et docteur en linguistique et littérature françaises, est professeur de linguistique française à l'université de Lausanne. Il a notamment publié *Sujet, verbe, complément : le moment grammatical de la littérature française 1890-1940* (2002), *Le Français, dernière des langues : histoire d'un procès littéraire* (2010), *Le Rêve du style parfait* (2013) et *French Style : l'accent français de la prose anglaise* (2016).

Bernard Pivot, *... mais la vie continue,* Albin Michel, Paris, 2020

Un produit « marketing » parmi d'autres... À « balancer par-dessus l'épaule ». Sur la couverture, la mention « de l'Académie Goncourt » ne fait qu'aggraver le cas. Faiblesses, complaisances égocentriques... Voilà qui ne vaut pas un guide pratique bien fait. Fort décevant de la part d'un présentateur d'émissions de télévision qui eurent autrefois une large renommée et dont Hallier fut l'un des invités les plus marquants.

« Qui dit "homme de lettres" dit "mangeur de confrères et déchiqueteur de renommées". »

Jules Renard (1864-1910), *L'Écornifleur*

Jacques Rancière, *Les Trente Inglorieuses : scènes politiques,* La fabrique éditions, Paris, 2022

Né en 1940, l'auteur a été professeur en esthétique au département de philosophie de l'université de Paris-VIII.

Jean Rivière, *L'Illusion du vote bobo : configurations électorales et structures sociales dans les grandes villes françaises,* Presses universitaires de Rennes, Rennes, 2022

Menée avec le soutien de l'université de Nantes, une exploration rigoureuse des configurations électorales intra-urbaines, doublée d'une analyse de l'évolution de la sociologie des quartiers, par un géographe né en 1982, maître de conférences à l'université de Nantes et membre du laboratoire Espaces et sociétés (CNRS).

Laurent Rochut, *Peine perdue,* Éditions Phébus, Paris, 2006

Dans ce monologue en forme de lettre écrite à une mère imaginaire, le narrateur, un enfant de Mai 1968, fort en colère, règle ses comptes avec ses géniteurs. Son père a fui, sa mère n'a pas su l'aimer... L'un et l'autre sont passés du marxisme au grand marché en toute bonne conscience et arrogance. De là, quinze ans avant la parution de *La Família grande,* de Camille Kouchner, une analyse sans concession qui dépasse le cas individuel et entend s'appliquer à toute une génération : « Nous sommes un paradoxe vivant, un plissement d'histoire, un nœud gordien, trop vieux pour avaler les couleuvres du modernisme épuré que nous préparent les thuriféraires du XXIe siècle et trop jeunes pour nous sentir coupables du passé. »

Né en 1968, Laurent Rochut a fait partie de l'équipe de *L'Idiot international* qu'Hallier avait rassemblée autour de lui. Après avoir été journaliste, enseignant, auteur de théâtre et comédien, il est désormais directeur du groupe théâtral « La Factory », à Avignon.

Patrick Roegiers, *Ma vie d'écrivain,* Grasset, Paris, 2021

Une déclaration d'amour à Paris en 200 pages… Né en 1947, l'auteur a été critique photographique au *Monde* et comédien.

Yves Roucaute, *L'Obscurantisme vert : la véritable histoire de la condition humaine,* Éditions du Cerf, Paris, 2022

L'obscurantisme de l'écologie punitive à l'épreuve de l'histoire de la planète Terre et de la condition humaine. Résolument iconoclaste et souvent édifiant. Né en 1953, Yves Roucaute, agrégé de philosophie et de sciences politiques et ancien conseiller ministériel, est l'auteur d'autres ouvrages, dont *Éloge du mode de vie à la française : the French way of life,* Paris, paru en 2013 aux Éditions du Rocher puis chez Contemporary Bookstore en 2020, et *Pourquoi la France survivra : le secret de la potion magique,* publié en 2021.

« Au vrai, toute création de l'esprit est d'abord "poétique" au sens propre du mot; et dans l'équivalence des formes sensibles et spirituelles, une même fonction s'exerce, initialement pour l'entreprise du savant et pour celle du poète. (…) Poète est celui-là qui rompt pour nous l'accoutumance. Et c'est ainsi que le poète se trouve aussi lié, malgré lui, à l'événement historique. Et rien du drame de son temps ne lui est étranger. »

Saint-John Perse, dans le discours qu'il prononça
lors du banquet du Prix Nobel à Stockholm,
le 10 décembre 1960

Patrick de Saint-Exupéry, *La Traversée : une odyssée au cœur de l'Afrique*, Éditions Les Arènes, Paris, 2021

Un périple à travers la forêt congolaise, de Kigali, au Rwanda, à Kinshasa, en République démocratique du Congo, avec pour enjeu : la vérification des accusations des autorités françaises concernant un second génocide qui se serait déroulé après celui des Tutsi au Rwanda. L'expérience se solde non seulement par l'effondrement de cette théorie, mais encore par la confirmation du rôle on ne peut plus sinistre joué par la France, ou plus exactement la France de M. Mitterrand et de ses complices au Rwanda.

Né en 1962, l'auteur est un journaliste réputé qui fut envoyé spécial au Rwanda pour le quotidien *Le Figaro* et a vu le génocide perpétré en 1994.

Nawaf Salam, *Le Liban d'hier à demain,* collection « L'Orient des Livres », Sindbad/Actes Sud, Arles, 2021

Né en 1953, l'auteur est un diplomate, juriste et universitaire libanais, élu en 2017 juge à la Cour internationale de Justice pour la période 2018-2027. De 2007 à 2017, il a été ambassadeur extraordinaire et plénipotentiaire, représentant permanent du Liban auprès des Nations unies, à New York.

Alfred Sauvy (1898-1990), *Mythologie de notre temps,* Payot, Paris, 1965 (collection « Petite bibliothèque Payot », 1971) ; *Les Quatre Roues de la fortune : essai sur l'automobile,* collection « Le Meilleur des mondes », Flammarion, Paris, 1968 ; *La Vieillesse des nations,* préface, textes choisis, présentés et annotés par Jean-Claude Chesnais, collection « Tel », Gallimard, Paris, 2001

Parmi les ouvrages riches en fulgurances de cet éminent démographe, sociologue, statisticien et économiste, qui fut professeur au Collège de France. Avec des pages où la magie du chiffre est volontiers mise à mal et où l'esprit se montre parfois très visionnaire…

Maxime Sbaihi, *Le Grand Vieillissement,* Éditions de l'Observatoire, Paris, 2022

Partant du constat que la France n'a jamais compté autant de seniors, l'ouvrage a le mérite de mettre en lumière les gigantesques répercussions – de tous ordres mais souvent mésestimés ou minimisés – de cette situation… Plus la France vieillit, plus les actifs triment et plus les jeunes trinquent. La démocratie française n'est plus qu'une imposture à force de dériver vers une gérontocratie, avec des électeurs âgés et mobilisés et une jeunesse minoritaire qui boude les urnes.

Économiste, l'auteur est le directeur général du laboratoire d'idées GénérationLibre, fondé par Gaspard Koenig.

Klaus Schwab et Thierry Malleret, *Covid-19: The Great Reset,* Forum Publishing, World Economic Forum, Genève, 2020

The Great Reset, en français la grande réinitialisation, est le nom d'une proposition du Forum économique mondial de planification économique qui vise à reconstruire l'économie de manière durable après la pandémie de Covid-19. Selon ses promoteurs, il s'agirait d'améliorer le capitalisme grâce à des investissements orientés vers le progrès et à des initiatives environnementales. Selon ses détracteurs, cette proposition dissimule en réalité une volonté d'instaurer un nouvel ordre mondial et d'imposer des changements de type socialiste et écologiste.

Né en 1938, Klaus Schwab est un ingénieur et économiste qui a fondé en 1971 le Symposium européen du management, organisé à Davos en Suisse, qui est devenu en 1987 le Forum économique mondial.

Docteur en sciences économiques à l'université d'Oxford, Thierry Malleret, né en 1961, est cofondateur et contributeur principal du Monthly Barometer, un service en ligne d'analyse et de prospective.

Franc Schuerewegen, *Des notes et des textes : études sur l'annotation,* Cahiers de recherche des instituts néerlandais de langue et de littérature française, Brill | Rodopi, Leiden/Boston, 2020

Dans cet ouvrage savant en forme de dossier réuni et présenté par Franc Schuerewegen, professeur de littérature française à l'université de Nimègue, aux Pays-Bas, le deuxième chapitre intitulé « La littérature est-elle annulable ? » et rédigé par Vincent Jouve, professeur de littérature française à l'université de Reims – Champagne-Ardenne, relève une intéressante « correspondance » entre *La Presqu'île,* de Julien Gracq, et *Fin de siècle,* de Jean-Edern Hallier.

Desmond Shum, *La Roulette chinoise : révélations d'un milliardaire Rouge – argent, pouvoir, corruption et vengeance dans la Chine d'aujourd'hui,* Éditions Saint-Simon, Paris, 2022

Un utile coup de projecteur sur l'ampleur de la corruption en Chine, au travers notamment des liens entre entrepreneurs et hauts dirigeants du PCC (Parti communiste chinois) et des privilèges consentis aux « princes rouges », les héritiers des pères fondateurs du PCC.

Peter Szendy, *À coups de points : la ponctuation comme expérience,* collection « Paradoxe », Éditions de Minuit, Paris, 2013

Né en 1966, l'auteur est professeur de littérature comparée à l'université américaine Brown.

« Le temps passe. Ah, si on pouvait le regarder passer.
Mais hélas, on passe avec lui. »

Paul-Jean Toulet (1867-1920), *Journal et voyages*

Jean Teulé, *Azincourt par temps de pluie,* Éditions Mialet-Barrault, Paris, 2022

Racontée par un écrivain né en 1953 et mort en 2022, la bêtise à la française dans toute son ampleur... historique.

David Teurtrie, *Russie, le retour de la puissance,* collection « Objectif Monde », Éditions Armand Colin, Malakoff, 2021

Né en 1980, l'auteur est un spécialiste de la géopolitique russe et eurasiatique. Chercheur associé au Centre de recherches Europes-Eurasie et chargé de cours à l'Inalco (Institut national des langues et civilisations orientales), il a été directeur du Collège universitaire français de Saint-Pétersbourg.

Nadine Trintignant, *C'est pour la vie ou pour un moment ?,* Éditions Bouquins, Paris, 2021

Un récit émouvant au sujet de la relation amoureuse de l'auteure, réalisatrice de cinéma née en 1934, avec l'acteur Jean-Louis Trintignant, décédé en 2022.

« Dire des idioties, de nos jours où tout le monde réfléchit profondément, c'est le seul moyen de prouver qu'on a une pensée libre et indépendante. »

Boris Vian, *Le Goûter des généraux*

Raoul Vaneigem, *Traité de savoir vivre à l'usage des jeunes générations,* Gallimard, Paris, 1967

Un livre qui parut peu après *La Société du spectacle* de Guy Debord. Né en 1934, son auteur a été membre de l'Internationale situationniste dans les années 1960. Il a publié de nombreux autres ouvrages dont *Propos de table : dialogue entre la vie et le corps* au Cherche midi en 2018.

Pauline Valade, *Le Goût de la joie : réjouissances monarchiques et joie publique à Paris au XVIIIe siècle,* Éditions Champ Vallon, Ceyzérieu, 2021

L'auteure est agrégée et docteure en histoire moderne.

Irene Vallejo (Irene Vallejo Moreu, dite), *L'Infini dans un roseau : l'invention des livres dans l'Antiquité,* traduction de l'espagnol par Anne Plantagenet, Éditions Les Belles Lettres, Paris, 2021

Par une docteure en philologie classique née en 1979, un ouvrage en forme de bel hommage au « livre à pages », cet objet magique qui tient bon depuis des millénaires et qui, à la différence des outils numériques, n'est pas frappé d'obsolescence et d'inaccessibilité en quelques années… De même que les ascenseurs n'ont pas supprimé les escaliers, l'intelligence artificielle n'a pas fait disparaître les chaises.

Manuel Valls, *Pas une goutte de sang français : mais la France coule dans mes veines,* Grasset, Paris, 2021

La parution de ce livre dont le titre, d'emblée, n'était pas bon, n'avait pour seul intérêt que précéder la mise hors jeu de cet homme politique né en 1962 qui, à force d'apparaître comme l'exemple caricatural de l'opportunisme, a fini par être complètement discrédité et mis d'office à la retraite (dorée) par les électeurs de Catalogne comme de France… « Si la girouette pouvait parler, ironisait déjà en son temps Jules Renard dans son *Journal,* elle dirait qu'elle dirige le vent. »

« Survivra-t-elle (la littérature) à l'ère de l'audiovisuel ? Oui, sans aucun doute. Mais probablement en marge de la culture dominante, celle qui retient toute l'attention, occupe le temps et assure le divertissement du plus grand nombre, comme cela se passe déjà dans la majeure partie des pays réputés cultivés. Mais en contrepartie, elle sera peut-être plus personnelle et plus libre. »

Mario Vargas Llosa, « Le paradis des livres »,
in *Librairies, corps et âmes* (1994)

Jean Viard, *La Révolution que l'on attendait est arrivée : le réenchantement du territoire,* Éditions de l'Aube/Fondation Jean Jaurès, La Tour-d'Aigues, 2021

Pour l'auteur, sociologue, directeur de recherche au CNRS (Centre national de la recherche scientifique), né en 1949, il ne fait guère de doute qu'une forte mutation, « un mai 1968 puissance cent », est en cours et que nous assistons au triomphe d'une société numérique et écologique où « le jardinage prime sur les labours »…

« Les bons livres sont les entrepôts des idéaux. »

H. G. Wells (1866-1946), *Select Conversations With an Uncle (new extinct) and Two Other Reminiscences* (1895, non traduit)

Paul Wermus, *Les VIPères de la télé,* Éditions du Moment, Paris, 2015

L'auteur, disparu en 2017, y évoque notamment les talk-shows « en roue libre » que Jean-Edern Hallier animait sur la chaîne de télévision Paris Première.

« Chaque écrivain écrit une seule longue œuvre dont il ne connaît pas entièrement la tonalité. Il est poursuivi par des récurrences, il copie mais boit à une source – on le saura plus tard – qui est sa cadence. »

Louis Zukofsky (1904-1978), dans une lettre adressée à une proche, la poète Lorine Niedecker (1903-1970) et intégrée au deuxième chant (« A 12 ») de *A*

Yves Charles Zarka et Christian Godin (sous la direction de), *Dictionnaire du temps présent,* Éditions du Cerf, Paris, 2022

Une somme de plus de 600 pages, fruit des travaux de plusieurs dizaines de collaborations sous la conduite de deux philosophes, qui aboutit à un intéressant guide sémantique, utile pour se repérer dans le monde actuel.

« L'odeur d'un livre fraîchement imprimé est la meilleure odeur au monde. »

Attribué à Karl Lagerfeld (1933-2019)

Thèses, mémoires et communications

« Laissons à Monsieur Thèse, vélocipédiste du troisième cycle, à la fac de Montpellier, les commentaires, les gloses, les détails biographiques, les citations tronquées mais révélatrices pour faire vrai-vrai. »

Jean-Edern Hallier, *Je rends heureux*

Vidéo et audio

Parmi les films

« Ezra Pound se promenant dans Paris », film de 2,30 minutes tourné en 1965

Précieuse archive, visible sur la chaîne YouTube, où, en compagnie du jeune Jean-Edern Hallier et de Dominique de Roux, le célèbre poète américain, âgé de 80 ans, se rend à un déjeuner dans un restaurant de la tour Eiffel.

Lire, de Daniel Costelle, Bernard Cwagenbaum et Jean-Pierre Lajournade (1937-1976), avec le concours de Roger Grenier (1919-2017) et Jacques Taroni, 47 minutes, Office national de radiodiffusion télévision française, 1966

Ce magazine littéraire comporte un entretien de quelques minutes avec Jean-Edern Hallier, filmé dans un appartement où il résidait alors près du bois de Boulogne. Des images précieuses, qui furent diffusées le 4 février 1966.

« Que reste-t-il de la noblesse ? », émission « Apostrophes » réalisée par Roger Kahane et animée par Bernard Pivot, 64 minutes, Antenne 2, 1975

À l'occasion de la parution de son livre *La Cause des peuples,* Hallier fait partie, avec Fernand de Saint-Simon, Ghislain de Diesbach, François de Negroni et Willy de Spens, des invités de cette émission-débat, diffusée le 10 octobre 1975 sur Antenne 2.

Jean-Edern Hallier, de Jean-Daniel Verhaeghe et Jean Baronnet, 22 minutes, France 3 (distrib. INA), 1978

Diffusé dans le cadre de l'émission « L'homme en question. Jean-Edern Hallier » de Pierre-Marie Boutang, d'une durée de 65 minutes, sur France 3, le 9 juillet 1978, cet autoportrait se présente comme une balade quelque peu lyrique à travers des lieux et des fantasmes familiers : le téléspectateur suit ainsi l'écrivain dans la Bretagne de son enfance (posté sur un rocher, ou cheminant devant le manoir paternel, évoquant ses souvenirs avec deux vieillards) ; en Autriche, devant le château de Schönbrunn ou dans une église baroque ; à Paris, marchant avec sa fille Ariane et son amie sous les arcades de la place des Vosges… Et par la pensée, en Amérique latine où il séjourna un an. Un document particulièrement intéressant, réalisé par des professionnels réputés.

Des choses vues et entendues, ou rêvées, en Bretagne…, de José-Maria Berzosa, 60 minutes, Antenne 2, 1978

Produit par Pascale Breugnot et diffusé une première fois sur la chaîne de télévision Antenne 2, en 1979, un documentaire avec la participation de Jean-Edern Hallier.

« Questionnaire : Jean-Louis Servan-Schreiber reçoit Jean-Edern Hallier », 52 minutes, TF1, 1981 (diffusée le 4 novembre 1981)

Trois jours avec Fidel Castro, de Jacques Mény et Pierre-André Boutang, interview de Fidel Castro par Jean-Edern Hallier, 97 minutes, Rennes, Tribauthèque, 1990

« Paris Dernière », émission de télévision de 50 minutes présentée par Thierry Ardisson, diffusée sur Paris Première, le 3 février 1996

Une dizaine de minutes sont consacrées à une visite dans l'appartement d'Hallier, avenue de la Grande-Armée, son ultime résidence parisienne. En compagnie de sa fille Béatrice Szapiro, l'écrivain évoque son goût pour le jeu d'échecs, montre ses dernières publications et œuvres picturales. Tourné moins d'un an avant sa disparition, un document précieux, émouvant, suggestif et non dépourvu d'une certaine drôlerie.

Jean-Edern, le fou Hallier, de Frédéric Biamonti, 2006

Coproduit par la Générale de Production/INA/France 5/CNC et incluant des documents de l'Institut national de l'audiovisuel, un documentaire de 52 minutes qui a le mérite d'exister mais qui, manifestement destiné à un public aussi large que possible, se révèle malheureusement riche en poncifs, en images « people » plutôt convenues et en regrettables facilités (ne serait-ce que, d'emblée, dans son titre).

« 93, Faubourg Saint-Honoré », émission de télévision d'une durée de 52 minutes, animée par Thierry Ardisson et diffusée sur la chaîne Paris Première, le 9 janvier 2007

Un dîner mondain au domicile de l'animateur organisé le 4 décembre 2006 sur le thème de Jean-Edern Hallier, à intérêt documentaire plutôt mince, en dépit de la participation notable de Laurent Hallier, Béatrice Szapiro, Isabelle Alexis, Élisabeth Barillé, Jacques Vergès, Alain de La Morandais, Philippe Tesson, Yann Moix, Benjamin Labonnélie.

L'Idiot international, un journal politiquement incorrect, de Nils Andersen, documentaire de 52 minutes réalisé par Bertrand Delais et diffusé sur France 5, le 22 janvier 2017 à 22 h 35 puis sur LCP (La Chaîne Parlementaire), le 3 novembre 2017 à 20 h 30

Réalisé autour d'images d'archives de l'époque et de témoignages de ceux qui ont collaboré à ce journal d'opposition, ce documentaire évoque de manière quelque peu réductrice et orientée cette atypique aventure éditoriale du début des années 1990. La personnalité d'Hallier n'est heureusement pas absente du propos.

La Story : Jean-Edern Hallier, de Raphaëlle Baillot, documentaire de 17 minutes, diffusé dans le cadre du magazine « Stupéfiant ! » présenté par Léa Salamé sur France 2, le 9 janvier 2017 à 23 h 10

Petit document à vocation commémorative, au contenu sans surprise et sans réel intérêt, mais avec toutefois des images un peu émouvantes d'une visite au domicile de Laurent Hallier, qui, physiquement, ressemble beaucoup à son frère Jean-Edern.

« Affaires sensibles : les écoutes de l'Élysée, le dernier secret de François Mitterrand », émission radiophonique de 53 minutes de Fabrice Drouelle, avec la collaboration de David Jacubowiez, Valérie Priolet, Adrien Carat, Christophe Barreyre et Murielle Perez, diffusée pour la première fois sur France Inter le 16 janvier 2018 (rediffusée le 10 août 2022)

En dépit de son titre tout à fait inexact, une émission plutôt utile puisqu'elle a le mérite de rafraîchir les mémoires…

1974, l'alternance Giscard, de Pierre Bonte-Joseph, documentaire de 58 minutes, diffusé sur Public Sénat les 27 septembre 2019 à 22 heures, le 29 septembre à 8 heures, puis les 1er et 5 octobre 2019

Documentaire de très bonne tenue, sérieux et éclairant au sujet des « années Giscard », grâce à une immersion dans l'univers des Archives nationales et des « pépites » que, sous haute protection, elles détiennent pour une meilleure compréhension de l'Histoire. On y voit une preuve que les connivences entre « bords » politiques *a priori* opposés, à l'époque des Michel Poniatowski et Gaston Defferre, ne relevaient pas d'affabulations journalistiques. On peut également y voir (sans qu'il soit mentionné) Jean-Edern Hallier soutenir le mouvement social des Lip et participer le 29 septembre 1973, en tête de défilé, à la grande « marche sur Besançon » des grévistes. Initiative d'autant plus notable qu'elle marquera sa « journée d'adieu » à cette forme d'activisme.

Mitterrand et les écoutes de l'Élysée, de Mélanie Dalsace, documentaire de 52 minutes, diffusé dans le cadre du magazine « Les mensonges de l'Histoire », présenté par Fabrice d'Almeida sur TMC Story, le 17 mars 2020 à 20 h 55 (rediffusé le 3 février 2021 à 20 h 30, le 2 mai 2022 à 20 h 30, et les 20 octobre 2022 à 20 h 30 et 28 octobre 2022 à 0 h 30 sur LCP – La Chaîne Parlementaire)

Un documentaire de qualité, bien conçu, qui rappelle avec clarté comment un gangster de haut vol costumé en président de la République française a transgressé les lois à des fins personnelles et utilisé des voyous déguisés en grands serviteurs de l'État pour empêcher Jean-Edern Hallier de dévoiler ses graves mensonges. Un scandale dont les incidences majeures sur les fondements de la démocratie et sur l'image de la politique en France se font toujours ressentir plusieurs décennies plus tard… Même s'il comporte une affirmation discutable au sujet de l'auteur de *L'Honneur perdu de François Mitterrand,* le film a, entre autres mérites, celui de comporter un utile « coup de projecteur » sur l'« affaire des Irlandais de Vincennes », ô combien révélatrice de l'ignominie de M. Mitterrand et de ses valets-barbouzes.

« Les écoutes de la République », une enquête d'Émilie Lançon, Jérémy Frey et Jérôme Prouvost, diffusée le 13 décembre 2021 sur France 2 à 22 h 45, et sur France Info, dans « Affaires sensibles », un magazine présenté par Fabrice Drouelle et coproduit par France Télévisions, France Inter et l'INA d'après l'émission originale de France Inter

Parmi les émissions de radio

« Deux heures pour comprendre : les rapports éditeurs-auteurs », émission proposée et animée par Jean Montalbetti, Claude Hudelot et Yves Loiseau, réalisée par Bernard Saxel, avec Gérard Guégan, Jean Guenot, Jean-Edern Hallier, Jean-Claude Lattès, Georges Léon, Jean Rousselot et Philippe Sollers, diffusée sur France Culture, le

11 décembre 1975 (rediffusée le 26 février 2019 dans les « Nuits de France Culture »)

« Démarches », trois émissions d'entretiens de 15 minutes chacune, animées par Gérard-Julien Salvy et diffusées sur France Culture, les 17 septembre, 24 septembre et 1er octobre 1977

« Radioscopie », émission de 56 minutes animée par Jacques Chancel et diffusée sur France Inter, le 22 septembre 1980

« Tribunal des flagrants délires : Jean-Edern Hallier », émission de 56 minutes présentée par Claude Villers, assisté de Pierre Desproges et de Luis Rego, et diffusée sur France Inter, le 9 février 1981

« Radioscopie », émission de 56 minutes animée par Jacques Chancel et diffusée sur France Inter, mi-avril 1988

Panorama – Littérature et poésie : Jean-Edern Hallier, documentaire de 50 minutes par Jacques Duchâteau, réalisé par Annie Woïchekovska, avec Jean-Edern Hallier, Roger Dadoun, Antoine Spire, Gilles Gourdon, Carmen Bernard, Max Zins. Première diffusion sur France Culture, le 25 octobre 1990 (deuxième diffusion le 24 janvier 2017 ; troisième diffusion le 30 novembre 2020)

« Les Guetteurs du Siècle », émission d'une heure animée par Jacques Chancel, diffusée sur France Inter, le dimanche 8 janvier 1995

« La saga de Paris – Paris Vintage : 1984 », émission de quelques minutes réalisée par Thierry Bœuf et diffusée à l'antenne de France Bleu, les 8 et 9 mai 2021

Sur l'air de « coups fourrés de Jean Edern Hallier, de secrets dévoilés et de baisers volés… », cette émission de quelques minutes insère un bref mais bel extrait sonore qui permet d'entendre la voix d'Hallier et mentionne qu'en 1984, « l'écrivain narcissique Jean-Edern Hallier, sur écoute téléphonique permanente à l'Élysée, relance un journal *L'idiot international,* un "France Dimanche d'aristocrates" comme il dit », qu'il signe des « articles brûlots », mais qu'il n'a pas le temps de « balancer sa bombe dans son journal, à savoir la fille cachée de Mitterrand, élevée par la République », avant de préciser que « c'est *Paris Match* qui s'en charge, avec une photo choc prise à la sortie d'un déjeuner du restaurant le Divellec dans le 7e arrondissement ».

« Historiquement vôtre : Joséphine Baker, Jean-Edern Hallier et Mick Jagger, ils mènent une (drôle de) vie de château ! », émission de deux heures animée par Stéphane Bern et Matthieu Noël, diffusée de 16 heures à 18 heures à l'antenne d'Europe 1, le 30 novembre 2021

Trois personnages clés pour illustrer une « drôle de vie de château » et présentés ainsi par la station de radio : « Joséphine Baker, reine du music-hall dans les années folles, résistante, et reine engagée contre le racisme qui, avant d'avoir le Panthéon comme ultime demeure, a passé le plus clair de sa vie... dans un château, celui des Milandes en Dordogne ; puis un roi qui a grandi dans un château aussi, un roi de la provoc surtout : l'écrivain et polémiste Jean-Edern Hallier. Et un châtelain plus contemporain, encore plus rock que les deux autres : Mick Jagger et son château de la Fourchette ! »

« L'usage de la radio n'a pas rendu plus sot,
mais la sottise s'est faite plus sonore. »

Jean Rostand (1894-1977), *Inquiétudes d'un biologiste*

Jean-Pierre Thiollet

« La mère (à près de 91 ans) : Quel âge as-tu ?
Le fils – J'ai bientôt 64 ans.
La mère : Tu es vieux ! »

« Les courtes peines, et qui sont suivies de bonheur, ne détruisent pas le goût des plaisirs, au contraire, elles l'aiguisent. »

Nicolas de Malebranche (1638-1715),
Apologie ou les véritables mémoires de Maria Mancini

« Encore quelques années, et je serai plein d'illusions. »

Jules Renard, *Journal,* 8 avril 1897

Auteur et coauteur de nombreux ouvrages, parus chez divers éditeurs (Vuibert, Nathan, Neva éditions, Europa-América, Jean-Cyrille Godefroy, Economica, Dunod, Anagramme éditions, H & D, Frédéric Birr...) et dans différents domaines, Jean-Pierre Thiollet est originaire du Haut-Poitou (France, Europe). Né en 1956, il a reçu sa formation au sein des lycées René-Descartes et Marcelin-Berthelot de Châtellerault, des classes préparatoires aux grandes écoles du lycée Camille-Guérin à Poitiers, puis des universités de Paris-I – Panthéon-Sorbonne, Paris-III – Sorbonne-Nouvelle et Paris-IV – Sorbonne. Il a passé avec succès le concours de Saint-Cyr-Coëtquidan (Corps technique et administratif des officiers des armées), mais, à la différence de Jean-Edern Hallier, n'avait ni grand-père ni père général et ne donna pas suite.

Diplômé en lettres, arts et droit (DES – Diplôme d'études supérieures –, maîtrise, licence…), détenteur de divers certificats en anglais et en histoire, il a depuis longtemps conscience, comme le souligne Picabia dans ses *Écrits,* qu'à gagner des parchemins, l'être humain prend tous les risques de perdre son instinct… Il est volontiers catalogué comme journaliste pour s'être vu délivrer une carte de presse dès le début des années 1980 et jusqu'à notre époque, comme écrivain pour avoir publié, sous son nom et sous divers pseudonymes, souvent féminins, des dizaines de livres, et comme conseiller en communication pour avoir été associé à quelques « faits d'armes » dans les coulisses de la politique et les sphères stratégiques de la finance et de l'économie… De 2009 à 2012, il a exercé des fonctions de rédaction en chef et de délégation du personnel à *France-Soir,* l'un des très rares titres de presse écrite française à aura planétaire. En des temps fort révolus, il fut journaliste puis rédacteur en chef au *Quotidien de Paris,* au sein du groupe de presse Quotidien présidé par Philippe Tesson, collaborateur de publications comme *L'Amateur d'Art, Paris Match, Vogue Hommes, Théâtre Magazine* ou *La Vie Française.* Il fut également l'un des responsables nationaux, de 1991 à 2017, de la Cedi (Confédération européenne des indépendants), organisation de défense des commerçants, artisans et travailleurs indépendants, vice-président d'une association mondiale pour l'investissement immobilier et la construction (Amiic), implantée à Genève, dotée de plus de 7 000 contacts dans 25 pays – dont Donald Trump, Susan James et Jennifer Tennant, membres de la Trump Organization –, animateur de colloques internationaux à Genève, Paris, Bruxelles et Marbella, conseiller auprès de personnalités ou d'entreprises, et membre de la Pavdec (Presse associée de la variété, de la danse et du cirque) présidée par Jacqueline Cartier, avec le soutien amical de Pierre Cardin.

Entre 1982 et 1986, ses communications téléphoniques avec Jean-Edern Hallier ont fait l'objet de nombreuses écoutes illégales. Ce qu'il n'a pas apprécié et encore moins oublié.

Signataire de l'introduction de *Willy, Colette et moi,* de Sylvain Bonmariage, réédité en 2004, il est sociétaire de la Sofia (Société française des intérêts des auteurs de l'écrit) depuis sa création et a été, avec Frédéric Beigbeder, Alain Decaux, Mohamed Kacimi et Richard Millet, l'un des invités en 2005 du Salon du livre de Beyrouth, à l'occasion de la parution de *Je m'appelle Byblos.* Depuis 2007, il est membre de la Grande famille mondiale du Liban (RJ Liban).

« Une place pour les rêves
Mais les rêves à leur place. »

Robert Desnos (1900-1945), *État de veille*

« Il faut regarder la vie en farce. »

Louis Scutenaire (1905-1987), *Mes inscriptions*

« Le mot de la fin :
Dieu, rajoute un couvert, j'arrive ! »

Jean-Marie Gourio et Jean-Michel Ribes, *Palace sur scène,* adaptation de la série télévisée par Jean-Marie Gourio et Jean-Michel Ribes

Remerciements

> « À force de tout regarder, il a appris qu'il n'y avait pas d'étoiles, et que chaque homme est une étoile. »
>
> Joë Bousquet, *Langage entier* (1967)

Nos chaleureux remerciements vont à toutes les personnes qui ont contribué, à leur manière, de près ou de loin, consciemment ou non, à la poursuite de ce projet éditorial et, en particulier, à Jean-Pierre Agnellet, Françoise Angel-Brunet, José Anido et Florence Anido-Fey, Roger et Christiane Anney, Micheline Antoine, Françoise Arnaud, Annie Auger, Abdelhadi Bakri, Angélina Barillet, Étienne Bataille, Sébastien Bataille, Philippe et Michèle Bazin, René Beaupain, Rémy et Chantal Bédier, Bruno Belthoise, Jean Bibard, Lella du Boucher, Roland et Claude (†) Bourg, Michel Boutin (†), Yasmine Briki, Hélène Bruneau-Ostapowiez, Jean-Pierre Brunois, Jean-François (†) et Danielle (†) Cabrerisso, Jean de Calbiac, Florence Canet, Yolande Capoue-Nyoko, Pierre Cardin (†), Patrice Carquin, Gérard Carreyrou, Jacqueline Cartier (†), Jean Cassou (†), Christine Castéran, Jean-Claude Cathalan, Jean-François Cavallier, Hamid Chabat, Audrey Chamballon, Paul (†) et Rachel Chambrillon, Jean-Marc Chardon, Laurence Charlot, Xavier du Chazaud, Pierre et Huguette Cheremetiev, Bénédicte Chesnelong, Daniel Chocron, Philippe Cohen-Grillet, Isabelle Coutant-Peyre, Marianne Daudré, Michèle Dautriat-Marre, Alain et Maria Didion, Françoise Domages-Arnaud, Laurence Douret-Vaivre, Blandine Dumas, Claire Dupré La Tour, Bernard Dupret, Jean (†) et Camille (†) Dutourd, Philippe

Dutertre, Régis et Eveline Duvaud, Thomas Duvigneau, Gabriel Enkiri, Suzy Evelyne, Jean Fabris (†), Armelle Fabry, Nassera Fadli, Jean-Pierre Faye, Francis Fehr et Virginie Garandeau, Joaquín (†) et Christiane Ferrer, Alain Forget, Audrey Freysz, François Gabillas (†), Didier Gaillard, Philippe Gaillardin, Marie-Lise Gall, Roland Gallais, Alexandra Gallon, Brigitte Garbagni, Claude et Claudine Garih, Guy (†) et Marie-Josée Gay-Para, Patrice Gelobter (†), Sarah Gelobter, Philippe Germanaz, Jean-Michel et Cécile Gevrey, Kenza El Ghali, Annick Gilles, Robert Giordana, Jean-François Giorgetti, Olivier Gluzman, Paula Gouveia-Pinheiro, Alain Gouverneur, Béatrix Grégoire, Cyril Grégoire, Ursula Grüber, Benoît Guénard, Olivia Guilbert-Charlot, Anne Guillot, Patrice (†) et Marie-Hélène Guilloux, Ariane Hallier, Maxime Hirigoyen, Ramona Horvath, Patricia Jarnier, Dominique et Alexandra Joly, Jean-Claude Josquin, René Journet (†), Paulette Jousselin, Jean-Pierre Jumez, Jean-Luc Kandyoti, Anna et Suzanne Kasyan, Chabou et Hopy Kibarian, Reine Kibarian, Bernard Kuchukian, Ingrid Kukulenz, Christian Lachaud, Frédérique Lagarde, Brigitte Lampin-Boucinha, Marie-France Larrouy, Arnaud Laster, Véronique Lecordier, Bernard Legrand, Alexandre et Nolwenn Lelièvre, Jean-Louis Lemarchand, Denis Lensel, Albert Robert de Léon, Ghislaine Letessier-Dormeau, Lyne Lohéac, Didier et Pascale Lorgeoux, Christophe-Emmanuel Lucy, Patrick et Sophie Lussault, Fernand Lystig, Lucie Malval, Monique Marmatcheva (†), Bernard Marson, Marie-Ange Martin, Odile Martin, Jean-Louis et Jean-Luc Martineau, Jean-Claude Martinez, François Mattei (†), Brigitte Menini, Laurent du Mesnil, François L. Meynot, Stéphanie Michineau, Bruno et Marie Moatti, Jean-Claude et Marie Mondon, Alain et Evelyne Mondon, Bernard Morrot (†), Fabrice Moysan, Gérard Mulliez, Abdallah Naaman, Madeleine et Brigitte Nazaruk, Ahmeth Ndiaye, Chloé Neveu, Duylinh Nguyen, Xuan Phuc et Thuan

Nguyen, Jean-Loup Nitot, Jill Nizard, François Opter (†), Marie-Noëlle Paduani, Jean-François et Corinne Pastout, Marie-Josée Pelletant (†), Nadia Plaud, Marcel et Brigitte Poirier, France Poumirau (†), Martine Pujalte, Lise Qu-Knafo, Kevin et Louise Rau, Richard et Gabrielle Rau, Raoul Relouzat, Aurélie Renard, Jean-Côme Renard, Maurice Renoma, Ariel Ricaud, François Roboth, Christian Rossi, Caroline Roucayrol, Franck Sallet, André et Alice Schegerin, Élisabeth Schneider, Patrick Scicard, Arnaud Séité, Philippe Semblat, Sylvie Sierra-Markiewicz, David Simon, Jacques Sinard, Tatiana Smolenskaya, Véronique Soufflet, Béatrice Szapiro, Shona Taylor, Francis Terquem, Philippe Tesson, Alain Thelliez, Joël Thomas, Elisabeth, Francine, Hélène, Monique, Augustin, Jean (†) et Pierre Thiollet, Richard et Joumana Timery, David et Genc Tukiçi, Laurence Uebersfeld, Franck Vedrenne, Evelyne Versepuy, Caroline Verret, Alain Vincenot, Sylvie Viollet, Patrice (†) et Cristina de Vogüé, André et Mauricette Vonner, Christiane Vulvert, Franz (†) et Judith Weber, Paul Wermus (†), Laurent (†) et Marie-Henriette Wetzel, Ylva Wigh, Sandra Williams, Guillaume Wozniak.

« Veux-tu obtenir un jugement clair sur tes amis, interroge tes rêves. »

Karl Kraus (1874-1936), *Dits et contredits*

« Combien de temps… Combien de temps encore ?
Des années, des jours, des heures, combien ?
Je veux des histoires, des voyages…
J'ai tant de gens à voir, tant d'images. »

« Le temps qui reste », chanson – paroles de Jean-Loup Dabadie (1938-2020) et musique d'Alain Goraguer –, interprétée par Serge Reggiani (1922-2004)

Du même auteur

« Où sont allés mes projets perdus, mes rêves impossibles ?
Pourquoi y a-t-il des projets morts et des rêves sans raison ?
(...)
Il m'est difficile de me lever de la chaise où je ne m'étais pas aperçu que j'étais assis. »

Alvaro de Campos (hétéronyme de Fernando Pessoa, 1888-1935), *Livro de versos*

Qui va sano va piano, à paraître

Hallier, tout feu tout flamme, à paraître

Hallier, l'Edernel retour, avec des contributions de François Roboth, Neva éditions, 2021

Hallier, l'homme debout, avec des contributions de François Roboth, Neva éditions, 2020

Hallier, Edernellement vôtre, avec le témoignage d'Isabelle Coutant-Peyre et des contributions de François Roboth, Neva Éditions, 2019

Hallier ou l'Edernité en marche, avec une contribution de François Roboth, Neva Éditions, 2018

Improvisation so *piano,* avec le témoignage de Bruno Belthoise et des contributions de Jean-Louis Lemarchand et de François Roboth, Neva Éditions, 2017

Hallier, l'Edernel jeune homme, avec des contributions de Gabriel Enkiri et de François Roboth, Neva Éditions, 2016

88 notes pour piano solo, avec des contributions d'Anne-Élisabeth Blateau, de Jean-Louis Lemarchand et de François Roboth, Neva Éditions, 2015

Immobilier : allégez votre fiscalité, avec Pierre Thiollet, Éditions Vuibert, 2014

Piano ma non solo, avec les témoignages de Jean-Marie Adrien, d'Adam Barro (alias Mourad Amirkhanian), de Florence Delaage, de Caroline Dumas, de l'Opéra de Paris, de Virginie Garandeau, de Jean-Luc Kandyoti, de Frédérique Lagarde et de Genc Tukiçi, et avec des contributions de Daniel Chocron, de Jean-Louis Lemarchand et de François Roboth, Anagramme éditions, 2012

Votre sexualité épanouie, avec Raoul Relouzat, collection Poche, Anagramme éditions, 2012 (paru sous le titre *Votre sexualité sans complexe,* Anagramme éditions, 2002)

Vaincre la migraine, avec Raoul Relouzat, Anagramme éditions, 2012 (3e édition)

Créer ou reprendre un commerce, avec une préface de Sophie de Menthon, Éditions Vuibert, 2011 (3e édition)

Vitamines et minéraux, collection « Poche Santé », Anagramme éditions, 2011 (collection « Poche », Éditions Clairance, 2010) ; collection « Poche », Anagramme éditions, 2006 ; paru sous le titre *La Santé par les vitamines et les minéraux,* en 2003, et sous le titre *Vitamines et minéraux : du tonus dans votre assiette,* en 2001, Anagramme éditions)

Bodream ou Rêve de Bodrum, avec des contributions de Francis Fehr et de François Roboth, Anagramme éditions, 2010

Carré d'Art : Jules Barbey d'Aurevilly, lord Byron, Salvador Dalí, Jean-Edern Hallier, avec des contributions d'Anne-Élisabeth Blateau et de François Roboth, Anagramme éditions, 2008

Les Risques du manager, avec Azad Kibarian, Éditions Vuibert, 2008

Barbey d'Aurevilly ou le Triomphe de l'écriture, avec des contributions de Bruno Bontempelli, de Jean-Louis Christ, d'Eugen Drewermann et de Denis Lensel, H & D, 2006

Le Droit au bonheur, collection « Poche », Anagramme éditions, 2006 (paru sous le titre *Savoir dire oui au bonheur* en 2003)

Savoir accompagner la puberté, Anagramme éditions, 2006

Je m'appelle Byblos, préface de Guy Gay-Para, illustrations de Marcel C. Desban, H & D, 2005

Sax, Mule & Co : Marcel Mule ou l'éloquence du son, H & D Éditions, 2004

Demain 2021 : la France, entre la région, l'Europe et le monde – Entretiens, Jean-Claude Martinez, Godefroy de Bouillon, 2004

Rêves de trains, Anagramme éditions, 2003

Les Dessous d'une présidence, Anagramme éditions, 2002

Bien préparer son départ à la retraite, Éditions Vuibert, 2002

Beau linge et argent sale : fraude fiscale internationale et blanchiment des capitaux, Anagramme éditions, 2002

Le Guide de la presse, ouvrage collectif, Alphom éditions, 2002

Combattre la douleur, avec Raoul Relouzat, Anagramme éditions, 2002

Les Placements gagnants, Anagramme éditions, 2001

L'Héritage, mode d'emploi, Anagramme éditions, 2001

La Copropriété, mode d'emploi, Anagramme éditions, 2001

Le Fisc, mode d'emploi, Anagramme éditions, 2001

Le Conjoint du professionnel libéral, Anagramme éditions, 2001

Rêves de chats, Anagramme éditions, 2001

Le Guide des SCPI – savoir investir dans les sociétés civiles de placement immobilier, Axiome éditions, 2000

Fisc-Immo : le grand duo, Axiome éditions, 1999

La Vie plurielle, Axiome éditions, 1999

Les Baux sans peine, Axiome éditions, 1999

Le Chevallier à découvert, Laurens, 1998

« Vers la fin de la pensée unique ? » in *La Pensée unique : le vrai procès,* ouvrage collectif, avec des contributions notamment de Jean Foyer, de Jacques Julliard, de Pierre-Patrick Kaltenbach, de Françoise Thom et de Thierry Wolton, Economica – Jean-Marc Chardon et Denis Lensel éditeurs, Paris, 1998

Histoire familiale des hommes politiques français, ouvrage collectif, avec une préface de Marcel Jullian, Archives et Culture, 1997

Euro-CV, Top éditions, 1997

Les Noms de famille en France, ouvrage collectif, avec une préface de Jacques Dupâquier, Archives & Culture, 1996

L'Art de réussir ses premières semaines en entreprise, avec le dessinateur Helbé (Olivier Lorain-Broca, dit), Nathan, 1996

L'Anti-Crise, avec Marie-Françoise Guignard, témoignages de Jean-Claude Cathalan, de Chantal Cumunel, d'Ursula Grüber, d'Henri Lagarde, de Patrick Lenôtre, d'Alain Mosconi, de Philippe Rousselet et d'Eveline Duvaud-Schelnast, Dunod, 1994

Concilier vie privée et vie professionnelle, avec Laurence Del Chiaro, Nathan, 1993

Réussir ses trois premiers mois dans un nouveau poste, avec Marie-Françoise Guignard, Nathan, 1992 (*Os três primeiros meses num novo emprego,* traduit en portugais par Maria Melo, collection « Biblioteca do desenvolivemento pessoal », Publicações Europa-América, 1993)

Je réussis mon entretien d'embauche, avec Marie-Françoise Guignard, dessins de Hoviv (René Hovivian, dit, 1929-2005), Éditions Amarande, 1991, 1993 (Éditions Jean-Cyrille Godefroy, 1995 ; Éditions Altigraph, 2003)

CV : les lettres clés de ma carrière, avec Marie-Françoise Guignard, dessins de Hoviv, Éditions Amarande, 1991, 1993 (Éditions Jean-Cyrille Godefroy, 1995 ; Éditions Altigraph, 2003)

Le Guide du logement, Nathan, 1990

L'Aventure des vacances, avec Monique Thiollet, illustrations de Pascale Collange, Nathan, 1989

Tout doit disparaître, André Vonner (entretiens), dessins de Mose (Moïse Depond, dit, 1917-2003), Éditions Seld/Jean-Cyrille Godefroy, 1986

« La dérisoire fascination du faux » in *Utrillo, sa vie, son œuvre,* ouvrage collectif, Éditions Frédéric Birr, 1982

« Relie par des rêves bien dirigés le travail du soir au travail du matin. »

Jules Renard, *Journal,* 28 octobre 1896

« Un livre est toujours l'approche ou le prolongement d'un livre entrevu. »

Edmond Jabès (1912-1991), *Le Soupçon, le Désert*

« En chacun de nous, c'est Dieu qui pédale et le Diable qui fait la roue libre. »

Gilbert Cesbron (1913-1979), *Journal sans date*

« Jamais la vie n'a pu croire à la mort. »

Gaston Bachelard (1884-1962), *L'Eau et les Rêves*

ISBN : 978-2-35055-305-4

Imprimé en France